DANIELLE STEEL

DESAPARECIDO

Tradução de
ELIANA SABINO

2ª EDIÇÃO

RECORD

EDITORA RECORD

CIP-Brasil. Catalogação-na-fonte
Sindicato Nacional dos Editores de Livros, RJ.

Steel, Danielle
S826d Desaparecido / Danielle Steel ; tradução Eliana
2ª ed. Sabino. 2ª ed. — Rio de Janeiro : Record, 1995.

Tradução de: Vanished

1. Romance norte-americano. I. Sabino, Eliana.
II. Título.

CDD — 813
95-0250 CDU — 820(73)-3

Título original norte-americano
VANISHED

Direitos exclusivos de publicação em língua portuguesa para o Brasil
adquiridos pela
DISTRIBUIDORA RECORD DE SERVIÇOS DE IMPRENSA S.A.
Rua Argentina 171 — 20921-380 Rio de Janeiro, RJ — Tel.: 585-2000
que se reserva a propriedade literária desta tradução

Impresso no Brasil

ISBN 85-01-04197-1

PEDIDOS PELO REEMBOLSO POSTAL
Caixa Postal 23.052 — Rio de Janeiro, RJ — 20922-970

Para Nick,

Pelo aborrecimento de ter uma mãe que o segue por toda parte, e pelo sofrimento de tantos anos sem poder fazer o que quiser quando quiser; pela pessoa que você é, e a que você vai ser: o ser humano excelente, o bom amigo e talvez até o grande escritor!

Com todo o meu amor,

Mamãe.

E para John,

O melhor pai, o melhor amigo, o maior amor, o homem mais bondoso, a mais extraordinária bênção da minha vida... Que sorte termos você!

Com todo o meu amor e o meu coração, sempre,

Olive.

1

Charles Delauney claudicava de leve ao subir com lentidão os degraus da Catedral de Saint Patrick, enquanto o vento inclemente esgueirava os dedos gelados por dentro de seu colarinho. Faltavam apenas duas semanas para o Natal, e ele tinha esquecido como em dezembro fazia frio em Nova York. Havia anos que não voltava a Nova York e não via o pai, agora com 87 anos. A mãe estava morta havia muito tempo; morrera quando ele tinha treze anos, e tudo que ele conseguia lembrar era que ela era muito bonita e boa. O pai estava senil e doente, preso ao leito. Os advogados insistiram para que Charles fosse para casa, pelo menos por alguns meses, para tentar colocar em ordem os negócios da família. Ele não tinha irmãos, e toda a carga dos negócios dos Delauney estava sobre seus ombros: terras em todo o estado; uma enorme propriedade perto de Newburgh, Nova York; carvão, petróleo, aço e alguns terrenos muito valorizados na zona sul de Manhattan. Uma fortuna que não tinha sido reunida por Charles, nem mesmo pelo pai dele, mas por ambos os avós. E nada daquilo despertava em Charles o menor interesse.

Seu rosto era jovem, mas marcado pelo tempo, mostrando sinais de sofrimento e luta. Charles acabava de passar quase dois anos na Espanha, combatendo por uma causa que não era sua, mas que lhe importava profundamente. Era uma das poucas coisas que lhe importavam, algo que realmente lhe tocava fundo. Em fevereiro de 1937, há quase dois anos, ele se juntara à Brigada Lincoln para combater os fascistas, e desde então estivera na Espanha, sempre em combate. Em agosto foi ferido novamente, perto de Gandesa, durante a batalha do Ebro, num confronto feroz. Não era a primeira vez que ficava ferido; aos quinze anos de idade, no último ano da Grande Guerra, ele fugira para juntar-se ao Exército, sendo ferido na perna em Saint-Mihiel. O pai tinha ficado furioso, mas agora nada podia fazer; não sabia coisa alguma do mundo, ou do filho, ou da guerra na Espanha. Não conseguira sequer reconhecer o filho! Vendo-o adormecido em seu enorme leito, Charles pensara que talvez fosse melhor assim — eles teriam discutido e brigado. O pai teria odiado o que o filho tinha se tornado, suas idéias sobre liberdade e liberalidade, seu ódio aos "fascistas".

O pai de Charles sempre desaprovara que ele morasse no exterior. Quando ele nascera, o pai já tinha bastante idade, e nunca conseguira entender por que Charles queria morar na Europa e viver criando confusão lá fora. Aos dezoito anos, em 1921, Charles voltara para a Europa e desde então morava lá, há dezessete anos. No início trabalhava ocasionalmente para os amigos ou vendia um ou outro conto, mas nos últimos anos vivia principalmente de sua renda substancial. O tamanho de sua renda sempre o irritara. "Nenhum homem normal precisa de tanto dinheiro para viver", confidenciara certa vez a um amigo íntimo, e durante anos doara a maior parte para a caridade, embora ainda sentisse enorme prazer com a pequena quantia que ganhava quando vendia um de seus contos.

Estudara em Oxford, depois na Sorbonne, e finalmente, por pouco tempo, estivera em Florença. Nessa época ele era inteiramente desatinado: bebia todo o vinho que conseguisse consumir, de vez em quando absinto, e divertia-se com uma turma de lindas mulheres. Aos 21 anos julgava-se um homem do mundo, depois de três anos de vida desregrada na Europa. Conhecera pessoas que os outros só conheciam pelos jornais, fizera coisas que poucos homens sonharam fazer, encontrara mulheres que os outros homens apenas desejavam com ardor. E então surgira Marielle... mas isso era outra história. Um história na qual ele tentava não pensar. A lembrança dela ainda doía demais.

Às vezes, durante a noite, ela entrava em seus sonhos, especialmente quando ele estava em perigo, ou com medo, dormindo numa trincheira em algum lugar, com as balas assobiando perto de sua cabeça... Então a lembrança dela surgia... o rosto... aqueles olhos inesquecíveis... os lábios... e a dor profunda que ela carregava como uma ferida, na última vez em que ele a vira. Desde então nunca mais a viu, e isso tinha sido quase sete anos antes. Sete anos sem vê-la, sem tocá-la... sem abraçá-la... e sem sequer saber onde ela estava, e dizendo a si mesmo que não tinha importância. Certa vez, ferido e certo de que ia morrer, ele se permitira mergulhar nas lembranças, e os enfermeiros encontraram-no inconsciente, numa poça de sangue, mas ao recuperar a consciência ele podia jurar que a vira parada atrás deles.

Ela tinha apenas dezoito anos quando se conheceram em Paris. Tinha um rosto tão bonito e vivo que parecia recém-pintado. Ele tinha 23 anos, e estava sentado num café com um amigo quando a avistara. Gostara dela no instante em que a vira. E ela, ao olhar de relance para ele, tinha no rosto uma expressão travessa. Ela fugira então, de volta ao hotel, mas ele a encontrara de novo, num jantar na casa de um embaixador. Eles foram então apresentados formalmente e tudo foi muito cerimonioso, embora Marielle ainda ostentasse aquele olhar risonho que o desconcertava.

Mas os pais dela não tiveram tão boa impressão dele. O pai era um homem sério, muito mais velho do que a mulher, e conhecia a reputação de Charles. Era contemporâneo do pai dele, e Charles achava que eles se conheciam ligeiramente. A mãe era metade francesa, e Charles achava-a incrivelmente circunspecta e extremamente enfadonha. Mantinham Marielle sob rédeas ridiculamente curtas e insistiam que ela estivesse à disposição deles o tempo todo. Não imaginavam a namoradeira que ela era, ou como era divertida quando queria ser. Mas possuía também um lado sério, e Charles descobriu que podiam passar horas conversando. Ela achou muito engraçado encontrá-lo na embaixada, e lembrava-se de tê-lo visto no café, embora só fosse admitir isso muito tempo depois. Ele ficou fascinado por ela, e ela por ele. Achava-o um rapaz muito interessante, diferente de todos que já conhecera, e queria saber tudo sobre ele — de onde vinha, por que estava ali, como podia falar francês tão bem. E desde o início ficara impressionada com a vocação e o talento dele como escritor. Ela pintava um pouquinho e revelou isso a ele, a princípio com uma alguma timidez. E mais tarde, quando já se conheciam melhor, ela lhe mostrou alguns desenhos surpreendentemente bons. Mas naquela primeira noite não foi a literatura ou a pintura que os atraiu; foi algo em suas almas que os aproximou inexoravelmente. Os pais dela também o notaram, e a mãe, depois de vê-los conversar por algum tempo, tentou afastar Marielle e apresentar-lhe outros jovens convidados. Mas Charles seguira-a por toda parte, um fantasma que já não era capaz de suportar ficar sem ela.

Na tarde seguinte encontraram-se no Deux Magots e depois deram um comprido passeio ao longo do Sena, como duas crianças travessas. Ela contou-lhe tudo sobre si mesma: sua vida, seus sonhos, seu desejo de um dia ser pintora, casar-se com alguém a quem amasse e ter nove ou dez filhos. Isso não agradou tanto a Charles, mas ele estava fascinado por ela. Havia em Marielle algo efêmero, delicado e maravilhoso, mas sob isso havia algo poderoso, resistente e vivo. Ela era como uma renda colocada sobre um mármore branco primorosamente esculpido. Até a pele era translúcida como as estátuas que ele viu em Florença logo que chegara à Europa, e os olhos eram como safiras azuis enquanto ela escutava seus sonhos de escritor: ele esperava, um dia, publicar uma coletânea de contos. Ela parecia compreender tudo e importar-se muito com todas as coisas que para ele eram tão profundamente importantes.

Os pais dela a levaram para Deauville, e ele a seguira até lá; depois Roma... Pompéia... Capri... Londres... e finalmente de volta a Paris. Ele tinha amigos em todos os lugares aonde ela ia, e podia aparecer convenientemente, e sempre que possível dar longos passeios com ela ou acompanhá-la a festas, além de passar noites extremamente enfadonhas com os pais dela. Mas Marielle tornara-se como uma droga para ele, e onde quer que ele estivesse sabia que tinha que possuí-la. Nem mesmo o absinto foi jamais tão fascinante quanto aquela garota. E em agosto, em Roma... ela olhara para ele com os olhos cheios da mesma paixão desgovernada.

Os pais dela preocupavam-se com isso, mas, por outro lado, conheciam a família dele, e ele tinha inteligência e boas maneiras; além disso, era difícil ignorar o fato de que ele era o único herdeiro de uma enorme fortuna. Aquela fortuna nada significava para Marielle; seus pais viviam confortavelmente, e isso era algo que jamais lhe passara pela mente. Pensava apenas em Charles, na força de suas mãos, seus ombros, seus braços, no seu olhar perturbado depois que se beijavam, a beleza cinzelada de suas feições, como uma antiga moeda grega, a suavidade de suas mãos ao tocarem o corpo dela.

Desde o início, ele lhe explicara que não tinha intenção de voltar algum dia aos Estados Unidos. Ele e o pai não se davam bem desde que ele partira para a guerra aos quinze anos, e sua volta a Nova York depois disso tinha sido um pesadelo. O lugar parecia-lhe pequeno demais, enfadonho demais, repressivo demais. Esperavam demais dele, coisas que ele não tinha intenção de fazer: obrigações sociais, responsabilidades familiares, aprender sobre investimentos, conglomerados, trustes e os bens que o pai comprava e vendia e que ele um dia ia herdar. Enquanto corria os dedos longos e suaves pelos cabelos sedosos, cor de canela, que caíam até os ombros de Marielle, Charles explicara que a vida era mais que isso. Marielle era uma jovem alta, mas ficava pequenina ao lado dele, e ao lado dele se sentia delicada e frágil, maravilhosamente protegida.

Quando se conheceram, ele morava em Paris há cinco anos, e era evidente que adorava a cidade. Sua vida estava lá: seus amigos, sua literatura, sua alma, sua inspiração. Mas em setembro ela deveria voltar para casa no navio *Paris*; voltar para a vida sossegada que lhe estava reservada, para os homens que ela conheceria e para as amigas da sua idade, voltar para a casa pequena, mas elegante, na rua 62 Leste. A casa não podia comparar-se à mansão dos Delauney, dez quarteirões ao norte, mas era certamente respeitável — e muito entediante. Não podia ser comparada à água-furtada na rua du Bac, que ele alugava de uma fidalga empobrecida, dona de todo o prédio. Um dia Charles levou Marielle até lá, e eles quase fizeram amor, mas no último momento ele caiu em si e saiu do aposento às pressas, para recompor-se. E quando voltou, tinha a fisionomia séria, e sentou-se ao lado dela na cama, enquanto ela tentava endireitar o vestido e recuperar a serenidade.

— Sinto muito...

Os cabelos negros e os olhos verdes tornavam-no ainda mais dramático, mas nele transparecia também um ar angustiado que sempre a comovia. Ela jamais conhecera alguém que se parecesse com ele e jamais tinha feito com outro as coisas que tinha vontade de fazer com ele. Sabia que estava perdendo a cabeça por ele, mas nada podia fazer.

— Marielle... — ele falou suavemente, enquanto ela tinha o rosto escondido pela cabeleira macia e avermelhada. — Não podemos continuar assim... Você está me deixando louco.

Mas ele tinha o mesmo efeito sobre ela, que adorava isso. Nenhum deles jamais se sentira assim antes.

Ela sorriu, parecendo velha e sábia, enquanto ele se inclinava para beijá-la. Sentia-se quase como embriagado ao lado dela. A única coisa de que tinha certeza era que não queria perdê-la. Nem agora, nem nunca. Não queria voltar para Nova York por causa dela, nem agora, nem mais tarde, para pedir a mão dela ou negociar com o pai dela; não queria esperar mais uma hora sequer. Queria-a agora. Naquele quarto, naquela casa. Em Paris. Queria-a para sempre ao seu lado.

— Marielle? — falou, olhando-a com seriedade.

O olhar dela nublou-se.

— Sim? — fez ela em voz baixa. Era muito jovem, mas muito apaixonada por ele, e ele a conhecia o suficiente para saber que seu espírito era muito forte.

— Quer se casar comigo?

Ouviu-a ofegar, e depois rir.

— Está falando a sério?

— Estou... Deus sabe que sim... Quer?

Ele estava apavorado: e se ela dissesse que não? Parecia que toda a sua vida dependia do que ela ia dizer no minuto seguinte. E se não quisesse casar-se com ele? Se, afinal, quisesse voltar para casa com os pais? E se tudo aquilo fosse para ela apenas uma brincadeira? Mas ele sabia, pelo olhar dela, que seus temores eram infundados.

— Quando? — perguntou ela, com um risinho excitado.

— Agora — disse ele, com convicção.

— Você não está falando a sério.

— Estou, sim. — Ele levantou-se e pôs-se a andar de um lado para outro, como um belo e jovem leão, passando a mão pelos cabelos enquanto fazia planos e a observava. — Estou falando muito a sério, Marielle. — Estacou e encarou-a, tenso e eletrizado. — Você ainda não me respondeu. — Correu para o lado dela e abraçou-a com força até ela rir, achando-o absurdo.

— Você é louco.

— Sou, sim. Você também. Quer se casar comigo?

Abraçou-a com mais força, e ela fingiu gritar. Ele apertou-a ainda mais, e ela riu incontrolavelmente, e ele a beijou, atiçando-a, até forçar uma resposta dos lábios dela por entre os beijos.

— Sim... sim... sim... Quero, sim. — Ela estava sem fôlego, e ambos sorriam. — Quando vai pedir ao meu pai?

Ela recostou-se com expressão extasiada, mas a expressão no rosto de Charles nublou-se.

— Ele nunca vai concordar. E, se concordar, vai exigir que voltemos para os Estados Unidos para começarmos uma vida séria lá, onde ele possa nos vigiar. — Parecia novamente um leão enjaulado, mais uma vez andando de um lado para outro. — Quero avisar desde logo: não vou fazer isso.

— Não vai pedir ao meu pai, ou não vai voltar para Nova York? — De repente ela parecia preocupada. Estendeu as pernas longas e graciosas, e ele tentou desesperadamente não reparar.

— Nova York, é claro... e... — Parou e olhou para ela de novo, os cabelos negros desalinhados, os olhos perfurando os dela. — E se nós fugirmos?

— Aqui? — Ela parecia atônita, e ele assentiu. Estava falando com seriedade, ela o conhecia o suficiente para saber disso. — Meu Deus, eles vão me matar.

— Não vou deixar. — Sentou-se ao lado dela, e ambos ficaram pensando. — Você vai viajar daqui a quinze dias; se formos fazer isso, é melhor que seja logo.

Ela concordou em silêncio, pensando no assunto, pesando-o na mente, mas já sabia que não havia escolha, não havia decisão a tomar; iria até o fim do mundo com ele. E teve certeza disso quando ele a beijou.

— Acha que eles nos perdoarão algum dia?

Ela estava preocupada com os pais. Como Charles, era filha única, e o pai já tinha bastante idade. Os dois esperavam muito dela, principalmente a mãe. Marielle tinha debutado em Nova York no inverno anterior e, agora que já tinha cumprido a tradição de uma viagem pela Europa, as expectativas eram de que dentro de pouco tempo ela encontrasse um marido adequado. E Charles era adequado, de certo modo, pelo menos em termos de família, mas não havia como negar que seu estilo de vida era, até então, um pouco excêntrico. Porém, como o pai dela diria, ele iria sossegar com o tempo. Mas quando ela tentou, naquela noite, tocar no assunto com ele, ele sugeriu que ela esperasse até Charles sossegar.

— Espere para ver o que sente por ele quando ele voltar para Nova York, querida. Enquanto isso, há muitos rapazes jovens e bonitões esperando por você lá. Não há necessidade de perder a cabeça por este.

Havia um jovem Vanderbilt que a perseguira durante algum tempo na primavera, e um belo rapaz da família Astor em quem sua mãe estava de olho. Mas eles agora não despertavam o menor interesse em Marielle, e nunca tinham despertado. E ela não tinha intenção de esperar que Charles voltasse para Nova York. Tinha certeza de que ele nunca iria fazer isso, pois sabia o que ele sentia em relação a Nova York e até mesmo aos Estados Unidos, e mais especificamente ao pai. Ele estava feliz onde estava, tinha florescido nos últimos cinco anos. Paris servia-lhe perfeitamente.

Fugiram três dias antes da data da partida, deixando um bilhete para os pais dela no Hotel Crillon. Ela se sentia muito culpada pela dor que eles sentiriam, mas por outro lado conhecia suficientemente os pais para saber que eles ficariam felizes por ela casar-se com um Delauney. Ela não estava inteiramente correta quanto a isso, devido à reputação de Charles, mas certamente era algo que os consolaria um pouco. No bilhete ela insistia que eles voltassem para Nova York, prometendo que ela e Charles iriam visitá-los no Natal, mas eles não atenderam a seu pedido e esperavam, com paciência e muita raiva, o retorno dos jovens enamorados, com esperanças de anularem o casamento e abafarem o caso antes que ele se tornasse um escândalo. O embaixador, naturalmente, sabia o que ela tinha feito, porque os pais pediram sua ajuda, e fez algumas investigações discretas. Mas tudo que descobriu foi que eles tinham se casado em Nice e havia indícios de que logo em seguida tinham atravessado a fronteira para a Itália.

O jovem casal passou uma esplêndida lua-de-mel na Umbria, na Toscana, em Roma, Veneza e Florença, e também no lago Como, aventurando-se até a Suíça, e dois meses depois, no final de outubro, iniciaram a lenta viagem de volta a Paris. Os pais dela ainda estavam no Crillon quando os recém-casados voltaram, e havia um bilhete esperando por eles nos aposentos de Charles.

Marielle não conseguia acreditar que os pais ainda estavam lá, e ficou espantada ao constatar que eles tinham mesmo esperado todos esses meses. E esse tempo não tinha contribuído para acalmar seus corações em relação à fuga da filha; quando Marielle e Charles, parecendo felizes e tranqüilos, apareceram no hotel de mãos dadas, eles exigiram que Charles fosse embora imediatamente e anunciaram que na manhã seguinte dariam início ao processo de anulação do casamento.

— Em seu lugar eu não faria isso — disse Marielle em tom tranqüilo.

Charles achou graça na posição firme que ela tomou em seu apoio. Para uma jovem tímida e quieta, ela tinha um jeito notável de assumir posições radicais e definitivas. E ele ficou feliz por isso acontecer. No momento seguinte, além de feliz ele ficou atônito.

— Não me diga o que fazer! — rugiu o pai.

A mãe, enquanto isso, arengava sobre a ingratidão da filha e a vida perigosa que Marielle levaria com Charles; afirmou que ela e o marido queriam apenas a felicidade de Marielle, e agora estava tudo perdido. Aquilo soava como um coro grego, e Marielle postava-se no centro da tempestade, observando tudo, calmamente. Aos dezoito anos, ela se tornara de súbito mulher, uma mulher que Charles sabia que iria adorar por toda a sua vida.

— Não vai conseguir a anulação, papai — Marielle tornou a falar, em voz baixa. — Estou esperando um filho.

Dessa vez Charles encarou-a espantado, depois achou graça. Provavelmente era mentira, mas era o modo perfeito de fazer com que eles desistissem da idéia da anulação. A essas palavras, a bomba explodiu: a mãe pôs-se a gritar ainda mais alto, e o pai sentou-se e pôs-se a estertorar, queixando-se de fortes dores no peito. A mãe disse que Marielle estava matando o pai, e quando o velho foi retirado da sala com a ajuda de sua boa esposa, Charles sugeriu que eles voltassem para a sua água-furtada e deixassem para discutir o assunto com eles em outra ocasião.

Ele e Marielle partiram logo depois. Enquanto caminhavam alguns quarteirões, Charles parecia estar achando graça em alguma coisa; puxou Marielle para si e beijou-a.

— Aquela idéia foi brilhante. Eu devia ter pensado nisso.

— Não foi brilhante, não. — Ela também parecia achar graça. — É verdade.

Parecia muito satisfeita consigo mesma; a menininha que ela fora momentos antes ia ser mãe agora. Ele parecia atônito.

— Está falando a sério?

Ela confirmou e ergueu os olhos para ele.

— Quando foi que aconteceu? — ele parecia mais espantado do que preocupado.

— Não sei bem... Em Roma? Talvez Veneza... Não tinha certeza de nada, até a semana passada.

— Ora, que danadinha... — Mas parecia feliz ao abraçá-la. — E para quando é esperado o herdeiro dos Delauney?

— Junho, eu acho. Por aí.

Ele nunca pensara muito em ser pai. A idéia deveria assustá-lo, com a vida de liberdade que levava, mas na realidade ele ficou entusiasmado. Chamou um táxi, e os dois foram para casa aos beijos no banco traseiro, como duas crianças e não dois futuros pais.

No dia seguinte os pais dela continuavam inconformados, mas depois de duas semanas de argumentação finalmente cederam. A mãe de Marielle levou-a a um médico americano no Champs-Elysées e confirmou a gravidez; a idéia da anulação estava descartada. E a filha estava decerto muito feliz. Eles sabiam que, gostando ou não, teriam que conviver com a realidade do casamento de sua filha com Charles Delauney, que lhes prometeu, antes da partida, arranjar um apartamento melhor, contratar uma criada, uma babá para a criança, comprar um carro. Ia tornar-se um homem "respeitável", como o pai dela exigia. Mas, respeitável ou não, o fato evidente era que os dois estavam delirantemente felizes.

Os pais de Marielle partiram pouco depois disso no *France*, e, depois de toda excitação, rebuliço, tensão e esgotamento de lidar com eles, ela e Charles decidiram não ir a Nova York no Natal, e talvez nunca mais. Estavam felizes em sua água-furtada na Rive Gauche, felizes com sua vida juntos, seus amigos; até mesmo a literatura de Charles estava melhor do que nunca. Em Paris, em 1926, por um breve e brilhante momento, a vida foi perfeita.

Empurrando as pesadas portas da catedral, Charles sentia os ossos gelados, e a perna latejava mais do que o normal. O inverno na Europa tinha sido igualmente frio. Fazia muito tempo que ele não ia a Nova York, muito tempo que não pisava numa igreja; ao entrar, ergueu os olhos para o imenso teto em arcada. De certo modo, arrependia-se de ter voltado. Era deprimente ver o pai tão enfermo, e tão alheio às coisas e às pessoas. Por um instante ele parecera reconhecer Charles, mas o momento passou, os olhos ficaram novamente mortos e depois fecharam-se, quando o velho caiu num cochilo pesado. Ver o pai assim fazia Charles sentir-se solitário. Era como se o velho Delauney já tivesse partido. A mesma coisa. E não havia mais ninguém para Charles. Todos tinham morrido... Até mesmo os amigos com quem ele combatera na Espanha. Havia quase mortos demais para as suas orações.

Um padre de batina preta atravessou seu caminho. Charles percorreu devagar a nave da igreja até um pequeno altar. Lá rezavam duas freiras, e a mais jovem sorriu-lhe quando ele se ajoelhou penosamente ao lado delas. Sua cabeleira escura estava pintalgada de cinzento, mas os olhos ainda tinham a mesma eletricidade de quando ele tinha quinze anos, e ele ainda exalava energia, força e poder. Até mesmo a jovem freira sentia isso. Mas havia também tristeza em seus olhos quando ele baixou a cabeça e pensou em todas as pessoas que tinham significado tanto, pessoas que ele amara, com quem combatera. Mas ele não tinha vindo rezar por elas. Tinha vindo porque era o aniversário do pior dia da sua vida... Nove anos antes, duas semanas antes do Natal... Um dia que ele jamais esqueceria... O dia em que quase a matara. Estava louco, fora de si de ódio e de dor... Uma dor tão terrível que ele não conseguia suportar. Sua vontade era de destroçá-la em pedaços para fazer cessar a dor, fazer o relógio voltar, fazer aquilo não ter acontecido... No entanto, amava-a tanto... Amava os dois... Ajoelhado ali, de cabeça baixa, ele não suportava pensar nisso, não conseguia rezar por ele, por ela ou por si próprio, por qualquer pessoa. Não conseguia pensar... A dor ainda era tão grande, mal esmaecera, e a única diferença era que agora ele raramente se permitia pensar nela. Mas quando tocava o lugar em seu coração onde eles ainda estavam vivos, a dor ainda lhe cortava a respiração, e ele quase não conseguia suportar. Uma lágrima desceu-lhe lentamente pelo rosto enquanto ele olhava para a frente sem enxergar, e a jovem freira o observava. Ficou assim ajoelhado muito tempo, sem ver coisa alguma, pensando neles e no que tinha sido uma vida que não era mais, num lugar em que ele raramente se permitia recordar. Mas hoje ele tivera o desejo de ir até ali e sentir-se um pouco mais perto deles. E a proximidade do Natal sempre tornou as coisas piores.

Na Espanha ele teria encontrado uma igreja em algum lugar, uma capelinha, um oratório, e teria tido os mesmos pensamentos, e também a mesma dor dilacerante, mas na simplicidade de sua vida haveria algum conforto. Ali nada havia a não ser pessoas desconhecidas numa vasta catedral de pedra cinzenta e fria, não muito diferente da pedra cinzenta e fria da mansão que ele agora dividia com o pai moribundo. E ao erguer-se lentamente ele tinha consciência de que não ficaria muito tempo nos Estados Unidos. Queria voltar logo para a Espanha. Precisavam dele lá. Ninguém precisava dele em Nova York, a não ser os advogados e banqueiros, e ele não lhes dava a menor importância. Nunca dera, e agora dava menos ainda do que anos antes. Nunca se tornara o homem "respeitável" com que seu sogro sonhara. Sorriu a esse pensamento, lembrando-se dos sogros, que também já estavam mortos. Todos estavam. Aos 35 anos, Charles Delauney sentia-se como se já tivesse vivido dez vidas.

Ficou longo tempo de pé, olhando para a estátua da Madona com a criança, lembrando-se deles... Depois pôs-se a caminhar lentamente para a saída da igreja, sentindo-se pior do que antes. Tinha desejado sentir-se de novo perto de André, sentir o delicioso calor de sua carne, a maciez de sua face, a mãozinha minúscula que sempre apertara a dele com tanta força.

Charles estava cego pelas lágrimas enquanto se aproximava devagar da porta principal da catedral. A perna parecia doer mais ainda, e o vento assobiava pela nave da igreja; aconteceu-lhe então algo que não lhe acontecia havia muito tempo, mas que antes costumava acontecer com freqüência, às vezes até no campo de batalha: ter a ilusão de vê-la.

Agora avistou-a ao longe, vestida com um casaco de pele, passando por ele como um fantasma, incapaz de vê-lo, dirigindo-se para algum lugar que ele não conseguia distinguir. Ficou por longo tempo a observá-la, ansiando por ela outra vez, como não fazia há muito tempo — uma lembrança rediviva. E então, contemplando-a, percebeu que não era um fantasma, e sim uma mulher muito parecida com ela. Era alta, magra e séria, e muito bela. Usava um vestido preto coberto por um casaco de peles que chegava quase ao chão e cuja gola parecia emoldurar-lhe o rosto com suavidade. Um chapéu deixava apenas um olho de fora, mas mesmo com tão pouca coisa visível era como se ele a sentisse, sentisse o modo como ela se movia, o seu jeito de ser, o modo como ela despiu uma luva preta e depois caiu de joelhos diante de outro altar. Estava tão graciosa quanto sempre fora, igualmente alta e esguia, mas agora parecia muito mais magra. Ela cobriu o rosto com as mãos delicadas e durante longo tempo parecia estar orando. Ele sabia por quê. Ambos tinham ido até ali pela mesma razão. Era Marielle, ele percebeu ao observá-la, incapaz de acreditar.

Pareceu passar uma eternidade antes que ela se voltasse e olhasse para ele; quando o fez, porém, ficou evidente que não o viu Acendeu quatro velas e colocou algum dinheiro na caixa de coleta, depois levantou-se e ficou novamente a contemplar o altar, e também tinha lágrimas nas faces. E então, de cabeça baixa, ela apertou mais o casaco de peles em volta do corpo e pôs-se a caminhar devagar por entre os bancos, como se seu corpo todo doesse, e sua alma também. Estava a menos de um metro dele quando ele estendeu a mão e interceptou-a com delicadeza. Ela pareceu espantar-se, e ergueu os olhos para ele com ar surpreso, como se acordasse de um sonho distante. Mas ao olhar nos olhos dele ela ofegou e encarou-o. Levou a mão à boca e os olhos encheram-se com as lágrimas que ela derramara diante do altar.

— Ah, meu Deus... — exclamou.

Não podia ser. Mas era. Ela não o via há quase sete anos. Era impossível acreditar.

Ele tocou nas mãos dela sem fazer qualquer som e ela sem hesitar lançou-se a ele, sem um pensamento, sem uma palavra, e ele enlaçou-a com os braços. Parecia correto que os dois tivessem ido à catedral, que estivessem juntos naquele dia, abraçados um ao outro como duas pessoas que se afogavam. Passou-se muito tempo antes que ela se afastasse e erguesse os olhos para ele. Ele parecia mais velho do que antes, mais desgastado pela batalha, mais exaurido, de certo modo. Tinha pequenas cicatrizes no rosto (e uma, que ela não podia ver, muito feia, no braço), além do ferimento na perna; os cabelos mostravam fios brancos. Mas ao contemplá-lo ela se sentiu com dezoito anos, e seu coração retumbava como quando ela era uma adolescente em Paris.

Durante muitos anos ela soube que havia uma parte de si que nunca se libertaria de Charles Delauney. Ela sabia disso há muito tempo, e aprendera a conviver com isso. Era algo que tinha que aceitar, como a dor, como a perna que ele às vezes arrastava e que tanto incomodava quando o tempo estava frio ou úmido. Era uma dor como as outras que ela aprendera a carregar.

— Não sei o que dizer — falou, com um sorriso melancólico, enxugando as lágrimas. — Depois de tanto tempo, perguntar como você vai parece tolice.

Parecia, realmente, mas que mais havia a dizer? No início ela ouvira vagas notícias de vez em quando, mas havia muito tempo que nada sabia dele. Sabia sim, que o pai dele estava doente. Os pais dela tinham morrido com poucos meses de diferença um do outro, antes que ela tivesse voltado da Europa. Mas Charles sabia disso.

— Você está incrível — disse ele, sem conseguir deixar de contemplá-la.

Aos trinta anos, ela estava ainda mais bonita do que fora aos dezoito, quando eles se casaram. Era como se a promessa tivesse se tornado realidade. No entanto, os olhos dela ainda eram muito tristes. Doía-lhe vê-los.

— Você está bem? — continuou.

Essa pergunta tinha mil sentidos, mas ela o compreendeu, como sempre fizera antes. Com o passar do tempo, eles tinham se tornado como uma dança, uma canção, um movimento. Ele pensava algo e ela terminava o pensamento, sem trocarem uma única palavra. Apenas conheciam muito bem um ao outro. Era como se fossem metades idênticas de uma só pessoa. Mas não mais; agora eram duas metades... ou eram inteiros? Ele se perguntou isso ao contemplá-la. Ela estava usando roupas caras, e o casaco de peles era extraordinário. O chapéu tinha sido feito sob encomenda por Lily Daché, e o modo como ela o usava causava grande efeito. Ela sem dúvida estava mais sofisticada do que quando mocinha. Ele sorriu consigo mesmo, pensando que com essa aparência ela poderia tê-lo assustado naquela época, ou talvez não o atraísse da mesma forma. Mas agora não o assustava; partia-lhe o coração, como fizera anos antes. Por que ela tinha sido tão teimosa na última vez em que se viram?

— Você parece tão séria, Marielle!

Os olhos dele pareciam perfurar os dela, exigindo respostas para mil perguntas. Ela tentou sorrir e desviou o rosto antes de olhar novamente para ele.

— É um dia difícil... Para nós dois...

Se não fosse assim, eles não estariam ali. Ela ainda achava incrível que, depois de tantos anos, os dois estivessem lado a lado na catedral de Saint Patrick.

— Você voltou para ficar? — ela quis saber.

Estava curiosa a respeito dele. Ele parecia maior e mais forte do que antes, mais poderoso, como se aturasse ainda menos tolices. E, por mais incrível que fosse, os nervos dele pareciam ainda mais à flor da pele. Ele sacudiu a cabeça, desejando que eles pudessem sentar-se num dos bancos da igreja e conversar o dia inteiro.

— Acho que não conseguiria ficar aqui. Estou de volta há três semanas, e já estou ansioso para voltar para a Espanha.

— Para a Espanha? — Ela franziu a testa. A vida dele parecia tão integralmente entrelaçada com Paris e suas lembranças de lá que era difícil imaginá-lo em qualquer outro lugar.

— Por causa da guerra. Estou lá há dois anos.

Ela assentiu. Aquilo fazia sentido.

— Uma vez me perguntei se você estaria lá. — Era o tipo de guerra dele. — Não sei por que, tive a sensação de que você iria.

Ela acertara, e ele não tivera razão para não ir. Nada tinha a perder, nada tinha a ganhar; nada que o prendesse em casa.

— E você?

Olhou-a atentamente. Era estranho estarem pedindo notícia um do outro ali, no entanto cada um queria saber o que o outro estivera fazendo. Ela levou muito tempo para responder, depois falou, com suavidade:

— Estou casada.

Ele assentiu, tentando não deixar transparecer a dor que aquilo lhe causava, embora na realidade ela tivesse enfiado uma faca numa ferida que estava supurada havia muito tempo.

— Alguém que eu conheça? — quis saber, embora fosse pouco provável, pois ele passara dezessete anos no estrangeiro; mas ela parecia ter se casado com alguém importante.

— Não sei. — Mas ela sabia que o marido, 25 anos mais velho que ela, tinha sido amigo do pai dele. — O nome dele é Malcolm Patterson.

Não havia alegria ou orgulho em seus olhos ao dizer o nome do marido, e de súbito o chapéu ocultou inteiramente a sua expressão. Ele sentiu algo que não lhe agradou, e ela parecia tudo, menos feliz. Então era isso que ela fizera com os últimos sete anos! Ele não pareceu bem impressionado, e sim contrariado. E muito.

— Conheço de nome — disse friamente, e depois esperou para olhá-la de novo nos olhos. — E você está feliz?

Tinha valido a pena recusar-se a voltar para ele? Charles achava evidente que não. Mas ela não sabia ao certo o que lhe dizer. Havia coisas em seu casamento que ela valorizava. Malcolm prometera tomar conta dela, numa época em que ela precisava desesperadamente disso, e ele cumprira a promessa. Nunca a decepcionara. Era sempre bondoso. Mas a princípio ela não percebera como ele podia ser frio, distante, atarefado. No entanto, de certo modo ele era o marido perfeito: educado, inteligente, cavalheiresco, encantador. Mas não era Charles... Não era a chama e a paixão da sua juventude... Não era o rosto com que ela sonhara quando estava entre a vida e a morte... Ou o nome que ela chamara... E ambos sabiam que ele nunca seria.

— Estou em paz, Charles — disse finalmente. — Isso já é uma grande coisa.

Com Charles não houvera paz... Apenas alegria, excitação, e amor, e paixão... E finalmente desespero, um sofrimento tão grande quanto tinha sido a alegria.

— Vi você... Na Espanha... Quando fui ferido... — disse ele, quase como que em sonhos.

Ela teve vontade de responder que durante anos o vira todas as noites. Mas não poderia dizer-lhe isso. Em vez disso, apenas sorriu.

— Todos temos os nossos fantasmas, Charles.

Alguns eram apenas mais dolorosos que outros.

— Então é isso que somos? Fantasmas? Nada mais?

— Talvez.

Tinham sido necessários dois anos num sanatório para ela compreender que estava tudo acabado, aprender a viver com a dor e ser capaz de seguir em frente depois de tudo que acontecera. Não poderia arriscar tudo isso agora, nem mesmo por ele, especialmente por ele. Não podia permitir-se retroceder, não importava se achava que ainda o amava. Tocou-lhe a mão e depois a face, e ele inclinou-se para beijá-la, mas ela virou ligeiramente o rosto. Ele beijou-lhe a face, bem perto dos lábios, e ela fechou os olhos por longo tempo, enquanto ele a enlaçava.

— Amo você... Sempre amarei... — disse ele, com os olhos ardentes com a paixão que ela conhecia tão bem.

Não era a paixão nascida do desejo, mas de acreditar, desejar e amar quase a ponto de morrer. Charles amava tudo dessa maneira, e ela sabia que algum dia isso iria matá-lo. Ela mal sobrevivera a essa chama, e agora sabia que não podia arriscar. Ele tinha suas cicatrizes e ela tinha as dela, não menos cruéis por não terem sido ganhas na guerra.

— Também o amo — ela sussurrou, sabendo que não deveria dizer-lhe isso. Mas era um sussurro do passado, uma homenagem a tudo que tinha existido e morrido com André.

— Vamos nos ver de novo antes que eu parta para a Espanha?

Era típico de Charles pressioná-la, fazê-la sentir-se responsável uma vez que ele ia para a guerra. Ela sorriu, mas sacudiu a cabeça.

— Não posso, Charles. Estou casada.

— Ele sabe de mim?

Lentamente, com um olhar de sofrimento, ela sacudiu a cabeça.

— Não sabe, não. Acha que eu não me comportei muito bem quando viajei para a Europa com meus pais; foi como meu pai descreveu aos amigos, há muitos anos: um "pequeno romance". E é isso que Malcolm sabe. Ele nunca me permitiu discutir o assunto. Malcolm não tem idéia de que fomos casados.

Era típico do pai dela dizer aquilo às pessoas. Ele nunca revelara o casamento dela com Charles, e o fato de que ela tivesse ficado na Europa facilitava tudo. Ele só se preocupava com as aparências e a reputação dela, e tinha mentido para protegê-la, dizendo a todos que ela ficara na Europa para estudar. Quis salvar Marielle de seu "erro terrível", quando ela se casou com Charles Delauney. E agora o marido de Marielle ainda acreditava naquela mentira, porque ela permitiu que assim fosse.

Charles não conseguia acreditar que ela nunca tivesse contado a verdade ao marido. Quando eram casados, ele e ela contavam tudo um ao outro, compartilhavam todos os seus segredos. Mas aos dezoito anos, que é que havia a esconder? Era diferente aos trinta.

— Ele não sabe, Charles. Por que contaria? — Por que contar a ele que ela passara 26 meses num sanatório, querendo morrer... Que ela tentara cortar os pulsos... tomar remédios... afogar-se na banheira... Por que contar-lhe isso? Charles sabia, pois pagara as contas. E ela tinha se recuperado.

— Vai lhe contar que me encontrou hoje?

Charles estava curioso sobre ela e o marido. Que tipo de casamento podiam ter, se ela não lhe contava as coisas? Será que o amava, ou ele a ela? Ela tinha dito "Também o amo" com muita facilidade, depois de todos esses anos, e Charles acreditara nela. E agora ela sacudiu a cabeça em resposta à pergunta dele.

— Como posso contar a ele que encontrei você, se ele nem sabe que você existiu na minha vida? — Ela tinha os olhos muito calmos, e seu rosto era lindo. Parecia estar em paz, e isso já era alguma coisa.

— Você o ama?

— Claro que sim. Sou a mulher dele.

Mas a verdade era que ela o respeitava, o admirava, devia-lhe muita coisa. Nunca o amara como amava Charles, e nunca amaria. Mais ainda: não queria isso. Um amor como aquele causava demasiado sofrimento, e ela já não tinha coragem. Consultou o relógio de pulso e depois olhou para Charles.

— Tenho que ir — disse.

— Por quê? Que é que vai acontecer se você não voltar para casa, se vier para a minha casa comigo? — perguntou ele, com expressão de quem falava sério.

— Você não mudou! Ainda é o homem que me convenceu a fugir em Paris!

Ela sorriu a essa lembrança, ele também.

— Naquela época você era mais fácil de convencer.

— Tudo era mais fácil, nós éramos jovens.

— Você ainda é.

Mas no fundo ela sabia que não era. Apertou mais o casaco em volta do corpo e calçou a luva, e os dois saíram caminhando devagar em direção à porta de saída.

— Quero vê-la de novo antes de partir.

Ela suspirou e parou para olhar para ele.

— Charles, como podemos fazer isso?

— Se você não me procurar, vou até a sua casa e toco a campainha.

— Você provavelmente faria mesmo isso. — Ela riu, apesar da dor do dia que os aproximara.

— Vai ter um trabalhão para explicar.

Só de pensar nisso, ela teve medo de ter uma de suas enxaquecas.

— Sabe onde estou: na casa do meu pai — ele continuou. — Telefone para mim, senão eu vou lá.

Depois de sete anos, ele estava a ameaçá-la, e parecia muito belo ao fazer isso.

— E se eu não telefonar?

— Vou procurá-la.

— Não quero ser encontrada.

Ela estava muito séria, e ele também estava quando retrucou:

— Não sei se acredito nisso. E, depois de todos esses anos, não podemos... Eu não consigo esquecer, Marielle. Não consigo... Sinto muito.

Ele parecia melancólico e, de certo modo, quase alquebrado.

— Eu sei.

Ela passou a mão sob o braço dele e, de braços dados, eles atravessaram a porta, justamente quando o motorista de Malcolm saía por uma porta lateral. Ele passara uma hora interessante, observando-os. Era um lado de Marielle que ele nunca vira antes, mas que de certa maneira não o surpreendia. Malcolm também tinha a sua própria vida, e Marielle era uma mulher jovem e linda. E assustada, ele sabia. Ela tinha medo de todos, especialmente do marido. E ele se perguntava quem pagaria mais pela informação que ele acabara de ter: a própria Sra. Patterson, ou o marido?

Charles e Marielle, de braços dados, desceram devagar os degraus da escadaria, e quando chegaram à calçada ele abraçou-a.

— Não vou insistir, se você não quiser, mas gostaria de vê-la antes de viajar.

Mas ele parecia não ter desistido.

— Por quê? — perguntou ela, olhando-o nos olhos.

Ele deu a única resposta que poderia dar:

— Ainda amo você.

Ela desviou dele os olhos cheios de lágrimas. Não queria mais amá-lo ou ser amada por ele, não queria as lembranças, o sofrimento, a angústia. Tornou a encará-lo.

— Não posso fazer isso.

— Você pode fazer tudo que quiser. E faça o que fizer, eu ainda... É igualmente difícil para você...

Ele olhou de relance para a igreja atrás de si, pensando na data que os levara até ali, e depois olhou para ela com os olhos cheios de lágrimas. Os dela encheram-se também, e ela assentiu.

— Sim, é igualmente difícil para mim. O sofrimento não passa.

— E nunca passaria, ela agora compreendia isso. Tinha que viver com o sofrimento como se fosse uma dor constante. Tornou a olhar para ele. — Desculpe-me...

Havia anos que ela queria dizer essas palavras a ele, e agora finalmente dissera, mas nada estava diferente. Ele sacudiu a cabeça, apertou-a com força contra si e depois soltou-a. E com um último olhar ele se afastou, subindo a Quinta Avenida, sem se despedir. Na verdade, ele não conseguiria despedir-se dela. Ela ficou a contemplá-lo por longo tempo, depois entrou no carro de Malcolm. Enquanto o motorista a levava para casa, ela pensava em Charles, uma vida perdida havia muito tempo, para nunca mais ser encontrada... e André.

2

Patrick, o motorista, levou Marielle para casa subindo a Quinta Avenida, mas ela não avistou Charles. E finalmente pegaram a rua 64 e chegaram à casa onde ela vivia com Malcolm havia seis anos. A casa ficava entre a Madison e a Quinta Avenida, quase na esquina do parque, e era uma casa linda, mas nunca fora dela — era de Malcolm. Desde o início ela se sentira pouco à vontade lá. Era uma residência imponente, com muitos criados, e pertencera aos pais de Malcolm. Ele a mantinha quase como um memorial aos pais, com preciosas coleções às quais ele acrescentava os objetos raros que colecionava em suas viagens ou, às vezes, comprava de curadores de museus. Marielle de vez em quando se sentia como um objeto precioso, algo a ser exibido mas não tocado. Os criados dele tratavam-na com polidez, em sua maioria, mas sempre deixaram claro que trabalhavam para o marido, não para ela. Muitos deles estavam ali havia muitos anos, e depois de seis anos ela sentia que mal os conhecia. Malcolm sempre insistira que ela se mantivesse distante deles; ela assim fazia, e eles também. Não havia carinho nos diálogos deles com ela. E desde o princípio Malcolm proibira que ela fizesse qualquer modificação. Ainda era a casa dele, tudo tinha que ser feito à maneira dele; se as ordens dela diferissem das dele, eram polidamente ignoradas, e o assunto jamais voltava a ser mencionado. Ele próprio contratava os criados, e a maioria era de irlandeses, ingleses e alemães. Malcolm tinha enorme admiração por tudo que fosse alemão; quando jovem, estudara na Universidade de Heidelberg, e falava a língua alemã com perfeição.

Às vezes Marielle perguntava-se se a razão por que a criadagem a hostilizava, mesmo que secretamente, era por ela ter trabalhado para Malcolm.

Quando ela voltou da Europa, em 1932, foi impossível conseguir um emprego. A Depressão estava em pleno reinado, até homens com diploma universitário estavam desempregados, e ela não tinha qualquer treinamento. Nunca trabalhara antes, e os pais nada lhe deixaram. O pai perdera tudo na crise de 1929, fato que basicamente o matou. Ele estava velho demais para sobreviver à tensão e começar tudo outra vez. No fim, seu coração cedera, mas seu espírito cedera antes disso. E nada sobrara senão algumas poucas centenas de dólares, quando a esposa morreu, dois meses depois. Marielle ainda estava na Europa, e Charles providenciara a venda da casa para pagar as dívidas. Ela estava doente demais para cuidar disso tudo, e quando finalmente voltou a Nova York nada possuía de seu, e não tinha sequer uma casa onde morar. Foi para um hotel num bairro pobre e começou a procurar emprego na mesma semana. Tinha dois mil dólares, emprestados por Charles. Era tudo que ela permitira que ele lhe desse. Estava totalmente sozinha. E, em muitos sentidos, Malcolm a salvara. Ela ainda era grata a ele por isso, e sempre seria.

Marielle surgira no escritório dele numa fria manhã de fevereiro, e o rosto que sorriu para ela foi como um raio de sol. Ela o procurara porque sabia que ele tinha sido amigo de seu pai, e esperava que ele soubesse de algum emprego ou de alguém precisando de uma dama de companhia que falasse francês — era a sua única qualificação, além dos seus graciosos desenhos, mas ela passara muitos anos sem desenhar. Não tinha noções de secretariado, mas, depois de conversar com ela durante uma hora, ele a contratou e até mesmo pagou a conta do hotel até ela encontrar um lugar para ficar. Depois ela tentou devolver-lhe o dinheiro, mas ele não quis aceitar. Sabia que ela passava por dificuldades e tinha prazer em ajudá-la.

Ela aprendia depressa e trabalhava bem, como assistente da secretária particular dele — uma inglesa que claramente não aprovava Marielle mas era sempre educada com ela. E ninguém se surpreendeu quando Malcolm começou a convidá-la para almoços privados e depois para jantares românticos. Finalmente, começou a levá-la consigo a importantes ocasiões sociais, sempre sugerindo discretamente que ela comprasse um vestido novo para o evento, numa loja onde o conheciam. A princípio isso a perturbava; não queria aproveitar-se dele nem colocar-se em posição constrangedora. No entanto, ele era sempre bondoso, inteligente, divertido, compreensivo. Nunca a interrogou sobre sua vida, a razão de ter morado seis anos na Europa ou de ter finalmente retornado. Os dois conversavam estritamente sobre o presente. Ela se surpreendia por sentir-se sempre tão bem ao lado dele. Ele era educado, bom e simpático. Toda a resistência que tinha desapareceu, e ela ficou particularmente surpresa por ele jamais fazer alguma proposta indecorosa. Parecia gostar da companhia dela, de ser visto com uma linda jovem em roupas caras, pagas por ele. Ela sentia-se dolorosamente tímida e às vezes um tanto trêmula. Mas ele parecia jamais perceber, e ao lado de Malcolm ela se sentia mais confiante e surpreendentemente mais forte do que em muito tempo. Não era mais a mesma pessoa de antes, mas pelo menos era uma nova pessoa com quem ela própria podia conviver.

Com Malcolm, ninguém perguntava coisa alguma a ela. As pessoas queriam saber quem ela era, naturalmente, mas nada além do nome; não queriam saber onde estivera ou a razão de sua expressão séria. Ficavam impressionados com ela por causa de quem a acompanhava, e de sua beleza, e às vezes ela chegava a achar graça. Com ele sentia-se segura, ele a protegia de tudo, e era exatamente essa proteção que ele lhe ofereceu no dia de Ação de Graças, quando pediu-a em casamento. Ofereceu-se para cuidar dela e protegê-la enquanto vivesse, que não seria tanto quanto ela viveria, por ser ele tão mais velho. Não fingiu amá-la; no entanto, de certa forma, ela sentia que ele a amava, porque era sempre tão bom, atencioso e decente. Na verdade, ela não queria mais que isso. Não poderia correr o risco, nem seria capaz de suportar o sofrimento, se algo saísse errado ou se alguma coisa ruim acontecesse. Até mesmo as lembranças de Charles eram ainda dolorosas, e o resto era algo de que ela ainda não conseguia falar, nem mesmo com Malcolm. Tentara ser honesta com ele, dizer-lhe que havia coisas em seu passado que lhe tinham causado muito sofrimento, mas ele não quis ouvir.

— Todos nós temos um passado, minha querida — dissera ele, sorrindo, enquanto jantavam no Plaza. — Mas suspeito que o seu, aos 24 anos, ainda é melhor que o meu.

Ele era muito tolerante com ela. Ela poderia chegar a ele com seu passado, sua dor e suas mágoas, e encontrar nele abrigo e proteção. Era isso que queria dele, não a casa, as jóias ou o dinheiro. Ele fora casado duas vezes antes, e ela sabia, por aqueles que falavam demais, que a generosidade dele era legendária. Mas tudo que queria dele era um porto seguro durante a tempestade, um lugar para esconder-se pelo resto da vida, e foi o que ele lhe prometeu. Ele sentia que ela se assustava facilmente, embora nem ele próprio suspeitasse de como ela se deixava intimidar com facilidade. Tudo que ele exigia era que ela estivesse disposta a dar-lhe filhos. Nenhuma de suas esposas anteriores engravidara, e, aos 49 anos, ele desejava com muita intensidade um herdeiro para o império Patterson. Seu dinheiro fora ganho com aço, e muitas gerações antes a família era bem menos nobre, mas quando Malcolm nasceu seu sobrenome já era muito respeitado. E Malcolm o fizera mais ainda.

A princípio ela ficara atônita com o pedido de casamento, e por um breve instante chegou a pensar que ele estava brincando. Tinham saído juntos muitas vezes, e ele se mostrara incrivelmente generoso, mas até então sequer a tinha beijado.

— Eu... não sei o que dizer... Está falando a sério?

Ele sorriu friamente e tomou-lhe a mão, achando graça no

espanto dela. Ela ainda lhe parecia uma criança. E ele levou a mão dela aos lábios e beijou-lhe os dedos.

— Claro que estou falando a sério, Marielle — Os olhos dele encontraram os dela.

De certo modo, Malcolm mais parecia pai dela. Mas isso fazia parte daquilo que ela gostava nele e, mais que isso, ela precisava desesperadamente. Estava de volta aos Estados Unidos havia menos de um ano e, além de Malcolm, não tinha pessoa alguma no mundo. Ele prosseguiu:

— Quero que seja minha esposa. Vou cuidar muito bem de você, minha querida. Prometo. E, se tivermos a sorte de termos filhos, serei grato a você pelo resto da minha vida.

Era uma oferta que para ela soava estranha, mais como um acordo de negócios do que um casamento. Ele queria filhos dela, e ela queria a proteção dele. Ele não disse que a amava, nem olhava para ela com adoração, e ela não estava perdidamente apaixonada por ele. Era totalmente diferente do que ela tivera com Charles, mas era exatamente isso que ela queria. Apenas a idéia de ter filhos assustava-a. Não tinha certeza se queria correr novamente esse risco, mas não ousou explicar isso a ele.

— E se não tivermos filhos? — perguntou ela.

Seus olhos procuraram os dele com uma expressão preocupada, e ele se perguntou se havia algo que não soubesse. Ele pensava saber tudo sobre ela.

— Então seremos amigos.

Ele disso isso com uma calma que a tranqüilizou, mas ela ainda não conseguia compreender por que ele a queria, com tantas mulheres que dariam tudo para tê-lo. Na realidade, ele mal a conhecia.

— Mas por que eu? Existem... tantas outras... mais adequadas ..

Ela enrubesceu ao dizer isso. Não tinha dinheiro e já não tinha posição social. Os pais certamente tinham sido respeitáveis, mas não tinham a mesma posição dele, e deixaram-na sem um centavo. Mas tudo isso fazia parte daquilo que o atraía. Ela era uma jovem sem família, sem obrigações. De certo modo, pertencia a ele — ou pertenceria, se se casassem —, e ele gostava disso. Malcolm Patterson era um homem obcecado por suas posses: suas casas, seus carros, seus quadros, sua coleção de Fabergé, suas coisas. Marielle era mais uma coisa para ele possuir, uma propriedade muito importante, se pudesse dar-lhe filhos. Além disso, era uma moça sossegada e nada exigente, e ele gostava disso. Seria uma esposa digna e atraente, e talvez, com sorte, um dia, uma ótima mãe.

— Talvez eu devesse dizer que a amo — ele falou com muita delicadeza, mas ambos sabiam que não era assim. — Mas não sei se isso é importante para qualquer um de nós. Ele a conhecia bem, melhor até do que ela imaginava. — Talvez isso não importe. Talvez seja melhor assim, e com o tempo nós passaremos a nos amar, não é?

Ela assentiu, ainda assustada com o que ele estava dizendo. Ele então baixou os olhos para ela, na expectativa, como se ela soubesse o que deveria dizer e ele estivesse esperando que ela o dissesse.

— Pode me dar uma resposta?

Ela hesitou, mas só por um instante.

— Eu... — Olhou para ele, preocupada. — Você tem certeza?

Tinha mais medo por ele do que por si mesma. E se o decepcionasse? E se... sofresse outro colapso nervoso? O ano anterior não fora fácil. O filho de Lindbergh tinha sido seqüestrado duas semanas depois do retorno dela, e o horror daquilo a hipnotizara. Em maio, quando o mundo soube que ele estava morto, ela sentiu uma dor no coração que sabia que jamais esqueceria. Ficou de cama durante vários dias, dizendo estar gripada. Mas na verdade, achava-se incapaz de fazer qualquer coisa. Finalmente, numa crise de pavor, ela telefonara para seu médico na Suíça, e ele conseguira acalmá-la. Mas, e se acontecesse de novo? E se Malcolm soubesse...

— Não sei se é justo para você — disse Marielle, baixando os olhos cheios de lágrimas.

Ele de súbito sentiu vontade de puxá-la para si e fazer amor com ela. Era a primeira vez que ela lhe inspirava uma espécie de paixão, e por um instante ele se perguntou se chegaria a amá-la realmente.

— Querida... por favor... case-se comigo... Farei qualquer coisa por você...

Era a única linguagem que ele conhecia, mas ela encarou-o com um sorriso triste e sacudiu a cabeça.

— Você não precisa fazer isso. Tudo que tem a fazer é ser bondoso para comigo, e isso você sempre foi. Bondoso até demais. Não mereço tanto.

— Isso é bobagem. Você merece mais do que eu posso lhe dar. Merece um marido jovem e bonitão que seja louco por você e a leve a dançar todas as noites. Não um velho que você aos quarenta anos terá que empurrar numa cadeira de rodas.

Ela riu diante do quadro que ele pintava; era difícil imaginar Malcolm sem ser jovem e cheio de vitalidade. Era um homem poderoso e vibrante que, apesar de sua cabeleira prematuramente branca, parecia dez anos mais jovem do que realmente era. Os cabelos brancos apenas faziam-no parecer mais imponente.

— Então, agora que já lhe disse o que a espera, aceita o meu pedido?

Os olhos dela encontraram os dele e ela assentiu quase imperceptivelmente. Sentiu-se sem fôlego ao olhar para ele, e ele tomou-a nos braços e apertou-a contra si. Ela sentiu os olhos encherem-se de lágrimas. Queria ser tão boa para ele quanto ele era para ela, queria prometer-lhe tudo, e jurou a si mesma que jamais o decepcionaria.

O casamento foi simples e discreto. Um juiz que era grande amigo de Malcolm casou-os no dia do Ano-Novo, na casa de Malcolm, com a presença de menos de uma dúzia de amigos dele. Ela não conhecia pessoa alguma para convidar, a não ser as mulheres que conhecera quando trabalhava no escritório dele. Mas de qualquer maneira elas agora a hostilizavam. Sua história de Cinderela não as deixara felizes. Ela conquistara aquilo que elas sempre quiseram, mas por motivos muito diferentes dos dela. Queriam o dinheiro dele, e Marielle queria apenas a sua proteção.

Ela usou um conjunto de cetim bege que ele lhe comprara na Mainbocher, combinando com um chapéu feito sob encomenda por

Sally Victor. E nunca se mostrou mais bonita do que nesse dia, com os cabelos castanhos presos num coque elegante e os olhos azuis cheios de emoção. Ela chorou quando o juiz os declarou marido e mulher, e passou o dia inteiro bem perto dele, como se temesse que algum espírito malévolo se pusesse entre eles.

Passaram a lua-de-mel no Caribe, numa ilha particular perto de Antigua. Pertencia a um amigo dele, e havia uma casa fabulosa, um iate e um exército de empregados ingleses discretos e extremamente bem treinados. Tinha sido perfeito em todos os sentidos, e ela percebeu que seu afeto por ele crescia rapidamente. Os modos gentis e atenciosos dele comoviam-na mais do que ela conseguia dizer. E ele iniciou a vida sexual dos dois com sabedoria, bondade e uma enorme cautela. Estava ansioso por um filho, mas não tanto que chegasse a ser brutal ou apressado com ela, e passou a maior parte da lua-de-mel aprendendo maneiras de lhe dar prazer. Era um homem experiente e ela gostava de ir para a cama com ele, mas não havia como esconder o fato de que faltava algo entre eles. Mas gostavam da companhia um do outro, e quando voltaram para Nova York três semanas depois, eram bons amigos, e Marielle entrou na casa dele com ar confiante e um andar alegre que ela não mostrava há anos. Mas uma vez em casa a realidade da vida de casada atingiu-a. Moravam na casa *dele*, encontravam os amigos *dele*, e dia e noite ela estava cercada de empregados *dele*. E Marielle tinha que fazer tudo que *ele* quisesse. Os criados em geral consideravam-na uma caça-dotes e tratavam-na como intrusa. Sabendo que ela trabalhara para ele, sentiam ainda mais ódio por causa do ciúme. As ordens dela eram ignoradas, seus pedidos eram ridicularizados em segredo, seus pertences desapareciam ou eram "acidentalmente" destruídos e, quando ela finalmente tentou falar sobre isso com Malcolm, ele achou graça em suas queixas, o que a deixou ainda mais contrariada. Ele lhe disse para dar ao "seu pessoal" tempo para acostumarem-se com ela, e aos poucos eles iriam amá-la tanto quanto ele a amava.

Uma vez de volta a Nova York ele ocupou-se novamente no escritório. Ficava retirado a maior parte do tempo, e levava a própria vida, e Marielle sentiu-se muito solitária. Ele ainda gostava de ser visto com ela e tratava-a sempre com bondade, mas era claro que ela não iria compartilhar de sua vida inteira, nem mesmo de seu quarto de dormir. Ele explicou que ficava acordado até muito tarde, lendo documentos ou fazendo telefonemas internacionais, e era importante ter privacidade para isso, além de não querer incomodá-la. Ela sugerira que trocassem os quartos e ele montasse seu escritório ao lado do quarto dos dois, onde poderia trabalhar à noite, mas ele insistiu que não queria mudar coisa alguma. E não mudou. Nem uma única coisa mudou na vida de Malcolm depois que ele se casou com Marielle, a não ser saírem juntos com um pouco mais de freqüência. Mais de uma vez, porém, apesar da bondade dele, ela se sentiu como se ainda fosse uma de suas funcionárias.

Agora recebia uma mesada, que era discretamente depositada em sua conta no primeiro dia de cada mês, e ele a encorajava a comprar tudo que quisesse. Mas os criados ainda eram dele, a casa ainda tinha exatamente a mesma aparência de antes do casamento, as pessoas que eles encontravam eram todas amigas dele, e ele ainda viajava sem ela a negócios. Na verdade, Marielle viajara mais vezes com ele antes, quando era apenas assistente da secretária dele. Teria sentido ciúme da nova secretária, que viajava com ele, mas gostava dela. Brigitte era uma linda moça de Berlim. Seu comportamento e sua reputação eram impecáveis, e ela tratava Marielle com enorme respeito. Tinha cabelos louros bem claros e unhas pintadas de vermelho brilhante. Portava-se bem e era muito eficiente. Mais que isso: sempre se mostrava simpática com Marielle, a ponto de mostrar-se amiga. As secretárias mais antigas sentiam ciúmes dela, como antes sentiam de Marielle, e Marielle mais de uma vez sentiu pena dela ao perceber a expressão das colegas de Brigitte. A jovem alemã mostrava-se sempre respeitosa e prestativa quando Marielle telefonava para o escritório. E foi particularmente simpática quando Marielle engravidou, mandando presentes simples, porém simpáticos. Chegou até a tricotar uma manta para o bebê e vários suéteres, fato que comoveu profundamente Malcolm. No resto do tempo ele mal parecia perceber a existência dela. Mas tinha outras coisas em mente, negócios importantes e a esposa, e finalmente o filho que tanto desejava.

Marielle imaginara que engravidaria com facilidade. Assim acontecera antes, e ela surpreendeu-se ao ver que não engravidava depois dos primeiros meses do casamento. Depois de seis meses Malcolm insistiu que ela procurasse um especialista em Boston. Ele próprio a levou até lá e a deixou no hospital para que uma equipe de especialistas a examinasse. No final, nada encontraram de errado, e encorajaram o casal a continuar tentando. Achavam que era apenas uma questão de tempo e fizeram algumas sugestões que a embaraçaram, mas Malcolm estava mais que disposto a experimentá-las. Seis meses depois, porém, essas sugestões ainda não tinham funcionado, e os dois estavam muito preocupados. Foi então que ela passou uma tarde com seu próprio médico. Ele não tinha novas explicações a oferecer, e disse bondosamente que algumas mulheres não tinham sido feitas para terem filhos. Ele já vira isso acontecer antes: mulheres jovens e saudáveis, sem nada de errado com elas, que simplesmente nunca engravidavam. Ninguém tinha culpa.

— Às vezes Deus não quer que aconteça — disse bondosamente.

Ela estava começando a ficar histérica todos os meses, quando constatava mais uma vez que não estava grávida, e a tensão provocava-lhe enxaquecas.

— Mas já aconteceu — disse baixinho, quase com medo de olhar para ele. Era algo que ela ainda não contara a Malcolm, principalmente agora que se mostrava incapaz de ter um filho dele.

— Já esteve grávida?

O médico estava intrigado. Certa vez, ao examiná-la, ficara curioso, mas não tinha certeza e não lhe perguntara. E ela nunca lhe contara coisa alguma sobre isso. Em Boston, perguntaram-lhe várias vezes, e ela negara. Mas sentia mais confiança naquele homem. Ela própria o encontrara, e era uma das poucas pessoas em sua vida que não deviam fidelidade a Malcolm.

— Sim — assentiu.

— Você abortou? — Aquilo o preocupava. Em sua experiência, as mulheres que abortavam nos becos escuros raramente conseguiam ter outro filho. Iam procurar açougueiros e tinham sorte em sair com vida, e muito mais sorte quando ainda conseguiam ter filhos.

— Não.

— Entendo... — Ele pareceu mais simpático. — Você perdeu o bebê.

— Não — ela começou a dizer, com uma careta como se fosse de dor física. — Quero dizer, sim... Eu o tive... e ele morreu... depois...

— Sinto muito.

Ela então contou a ele, e chorou muito, mas sentia-se aliviada ao deixar o consultório, duas horas depois. De certo modo era como se um peso fosse retirado de seus ombros. Ele a tranqüilizou, dizendo que tinha certeza de que mais cedo ou mais tarde ela engravidaria. Não havia razão alguma para isso não acontecer.

E ele estava certo. Dois meses depois ela descobriu, com espanto e alegria, que estava grávida. Estava começando a achar que isso jamais aconteceria e a se perguntar se devia oferecer o divórcio a Malcolm, se ele o quisesse, já que ela não era capaz de lhe dar filhos. Mas de repente tudo mudou, e Malcolm ficou fora de si de gratidão e entusiasmo. Cobriu-a de presentes e jóias, voltava para casa na hora do almoço para vê-la, tratava-a como uma jóia rara, passava todo o tempo fazendo planos para o bebê. Era evidente que ele queria um menino, mas estava até mais preparado para ficar contente com uma menina.

— Se for menina, vamos ter que ter outros — disse com alegria.

Marielle riu. A essa altura ela já não conseguia enxergar os próprios pés, e não dormia bem havia semanas. A perspectiva de mais filhos era um pouco desanimadora. Por outro lado, ela desabrochara na gravidez, e o sofrimento dos últimos anos parecia mais distante agora, com a excitação de ter uma vida dentro de si. Passava horas sentada, sentindo o bebê mexer-se e esperando o momento de poder segurá-lo nos braços. Ele viria preencher um vazio que lhe doía havia muitos anos, e ela sabia que nada, a não ser outro bebê, poderia encher esse vazio. Tinha que repetir incessantemente a si mesma que ele não era André, dessa vez seria outra criança. André jamais voltaria. No entanto, não importava quem fosse essa criança, ela sabia que a receberia de todo o seu coração, assim como Malcolm.

Ele ordenou que todos na casa cuidassem dela, satisfazendo todos os seus caprichos, a alimentassem praticamente de hora em hora e não deixassem que ela tropeçasse ou se cansasse. Seus empregados, porém, ficaram muito menos entusiasmados do que ele em relação àquela gravidez, que pareciam considerar uma oportunidade para serem ainda mais desagradáveis com ela — principalmente a governanta, que trabalhava lá há vinte anos, tendo conhecido ambas as esposas anteriores, e continuava a considerar Marielle uma intrusa muito temporária. A perspectiva de um bebê tornava Marielle uma ameaça ainda maior, de modo que, em vez de ficar feliz, a megera ficou com raiva. A governanta, as empregadas, o motorista Patrick — um irlandês com quem Marielle antipatizara desde a primeira vez em que o vira — e até mesmo a cozinheira e sua equipe de ajudantes, todos se sentiam contrariados por terem que ceder aos poucos caprichos de Marielle, ou até mesmo de lhe fazer um chá especial quando ela tinha uma de suas enxaquecas. Pareciam considerar suas enxaquecas um sinal de fraqueza, e costumavam ser rudes a respeito de sua indisposição. Até mesmo a babá que Malcolm contratara para ela parecia considerar Marielle uma espécie de ser inferior. Era uma inglesa que Malcolm contratara numa de suas viagens ao exterior, e tinha o rosto como uma muralha de pedra e o coração igual. Era difícil imaginá-la dando carinho ou ternura para um recém-nascido. Ela chegou um mês antes da vinda do bebê, e Marielle ficou horrorizada quando a conheceu.

— Parece uma carcereira, Malcolm. Como podemos deixar que ela cuide de nosso filho? — Para Marielle, a questão era: por que precisavam de babá? Ela mesma cuidara de André, mas essa lembrança era dolorosa demais e agora não havia como discutir isso com Malcolm. — Eu mesma posso cuidar do bebê.

Mas ele limitou-se a rir, dizendo que ela estava sendo tola e deveria deixar que todos a poupassem.

— Quando o bebê chegar, você vai estar exausta, vai precisar descansar. A Srta. Griffin vai ser perfeita. Tem referências excelentes, foi treinada em um hospital. É exatamente do que você precisa, embora você ainda não saiba disso. Você vai ver que cuidar de um bebê não é tão fácil quanto pensa.

Ela sabia com certeza que era mais fácil do que ele pensava, mas não podia dizer isso a ele. Aos dezoito anos ela tinha cuidado de seu bebê sem qualquer ajuda de alguém como a Srta. Griffin.

Logo de início, a Srta. Griffin declarou que as enxaquecas de Marielle faziam muito mal ao bebê e eram, provavelmente, sinal de alguma perniciosa fraqueza da mãe. A babá parecia querer que Marielle tivesse vergonha de senti-las, mas elas eram fortes demais para que ela fizesse outra coisa senão descansar deitada num quarto escuro. Mil coisas provocavam essas enxaquecas: a tensão, a preocupação, uma discussão com Malcolm, um comentário cruel da criada, um resfriado, uma gripe, uma noite de insônia, comida pesada, até mesmo uma taça de vinho. Eram uma tortura para Marielle, e ela estava sempre se desculpando, como se se tratasse de grave fraqueza de caráter, como a Srta. Griffin sugerira.

Apenas Haverford, o mordomo inglês, tratava-a com delicadeza. Nunca mostrara muito interesse por ela, mas era sempre educado e simpático, ao contrário da Srta. Griffin, que se esforçava para formar uma aliança com Malcolm, que a contratara. E como todos na casa, ela depressa passou a tratar Marielle como intrusa, um veículo desagradável, porém necessário, que tinham que suportar para a vinda da criança. Finalmente Marielle começou a ficar assustada com isso. Ela agora queria estar com pessoas que a amassem, e sentia saudade dos dias felizes com Charles antes de terem o bebê. Às vezes deixava-se ficar deitada na cama a chorar, e em mais de uma ocasião Malcolm ficou chocado ao encontrá-la.

— É que você agora está sensível. Tente não se perturbar tanto com as coisas — tentava dizer-lhe.

Mas depois de conversar com a Srta. Griffin ele passou a achar que ela estava sendo um pouco tola: parecia chorar todo o tempo e ficou perturbada até quando foi ao escritório e viu Brigitte. Marielle sentiu-se tão gorda e feia em comparação a ela que durante três dias recusou-se a sair com Malcolm. Ele era sempre paciente e tentava compreender, mas era óbvio, até mesmo para ele, que na fase final da gravidez Marielle estava profundamente perturbada. Era como se estivesse apavorada. Ele fez tudo ao seu alcance para ajudá-la. A Srta. Griffin explicou-lhe que algumas mulheres têm tanto medo da dor que enlouquecem diante da perspectiva do parto. Isso parecia apoiar sua teoria de que Marielle era fraca e, pior ainda, covarde.

Marielle queria ter o filho em casa, insistira nisso desde o início, mas Malcolm foi igualmente insistente em seu desejo de que o bebê nascesse no Doctor's Hospital, com todos os recursos modernos caso houvesse alguma complicação. Marielle achava que seria mais tranqüilo ter o filho em casa, e tinha medo de um seqüestro, como confessou a Malcolm. Bruno Richard Hauptmann tinha sido preso em setembro pelo seqüestro do filho de Lindbergh e ela novamente ficara obcecada com aquele caso, mas Malcolm achou que ela estava exageradamente nervosa por causa dos seis meses e meio de gravidez. Foi uma época difícil para ela, a um ponto que ninguém suspeitava. Apenas seu médico percebia como ela estava sofrendo; sempre que a via, tentava acalmá-la e assegurava que dessa vez tudo ia ser diferente.

Estavam em casa na noite em que o bebê nasceu. Ela estava lendo em seu quarto e Malcolm trabalhava em alguns papéis no quarto dele quando vieram as primeiras dores. Ela esperou um pouco e depois foi contar a ele; ele correu para ela no momento em que a viu. Patrick levou-os para o hospital e Malcolm ficou com ela enquanto o médico permitiu, e então ela foi levada para ter o filho. Estava tonta por causa do remédio que lhe deram, e começou a contar a Malcolm como tinha sido diferente em Paris. O médico sorriu para ele, e os dois homens trocaram olhares de compreensão: ela estava no mundo dos sonhos.

— Deve ser fácil para ela — disse o médico baixinho, enquanto as enfermeiras a levavam. — Logo estarei de volta.

Ele sorriu, e Malcolm acomodou-se numa cadeira para esperar na enorme suíte que reservara. Já era então meia-noite, e Theodore Whitman Patterson nasceu às 4:23 daquela madrugada.

Marielle viu-o primeiro através de uma espécie de névoa, quando o médico entregou-lhe o bebê enrolado numa coberta. Tinha o rosto redondo e rosado e um cacho de cabelos alourados, e olhou para ela com surpresa, como se estivesse esperando outra pessoa, depois soltou um enorme uivo, e todos na sala de parto sorriram enquanto as lágrimas corriam pelo rosto de Marielle. Ela pensara que ele tinha desaparecido... Lembrava-se tão bem dele... as mesmas bochechas redondas, aqueles olhos surpresos... mas os cabelos dele eram negros, como os de Charles... negros e brilhantes, como um corvo... Esse não era ele, mas parecia-se tanto com ele... Ela juntou sua face à do bebê, sentindo uma dor primitiva dentro da alma, e ao mesmo tempo uma onda de alegria e ternura. Levaram o bebê para ser limpo e para apresentá-lo ao pai, enquanto Marielle cochilava e os médicos faziam o trabalho final.

Já era dia quando tornaram a levá-la para o quarto. Malcolm estava lá, cochilando tranqüilamente, esperando a volta dela, e havia champanhe gelando num balde de prata na mesa-de-cabeceira. Ele acordou assim que a maca entrou no quarto, e ela estava mais desperta do que na última vez em que o vira. Desperta e dolorida, e mais feliz do que em muitos anos... e orgulhosa... finalmente realizara o sonho de Malcolm e o acordo dos dois.

— Você o viu? — perguntou, quando Malcolm inclinou-se e beijou-lhe a face; ela tinha os olhos cansados, mas felizes.

— Vi, sim. — Havia lágrimas nos olhos de Malcolm. Aquilo era tudo que ele sempre quisera. — Ele é tão lindo, e se parece com você!

— Não parece, não. — Ela sacudiu a cabeça, querendo dizer as palavras proibidas: ele se parece com André... — É tão bonitinho... Onde é que ele está? — Apavorada, olhou para a enfermeira. E se ele tivesse sumido? Se alguma coisa lhe acontecesse... Se alguém o levasse...

— Ele vai voltar logo. Está dormindo no berçário.

— Quero que ele fique aqui comigo no quarto. — Marielle olhou assustada para Malcolm e ele tomou-lhe a mão.

— O bebê está bem.

— Eu sei... Mas quero vê-lo...

Nunca iria tirar os olhos de cima dele, nunca o deixaria ir, nunca permitiria que aquilo acontecesse de novo... nunca... Começou a sentir pânico, olhando em volta à procura dele, e por um instante teve medo de estar começando uma enxaqueca. Mas o instante passou e Malcolm serviu-lhe uma taça de champanhe, que ela fingiu beber. Depois de tudo por que passara e dos remédios que tomara, nem o Cristal que ele trouxera lhe apetecia muito.

Depois disso trouxeram-lhe o bebê, e ela o segurou junto a si enquanto ele dormia; quando ele acordou, ela desabotoou a camisola e amamentou-o. Tudo lhe voltava com facilidade, como se nada tivesse acontecido desde então — nenhuma perda, nenhum sofrimento, nenhuma tragédia... nada... a eternidade da maternidade era sua, e ela perdeu-se de amores nas mãos daquele bebê.

Malcolm observava fascinado enquanto ela amamentava, e depois segurou o bebê no colo, contemplando seu filho em silêncio e adoração. Mais tarde foi para casa e dormiu pacificamente, sabendo que sua vida estava inteira, completa e quase perfeita. E apesar das dúvidas que ele podia ter tido nos dois anos anteriores, agora estava feliz por ter se casado com Marielle. A criança fazia com que tivesse valido a pena.

A pesada porta de carvalho abriu-se lugubremente, e Marielle entrou em casa com passos silenciosos. Ainda estava perturbada por ver Charles depois de tantos anos. Tinha sido um choque, mas também a emocionara.

— Boa tarde, madame. — O mordomo pegou seu casaco, enquanto uma das criadas ficava por perto para ajudá-la.

Marielle suspirou ao vê-los. Tinha sido uma tarde difícil, um dia difícil. Ao tirar as luvas e pousá-las ao lado da bolsa de camurça preta, ela ainda sentia nos ossos o frio da igreja.

— Boa tarde, Haverford — respondeu ao velho mordomo. — O Sr. Patterson está em casa?

— Creio que não.

Ela assentiu e dirigiu-se para as escadas, indecisa entre ir para seus aposentos ou subir até o terceiro andar. Muitas vezes, quando tinha vontade de ir visitá-lo, decidia não ir. A princípio, para sua própria surpresa, ela experimentara sentimentos confusos a respeito do filho de Malcolm. Tinha por ele um amor, uma paixão que jamais imaginara... Até mais do que a primeira vez... Mais do que tinha sido capaz aos dezoito anos... Mais do que pensara poder amar outro ser humano. No entanto, ao mesmo tempo mantinha-se fisicamente longe dele, e muitas vezes escondia muito bem o amor que sentia. Era perigoso demais permitir-se amá-lo tanto. Sabia que morreria se alguma coisa acontecesse dessa vez. Assim, forçava-se a ficar distante, ou até mesmo a aparentar certa indiferença, mas havia ocasiões em que não conseguia fingir, momentos em que precisava estar com ele, noites em que se esgueirava escada acima, descalça, e ficava a contemplá-lo a dormir. Era a criança mais bonita que ela já vira — mais quente, roliça, delicada, perfeita... Era a recompensa por todo o sofrimento, era o presente de Deus por tudo que ela perdera. Ele era toda a razão que ela tinha para viver.

Naturalmente Malcolm também o adorava, principalmente a mente viva e os modos simpáticos. Malcolm não sentia, como ela, a tensão, os temores e a ansiedade a respeito da segurança de Teddy. Era uma criança calma e feliz, que trazia alegria a todos que a conheciam.

Teddy fez com que por algum tempo Malcolm ansiasse por mais filhos, e durante o primeiro ano de vida do filho Malcolm teve esperanças de engravidar Marielle. Mas novamente seus esforços se mostraram vãos e foram abandonados antes de alcançarem sucesso; já tendo Teddy, Malcolm não foi tão persistente. Ele e Marielle passaram a ficar discretamente em seus próprios quartos.

Ela parecia não se importar, e ambos estavam contentes com a vida que levavam. Aos trinta anos, Marielle tinha um filho que adorava, um marido que a tratava bem — era mais do que a maioria das mulheres tinha —, e Malcolm tinha o herdeiro pelo qual tanto ansiava. Era o suficiente para ambos.

E Marielle agora parecia mais calma em vários aspectos, com exceção da segurança de Teddy. Nisso ela o defendia como uma leoa. O seqüestrador do filho de Lindbergh tinha sido executado mais de dois anos antes, mas ela ainda agia como se houvesse um seqüestrador em potencial em cada esquina.

Malcolm era-lhe grato, pois ela cuidava maravilhosamente de seu filho, era excelente mãe e boa esposa, e lhe dera o bebê de seus sonhos: perfeito, lindo, inteligente, louro. Era tudo o que ele sempre quisera.

Subindo lentamente a escada, Marielle debatia consigo mesma se continuaria ou não até o terceiro andar; na realidade, não estava com estado de espírito para aturar a Srta. Griffin, e não queria perturbar Teddy enquanto ele estava com a babá. Mas de repente ouviu a risada dele, vindo do final do corredor de cima, e sorriu. Já o tinha visitado de manhã, e às vezes tentava racionar suas visitas. Tinha que fazer isso, senão ele se transformaria numa paixão que consumiria tudo. Era um jogo que ela jogava consigo mesma constantemente, nunca se permitindo o suficiente, nunca ficando com ele tanto quanto desejava, porque sabia que, se fizesse isso, enlouqueceria se algo acontecesse. Mas na verdade a criança já estava entranhada em todas as fibras de sua alma, de tal modo que ela não conseguiria sair de perto dele. Se racionasse seu tempo com ele, poderia permitir-se pensar que mantinha algum distanciamento, alguma liberdade.

Infelizmente, o resultado era que ele passava o resto do tempo sob os constantes cuidados da inflexível Srta. Griffin. Malcolm insistira que ela continuasse com eles, e depois de quatro anos Marielle ainda não gostava dela. E a Srta. Griffin ainda a tratava como um ser inferior. Suas enxaquecas, seus nervosismos, seu medo de seqüestradores, sua paixão mal escondida e obviamente doentia pela criança, alternada com períodos de depressão, tudo isso a Srta. Griffin sentia ser sintomático de uma pessoa verdadeiramente sem valor — opinião que ela não tinha constrangimento em expor para quem quisesse ouvir, sempre que ia visitar a cozinha. Era Malcolm que a babá adorava, era Malcolm que ela respeitava e com quem sonhava em segredo. Ele era apenas quatro anos mais velho que ela, e, se o destino tivesse sido mais generoso, era a Srta. Griffin quem estaria no lugar de Marielle, não aquela coisinha fraca e nervosa, como às vezes a chamava. A patroa ainda falava sobre o filho de Lindbergh, sobre o trauma que aquela tragédia lhe infligira, e sobre as circunstâncias em que ela tivera conhecimento da notícia. Era um caso triste, sem dúvida, mas tinha acontecido seis anos antes, e, afinal de contas, os Lindbergh tiveram dois filhos depois disso.

Marielle ficou longo tempo parada no corredor, escutando a criança, sorrindo consigo mesma, e então, como se fosse puxada por forças invisíveis, subiu lentamente os degraus de mármore para o terceiro andar, seus elegantes sapatos de camurça ressoaram no longo corredor enquanto ela andava. A porta do quarto estava fechada, e ao estender a mão para a maçaneta ela ouviu a risada do filho. Sabia que devia bater, a Srta. Griffin ficaria chocada, mas preferiu fazer uma surpresa; girou devagar a maçaneta de bronze e empurrou a porta. Uma criança pequena, de cabelos dourados e enormes olhos azuis, voltou-se para a porta, e seu semblante abriu-se num sorriso quando a viu.

— Mamãe! — exclamou, voando através do quarto até os braços dela. Com um sorriso a iluminar-lhe a expressão, ela o abraçou, ergueu-o no colo e segurou-o junto a si, enquanto ele enfiava o rosto no pescoço dela e aspirava seu perfume. — Você cheira tão bem...

Ele sempre comentava coisas como o perfume e a aparência dela, e ela adorava quando ele a achava bonita. O resto das mulheres à volta dele eram feias, à exceção de Brigitte, secretária do pai, que vinha às vezes visitá-lo e trazia livros de histórias e doces alemães.

Ela dizia que tudo era melhor na Alemanha, mas a Srta. Griffin afirmava que isso não era verdade, tudo era melhor na Inglaterra.

— Como vai você, meu lindo príncipe? — Ela beijou o rosto do menino e colocou-o no chão, enquanto a babá olhava com censura.

— Vamos muito bem obrigada, Sra. Patterson. Íamos tomar chá quando a senhora chegou — disse a babá.

Marielle achava que ele não deveria beber chá, mas a Srta. Griffin considerava o chá um ritual sagrado, e Malcolm dera sua aprovação oficial aos chás da tarde. Como sempre, a vontade de Marielle foi ignorada. Ela achava que uma refeição de leite com biscoitos seria mais saudável; aliás, Teddy na verdade preferia.

— Boa tarde, babá. — Marielle sorriu com hesitação. Nunca sabia ao certo como seria recebida, e ficava constrangida ao lado dela. Mas em todos aqueles anos tinha sido impossível explicar isso a Malcolm, e às vezes parecia que a Srta. Griffin ficaria lá para sempre. E Teddy tinha apenas quatro anos, de modo não se podia dizer que estava na hora de dispensá-la.

A criada serviu chá aos três. Era uma irlandesa antipática com quem Marielle nunca simpatizara, mas a babá a contratara e a adorava. Ela e o motorista também eram bons amigos, e seu nome era Edith. Tinha os cabelos pintados de ruivo e se comportava sem muita cerimônia, mas cuidava com perfeição da roupa de Teddy e da Srta. Griffin. E estava sempre de olho no guarda-roupa de Marielle.

— E o que foi que você fez hoje? — Marielle perguntou a Teddy em tom de conspiração.

Ele respondeu com ar muito sério:

— Brinquei com Alexander Wilson. Ele tem um trem — informou o garoto com importância, e explicou como o trem funcionava, com suas pontezinhas, aldeias e estações, e como ele queria ter ganhado um de presente de aniversário. Seu aniversário tinha sido duas semanas antes. Dezembro era para ela um mês estranho: tanta coisa a agradecer, tanta coisa para chorar.

— Talvez Papai Noel lhe traga um.

Na realidade, ela sabia que Malcolm já tinha comprado o trem, e durante semanas vários homens vinham trabalhando no porão para montar um salão especial para o trem, com montanhas, colinas e lagos, e exatamente o tipo de aldeiazinhas que Teddy vira na casa dos Wilson e descrevera para eles.

— Espero que sim... — Ele pareceu pensativo, depois ergueu os olhos e sorriu para ela, aproximando-se imperceptivelmente. Adorava estar perto dela, sentindo seu perfume, a maciez de seus cabelos e deixando-a beijá-lo como fizera na primeira vez que o vira. Era a pessoa mais excitante que ele conhecia, e amava-a mais que tudo, até mesmo os trens... — Fez alguma coisa boa hoje? — Ele sempre perguntava, como se realmente se importasse, assim como perguntava a Malcolm e Brigitte como iam as coisas no escritório. Isso fazia Malcolm sorrir. E Teddy sempre dizia que Brigitte era linda, quase tão linda quanto a mamãe, o que deixava feliz a jovem berlinense. Ela o achava uma criança adorável, e Marielle tinha permitido que o levasse ao jardim zoológico várias vezes; uma vez ela o levara ao Empire State Building, a coisa mais excitante que ele jamais fizera. Neste dia, ele voltou para casa tão entusiasmado que chegou a dizer a Brigitte que a amava.

— Hoje fui à igreja — Marielle disse baixinho, observada pela Srta. Griffin.

Teddy pareceu surpreender-se; sempre ia com ela, e dessa vez não tinha ido.

— Hoje é domingo?

— Não. — Ela sorriu, perguntando-se se algum dia contaria tudo a ele. Talvez, quando ele fosse um homem adulto; desde agora ela achava que um dia ele seria o tipo de pessoa com quem se podia falar. — Mas mesmo assim fui.

— Foi bom?

Ela assentiu. Tinha sido "bom"... e triste... Ela tinha encontrado Charles depois de todos aqueles anos. Não tivera coragem de contar-lhe sobre Teddy. Parecia injusto: ele estava lutando na Espanha, arriscando a vida, talvez esperando morrer, como acontecera com ela; e ela agora tinha esse filho maravilhoso, esse raio de esperança e sol para preencher seus dias e sua vida. Neste dia do ano, em particular, ela não conseguira contar a Charles que tivera outro filho. Só lhe contara de Malcolm. E sabia que não poderia procurá-lo outra vez. Não podia... não era correto... Ele era parte de outra vida.

— Fui à catedral de Saint Patrick. Sabe, aquela igreja grande, grande. No ano passado fomos lá, na Páscoa.

Ele assentiu, como um pequeno sábio.

— Eu me lembro. Podemos ir de novo? — Ele tinha gostado de ver os esquiadores no gelo do outro lado da rua, no Rockefeller Center.

Ela ficou longo tempo conversando com ele, abraçando-o e lendo-lhe uma história, até a Srta. Griffin informar que era hora do banho, e Teddy voltou-se para a mãe com ar implorante.

— Você não pode ficar? Por favor...

Ela queria ficar, mais do que tudo, mas sabia que perturbar a rotina da Srta. Griffin era um falha de conduta que a babá não perdoaria facilmente.

— Eu posso dar-lhe banho — disse, hesitante, sabendo muito bem qual seria a reação. A Srta. Griffin odiava interferências.

— Não há necessidade, obrigada, Sra. Patterson — declarou, levantando-se bruscamente. — Dê um beijo de boa-noite na sua mãe, por favor, Theodore, e diga-lhe até amanhã.

Era uma espécie de indireta, e Marielle compreendeu-a.

— Mas eu não quero ver a mamãe amanhã, eu quero agora!

Ela tinha vontade de dizer: eu também quero ver você agora... Quero dar-lhe banho, fazer seu jantar, colocá-lo na cama e abraçá-lo até você dormir, e beijar seus olhinhos e bochechas e nariz enquanto você dorme... Mas não lhe deixavam fazer coisas assim. Ela tinha que visitá-lo no quarto, tomar chá com ele e dizer-lhe boa-noite na hora de dormir.

— Vamos ao parque amanhã, querido. Talvez ao lago dos botes.

— Amanhã à tarde temos uma festa de aniversário na casa dos Oldenfields, Sra. Patterson.

Marielle obviamente estava interferindo nos importantíssimos compromissos sociais deles.

— Então eu o levo de manhã. — Ela olhou com desafio para a Srta. Griffin, mas de nada adiantava, a mulher mais velha sempre vencia, tinha o apoio de Malcolm e sabia disso. Marielle sempre se sentia inútil, sem nenhum poder, como se não existisse e nunca tivesse existido. — Iremos amanhã de manhã.

Voltou-se para Teddy, para tranqüilizá-lo, mas havia lágrimas correndo pelo rosto dele. O dia seguinte era longe demais, para os dois, e ele sabia disso.

— Não pode mesmo ficar?

Em resposta, ela sacudiu tristemente a cabeça, e abraçou-o com força por um instante. Depois ergueu-se, tentando aparentar alegria, enquanto ele era levado embora chorando para o banheiro. Marielle fechou a porta suavemente atrás de si, ao sair. Sempre se sentia cruel ao deixá-lo, ele estava sendo criado por estranhos que nem amigos eram, e a própria Marielle não ousava desafiá-los. Ela tinha sido levada àquela casa para ter esse filho, e depois disso já não tinha utilidade. Era difícil viver com essa idéia, era horrível sentir-se inútil e não-aceita. No entanto, era grata por sua vida com Malcolm, e tinha o filho... Mas era tudo que tinha, e a razão pela qual ele lhe era tão infinitamente, tão desesperadamente precioso.

Desceu então para a sua sala de estar, pensando nele; trocou de roupa, colocando um roupão longo, de cetim cor-de-rosa, e olhou-se durante muito tempo ao espelho. De certa maneira, os anos tinham sido generosos com ela. Seu corpo permanecera o mesmo, apesar de dois filhos, mas o rosto parecia mais velho, as feições mais delineadas, mais definidas e mais sábias. Eram os olhos que a denunciavam, revelando que ela vivera séculos. E sentada ali ela flagrou-se pensando outra vez em Charles a poucos quarteirões de distância, e durante um momento de insanidade teve vontade de telefonar para ele; mas sabia que não poderia. Nada mais tinha a dizer a ele, a não ser recriminações, desculpas e protestos de arrependimento. Não havia respostas para as perguntas dos dois, e agora ambos sabiam que jamais haveria.

Malcolm chegou a casa logo depois, e informou-lhe que tinha um jantar de negócios naquela noite, desculpando-se: era algo que surgira inesperadamente. Beijou-lhe o topo da cabeça e desapareceu apressado em seu quarto. Naquela noite ela pediu uma bandeja no quarto e várias vezes tentou ler a mesma página do mesmo livro, mas concluiu que não estava conseguindo entender o sentido das palavras, por mais que tentasse. Seus pensamentos estavam em outra parte.

As lembranças de Charles a assaltaram durante toda a noite. Charles em Paris, tão arrojado, tão imprudente, tão jovem... Em Veneza... Em Roma, na lua-de-mel... Charles rindo... brincando com ela... nadando num lago... correndo por um campo... E então a última vez... na Suíça... E agora, hoje...

Recostou a cabeça e finalmente chorou, incapaz de suportar as lembranças por mais um só instante. E finalmente, tarde da noite, com a casa em silêncio, ela subiu a escada pé ante pé e foi olhar seu filho adormecido. Ajoelhou-se ao lado da cama e beijou sua testa aveludada, depois esgueirou-se de volta ao quarto onde dormia sozinha. Doía-lhe a vontade de telefonar para Charles, mas devia demais a Malcolm. Ele fizera demais por ela. Não poderia telefonar para Charles por motivo algum... Não importava o que ela ainda sentia, ou o que ele dissera... Ela sabia que sua vida com Charles Delauney tinha findado para sempre.

3

A manhã seguinte foi uma das raras em que Marielle desceu para tomar o desjejum na sala de jantar. Geralmente o fazia numa bandeja, no quarto, mas nessa manhã ela acordou cedo. Encontrou Malcolm terminando seu café com ovos e lendo o jornal: na Itália, Mussolini acabava de exigir que a França entregasse a Córsega e a Tunísia.

— Bom dia, minha cara. — Ele era sempre cortês, sempre gentil, sempre demonstrando prazer ao vê-la, como uma encantadora hóspede que ele não imaginara encontrar tão cedo de manhã. — Dormiu bem?

— Não muito — ela respondeu sinceramente, o que era raro; geralmente era mais fácil dizer o que se esperava que dissesse: bem, obrigada... otimamente... maravilhosamente... Mas sua noite fora cheia de pesadelos.

— Uma de suas enxaquecas de novo? — Ele baixou o jornal para olhar para ela, mas ela parecia bem; na verdade, parecia melhor do que em algum tempo. — Você devia beber vinho, ou champanhe — aconselhou, sorrindo. — Isso iria lhe dar sono.

Ela sorriu em resposta.

— Vai ficar em casa à noite? — perguntou.

— Acho que sim. Vamos ter uma noite calma, junto à lareira. — Essa época anterior ao Natal era sempre movimentada; na semana anterior eles tinham saído cinco noites seguidas. Mas agora estavam mais livres. — Que é que você vai fazer hoje?

— Pensei em levar Teddy ao parque, agora de manhã.

Ele achava a vida dela restrita demais. Ela raramente saía, nunca almoçava com amigas. Ele a apresentara a todo mundo, mas mesmo depois de tantos anos ela continuava introvertida. Era uma jovem muito fechada. Quando ele a pressionava sobre isso, ela sempre alegava não ter tempo, mas na verdade não tinha coragem. E só ela sabia que pecados terríveis pensava estar escondendo.

— Quero levá-lo também para ver *Branca de Neve*. Acha que ele é novo demais? — Marielle perguntou.

A peça estreara havia pouco tempo, e estava fazendo enorme sucesso. Malcolm sacudiu a cabeça enquanto pousava o jornal.

— De modo algum. Acho que ele vai adorar. Isso me lembra, quero verificar o progresso da sala do trem. Estão trabalhando como duendes.

Faltavam apenas doze dias para o Natal.

— Vai ficar tudo pronto a tempo? — Ela sabia que sim, com Malcolm cuidando do projeto. Ele não tolerava prazos descumpridos.

— Espero que sim. Aliás, vou a Washington na semana que vem; gostaria de ir?

— Ver de novo seus amigos?

Ele tinha amigos importantes no Ministério de Guerra, e adorava ir visitá-los em Washington.

— É, sim. Negócios importantes. Além disso, tenho um encontro com o embaixador alemão a respeito de um projeto em Berlim.

— Pelo jeito, você vai ficar muito ocupado.

— Vou, sim, mas você é mais do que bem-vinda nessa viagem.

Mas ela sabia perfeitamente que ele não teria tempo para ela e que, apesar do convite, ela seria apenas um estorvo. E tinha muita coisa a fazer antes do Natal.

— Eu preferiria ficar organizando as coisas. Você ficaria aborrecido se eu não fosse?

— Claro que não, minha cara. Você é quem sabe. Não vou me demorar.

— Talvez depois do Ano-Novo... — sugeriu, perguntando-se se o estava decepcionando, ou se ele ia ficar zangado por ela não ir.

Estava sempre temendo fazer a coisa errada, ou magoar alguém, ou decepcioná-lo, ou não ser isso ou aquilo, ou não fazer algo que deveria fazer. Mas onde deveria estar: com Malcolm em Washington, ou em casa, com Teddy? Essas decisões tinham se tornado difíceis para ela ao longo dos últimos nove anos, pois se fizesse a escolha errada, isso lhe custaria tudo o que tinha. Ela aprendera essa lição e pagara caro por ela.

— Tudo bem? — perguntou, nervosa.

— Tudo bem — ele apressou-se a responder.

Beijou-a em despedida e pouco depois ela subiu ao seu quarto para vestir-se. Mais tarde, conforme o prometido, ela saiu com Teddy. A Srta. Griffin tentou acompanhá-la, mas dessa vez Marielle foi firme e declarou que ela e Teddy desejavam passar a manhã sozinhos. Ele ficou encantado com o que ela disse, e a Srta. Griffin ficou chocada — Marielle e Teddy, enquanto desciam a escada, ouviram-na bater com força a porta do quarto. Teddy apenas riu, e Marielle sorriu enquanto vestia nele o casaco. Brigitte, a caminho de subir para ver Malcolm, parou para conversar com eles um instante.

— Vai a algum lugar interessante, Theodore?

Ela falava com leve sotaque alemão, e seus olhos trocaram um sorriso carinhoso com Marielle. Marielle sempre sentira que as duas poderiam ter sido amigas, se as circunstâncias fossem diferentes. Mas Malcolm jamais toleraria que Marielle fosse amiga de um de seus funcionários.

— Vamos ao parque — Teddy declarou com orgulho, voltando para Marielle um olhar cheio de amor. E então, reparando no vestido azul da secretária de seu pai, ele fez uma pequena mesura que fez Brigitte sorrir. — Gosto do seu vestido, Briggy. Você está muito bonita.

A jovem alemã riu, enrubescendo de leve.

— Talvez você me diga isso daqui a vinte anos, rapaz, certo? — Teddy pareceu não entender a sugestão, e as duas mulheres sorriram. — Não tem importância, muito obrigada pelo elogio. Também acho você muito bonito. Este casaco é novo?

Era o *blazer* azul-marinho combinando com boné que a Srta. Griffin mandara fazer para ele, e que ele detestava.

— Não — respondeu, sacudindo a cabeça. — É velho. — Então ergueu os olhos para a mãe; ela já vestira o casaco de peles e os dois estavam preparados.

— Tudo pronto?

Ela sorriu para ele e ele assentiu, depois pôs-se na ponta dos pés para plantar um beijo na face de Brigitte, sentindo o leve cheiro de almíscar do perfume dela.

— Divirta-se, Theodore. — Ela acenou, enquanto ele saía, de mãos dadas com a mãe, e ele virou-se uma vez para acenar-lhe de volta.

Estava gelado na rua, como na véspera, e ela pediu que Patrick os levasse de carro; subindo a Quinta Avenida, poderia deixá-los mais perto do lago dos botes. Teddy conversou durante todo o tempo e, enquanto entravam no Central Park, Marielle contou-lhe sobre Paris e o tempo em que vivera lá. Malcolm adorava contar-lhe suas viagens a Berlim, e ela sabia que a Srta. Griffin estava sempre falando com entusiasmo da Inglaterra.

— Um dia vamos para a Europa num navio bem grande, como o *Normandie*... — E ela contou-lhe tudo sobre isso, enquanto ele escutava de olhos arregalados.

— Papai também vai? — A idéia de viajar num navio deixava-o realmente encantado.

— Claro que sim. Nós todos vamos. — Ela adorava viajar com ele. Detestava deixá-lo, o que era uma das razões pelas quais não gostava de viajar com Malcolm, e ficava aliviada porque ele raramente a convidava.

Teddy pareceu pensativo, enquanto caminhavam de mãos dadas, o vento frio em seus rostos. O nariz dele estava vermelho e os olhos dela lacrimejavam, mas os dois estavam bem agasalhados, envoltos em casacos, chapéus, lenços e luvas.

— Pode ser que papai esteja ocupado demais — disse ele com tristeza.

Marielle tentou tranqüilizá-lo:

— Não, tenho certeza de que ele virá conosco.

Ela tentou falar em tom despreocupado, mas ele estava certo, Malcolm estava sempre ocupado, em especial ultimamente.

— Talvez ele possa ir nos encontrar em Berlim, se estiver ocupado demais para ir conosco — disse Teddy em tom tranqüilo.

Era um menino muito esperto. Percebia tudo, até que Malcolm tinha muitos negócios com os alemães. Os negócios dele com a Alemanha pareciam ter triplicado ao longo dos anos de seu casamento. Por isso Brigitte era tão útil a Malcolm, e provavelmente por isso trabalhava havia seis anos no escritório dele. Era incrivelmente eficiente e boazinha.

— Talvez a gente possa ir a Londres também — Teddy acrescentou, querendo agradar à Srta. Griffin. — Podíamos ir ver o Big Ben, a torre de Londres... o palácio de Buckingham... e o rei!

Ele parecia muito impressionado com tudo o que a Srta. Griffin lhe contara, e Marielle sorria enquanto caminhavam e finalmente chegavam ao lago dos botes. Mas uma fina camada de gelo recobria a água do lago, e ela sentiu um arrepio; puxou a criança para si, como se algum mal os aguardasse naquele lugar, e quis afastar depressa o filho dali.

— Hoje isto aqui está vazio. Vamos ver o carrossel.

Ao vento frio, ela estava muita pálida enquanto falava. Mas ele parecia decepcionado.

— Eu queria ver os barcos...

— Não há barco algum lá. — Ela parecia assustada, mas ele era novo demais para saber disso. — Ande... vamos embora.

— Podemos caminhar sobre o gelo? — perguntou ele, fascinado pela fina crosta que cobria a maior parte do lago dos botes. Mas ela puxou-o para longe com mais força ainda.

— Não, nunca faça isso, Teddy, está me ouvindo?

Ele assentiu, assustado com a veemência da reação dela. Foi então que ela olhou para a outra margem do lago e julgou ter visto Charles. Dessa vez parecia impossível, como se sua mente estivesse de novo a pregar-lhe peças. Talvez ela estivesse finalmente ficando louca. Talvez o lago, com seu fino véu de gelo, tivesse sido demais para ela. Ela fechou os olhos por um instante, como se quisesse clarear a visão, e tornou a abri-los depressa.

— Vamos para casa. — Sua voz era um grasnido de terror, e seus olhos dardejavam entre Teddy e o homem que ela julgava enxergar do outro lado do lago, como se ainda não tivesse certeza daquilo que estava vendo.

— Agora? — Teddy parecia prestes a chorar. — Mas acabamos de chegar! Não quero ir para casa. Não podemos ir ao carrossel?

— Sinto muito... vamos passear de carro... Talvez ao zoológico... tomar chá... os esquiadores, quem sabe... — Qualquer coisa para fugir dali.

Ali parada, seu corpo todo começou a tremer. Mas enquanto tentava levar a criança para longe, viu que o homem vinha correndo em sua direção, rodeando o lago. E quando ele a alcançou, tinha a cabeleira negra alvoroçada, os olhos pareciam enlouquecidos e ela constatou, com terror, que não se enganara. Quando Teddy viu a expressão da mãe, sentiu-se de súbito assustado. A mãe sempre instilara nele um vago terror de desconhecidos, e aquele parecia particularmente apavorante. Era alto e desgrenhado, e parecia ter caído sobre eles, ofegante, e de repente agarrou os ombros de Marielle e encarou-a, depois olhou para Teddy.

Pelo menos ela sabia que não estava louca, não era uma alucinação. Era mesmo Charles, e depois ela lembrou-se de que o lago dos botes ficava bem perto da mansão dos Delauney. Ele passara uma longa noite insone, embriagado, e saíra para tomar ar, tentando ficar mais sóbrio antes de ir a uma reunião com os advogados do pai.

— Que é que você está fazendo aqui? — perguntou, fixando os olhos nela, depois no menino. — E quem é este?

Havia algo de André no rosto do menino, mas ele era bem diferente. Havia algo quase angelical no rosto daquela criança, que despertava a vontade de dar-lhe um beijo; seus olhos davam vontade de sorrir.

— Este é Teddy — disse ela em voz baixa, ainda trêmula.

— Teddy de quê? — Ele a encarou acusadoramente, e ela suspeitou de imediato que ele não estava inteiramente sóbrio.

— Teddy Patterson. — Ela ergueu o queixo e encarou Charles nos olhos. Ele não podia fazer isso com ela, fazê-la se sentir culpada novamente, arruinar sua vida... ou podia? — Meu filho.

Teddy agarrava-se a ela, querendo saber quem era aquele homem. Achava-o bem assustador.

— Ontem você não me contou sobre ele. Só sobre Malcolm.

Os olhos dele crivavam os dela com tanta intensidade que era quase doloroso encará-lo, mas mesmo assim ela o fez; era mais corajosa do que Malcolm imaginava. Mas Charles sempre soubera disso.

— Não parecia ser a hora ou o lugar para lhe contar.

— Por que não? — Ele a estava acusando de novo. Estava com raiva dela. — Por que você não me contou?

Ela conhecia muito bem aquela raiva; era a mesma que, nove anos antes, quase a matara.

— Achei que não seria justo contar a você na data de ontem.

— E agora?

Seus olhos estavam furiosos, e o rosto estava bem perto do dela, enquanto Teddy assistia, aterrorizado. Num instante ia começar a gritar, se conseguisse, quanto mais não fosse para protegê-la.

— Agora também é injusto? — Charles insistiu, dessa vez mais alto, parecendo agora muito bêbado.

Mas ela estava calma e inteiramente controlada. Tinha Teddy consigo, e não ia permitir que Charles os ferisse. Não importava o que acontecera no passado, ele não a assustava mais. Ela não podia deixar que ele o fizesse.

— Acho que não devíamos discutir isso agora. — Ela puxou

Teddy para junto de si, tocando-lhe de leve o rosto para que ele não tivesse medo.

Mas isso pareceu irritar Charles ainda mais. Ele ainda era um homem de aparência interessante e ela ainda sentia as pernas bambas quando olhava para ele, mas parecia agora inteiramente descontrolado.

— Por que você tem um filho? — gritou ele, enquanto ela tentava não se perturbar, para não assustar Teddy. — E eu, o que é que eu tenho?

— Não sei... Sua guerra na Espanha... Suas convicções... Seus amigos... Sua literatura... Se você não tem coisa alguma além disso, talvez tenha sido por escolha sua.

Ela desejava desesperadamente não discutir aquilo diante de Teddy, mas tinha medo de sair andando e deixar Charles ainda mais zangado. Apertou com força a mão do filho, tentando infundir-lhe coragem.

— Foi uma escolha que *você* fez há sete anos, quando me deixou — Charles disparou. — Você escolheu por mim. Poderíamos ter tido outros filhos.

— Agora temos que ir. — Ela começou a chorar enquanto dizia essas palavras.

Teddy os observava, perguntando-se o que poderia significar tudo aquilo, enquanto ela tornava a falar com Charles, dessa vez em tom mais calmo:

— Que tipo de vida poderíamos ter? Você me odiava, e com razão, eu também me odiava... Talvez eu nunca deixe de me odiar... Mas, Charles, eu não conseguiria suportar. Não poderia encará-lo, sabendo o que você sentia por mim. — Ela lhe dissera isso tudo sete anos atrás, antes de deixar a Europa.

— Eu lhe disse que a queria de volta — insistiu.

— Era tarde demais. — Ela respirou fundo e enxugou os olhos, esquecendo-se de Teddy por um instante. — Acho que você sempre me culpou, como eu própria me culpei.

De certo modo ela ainda o amava, naquela época, mas nunca poderia ficar com ele depois do que acontecera.

Charles baixou os olhos para Teddy, como se não conseguisse acreditar em sua existência. Era, em vários aspectos, um menino bonito, ainda mais do que André. E então Charles tornou a encarar Marielle, desejando desesperadamente magoá-la.

— Você não merece! — exclamou, erguendo a voz, e por um momento de loucura teve vontade de esbofeteá-la. Por que ela tinha se casado de novo? Por que tivera aquela criança? Por que, em nome de Deus, ela o deixara? Mas ambos sabiam por quê, e talvez não pudesse ter sido diferente. — Você não o merece — repetiu, com a crueldade de que ela ainda se lembrava; era o outro lado do seu grande amor, o lado que a destruíra antes que ela se afastasse dele.

— Talvez não.

— Você não devia ter me abandonado.

— Eu não tinha escolha. Se tivesse ficado, morreria.

Ele sabia que isso também era verdade. Ambos tinham ficado meio loucos: ela, com suas tentativas de suicídio, e ele, com seu acesso de fúria, atacando-a na noite em que tudo acontecera. Mas ambos tinham ficado mortalmente feridos pelo que aconteceu.

— Talvez tivesse sido melhor que nós todos tivéssemos morrido...

Agora havia lágrimas em seus olhos, e Teddy agarrou-se ainda mais à mãe.

— É terrível dizer uma coisa dessas.

— Para você, talvez... Você agora tem a sua vida... um marido... um filho. Por quê? Por que, maldição, se eu ainda acordo todos os dias pensando nele... e em você... desejando ter morrido junto com ele. Você alguma vez pensa nele? Ainda se lembra... ou está tudo esquecido?

Enquanto ele falava, os olhos dela encheram-se de fúria. Uma fúria nascida de anos de sofrimento e angústia, dos quais Charles nada sabia.

— Como ousa dizer isso? Não há um único dia em que não me lembre, em que não pense nele... que não veja o rosto dele quando fecho os olhos... ou até mesmo o seu... — Assim como ela os tinha visto na noite anterior, deitada, insone, lembrando-se, forçando-se a não telefonar para ele. — Mas nada vai trazê-lo de volta, não importa até que ponto nós destruímos nossa vida agora, ou destruímos um ao outro. Ele partiu. Está em paz... Talvez seja hora de nós também termos paz.

— Nunca estarei em paz sem você! — ele vociferou, parecendo jovem outra vez.

Dessa vez ela sorriu e sacudiu a cabeça. De certo modo, apesar de estar mais velho, ele parecia ainda mais infantil. Não tinha seguido em frente, não tinha crescido, não tinha cicatrizado, tinha apenas ficado ali, fazendo as mesmas loucuras que fazia em menino, brincando de exilado, combatendo em guerras alheias e, de certo modo, tentando não se tornar um adulto.

— Isto é uma coisa estúpida de dizer. Você nem sequer sabe quem sou agora. Ou talvez até quem eu era naquela época. Talvez tudo tivesse tido um fim mais natural, se as coisas tivessem sido diferentes. — Ela então baixou o olhar para Teddy e sorriu para ele, puxando-o para si. — Teddy, este é um velho amigo. O nome dele é Charles. Às vezes ele parece meio maluco, mas é bonzinho. Você quer dizer olá para ele?

Teddy sacudiu a cabeça com veemência e escondeu-se nas pregas do casaco da mãe. Os dois adultos tinham conversado livremente demais. Ele tinha apenas quatro anos, e muita coisa escapara à sua compreensão; percebera o tom, a raiva, a paixão, mas o enredo era complicado demais para ele.

— Lamento muito se o assustei.

Por um instante Charles mostrou-se arrependido, mas ainda parecia louco. Não se barbeara, e sua aparência era suja e desalinhada.

— Deve lamentar mesmo. E por quê? Você pode realmente me condenar por causa dele?

Ele então olhou para ela e depois encarou o garoto com intensidade durante algum tempo; quando tornou a encará-la, seu olhar não amansara. Pelo contrário, ele a assustava ainda mais, parecia ainda mais bêbado. Pela primeira vez em muito tempo ela sentiu um terror verdadeiro, que lhe lembrava os velhos tempos, quando Charles tinha se transformado num estranho.

— Ele devia ser meu. Eu tenho direito... Ele devia ser meu. — Fixou os olhos em Teddy, meio oculto pelo casaco dela, e Marielle olhou firmemente para Charles.

— Mas ele não é seu, Charles.

— Que direito você tinha de fazer isso... refazer sua vida... ter um filho sem mim? — Sua fúria parecia crescer à medida que ele falava.

— Você concordou com o divórcio, eu tinha todo o direito — ela argumentou, recusando-se a se intimidar.

— Você disse que morreria se eu não lhe desse o divórcio.

— E quase morri mesmo. — E ambos sabiam que era verdade. Enquanto ele falava, seus olhos eram como punhais cravando-se no coração dela, e ela recuou, assustada e enojada, perguntando-se como podia tê-lo amado um dia, lembrando-se de como ele podia ser irracional, e o motivo por que o deixara.

— Charles, pare com isso.

Ele estendeu o braço e agarrou o pulso dela; Teddy soltou um grito e pulou para trás.

— Você está assustando a criança! Não é justo! Pare com isso!

— Que se dane. Ele é meu... Eu tenho direito a isso.

— Pare! — Ela cuspiu a palavra, enquanto se desvencilhava com firmeza, sem mais sentir medo dele ou de qualquer pessoa. Não ia ver sua vida desmoronar-se à sua volta. — Ele não é seu, nem eu sou sua... e André tampouco era nosso. Ninguém neste mundo pertence a outra pessoa. Nós todos pertencemos a Deus, e aqui somos emprestados uns aos outros... e na hora de pagar o empréstimo, acabou... e é horrível... e dói como o diabo... e às vezes essa hora chega depressa demais... mas não o possuímos... você não me possui, ou eu a você... e eu não possuo Teddy.

— Você o ama, não ama?

— Claro que amo.

— E ele a ama?

— Sim.

— Por que você tem isso e eu não tenho nada?

— Talvez porque eu tenha sorte. Ou porque Malcolm sentiu pena de mim... ou talvez porque é assim mesmo, ou porque estou disposta a pagar um preço e você não está.

— E que preço é esse? Que preço você pagou para se casar com ele?

Ela se casara com um homem a quem não amava e que não a amava. Não era tão fácil quanto se poderia imaginar. Mas era também algo que Charles nunca pensara em fazer, sequer por um instante.

— A quê, exatamente, você renunciou quando se casou com ele?

Esperança... amor... ternura... o amor apaixonado que eles tinham tido... o tipo de amor que ela sabia existir.

— Todo mundo renuncia a alguma coisa quando se casa. — Por lealdade a Malcolm, ela nunca contaria a verdade a Charles. — Talvez eu tenha renunciado ao passado.

— Estou profundamente impressionado com o seu sacrifício — ele falou em tom de escárnio, lançando-lhe um olhar de raiva através das névoas da embriaguez.

— E eu estou profundamente impressionada com a sua conduta. Você está tão ruim quanto antes. — Ele tinha amedrontado Teddy e a ela, e nada tinham resolvido. Não havia mesmo mais nada a resolver. Estava acabado. — Não há motivo para fazer isso comigo, ou com você próprio. Que é que acha que vai conseguir?

Mas ele tinha novamente os olhos fixos em Teddy, e seu olhar deixava-a nervosa. Ele ficava assim quando bebia. Acontecia antigamente, também, ele bebia demais e ficava a noite inteira bêbado e a manhã seguinte, e às vezes ficava impossível. Certa vez destruíra todo o quarto do hotel, e um bar, e um restaurante, e quase matara dois homens... e quase a matara, mas só uma vez. Só uma vez... mas ela sabia do que ele era capaz. Isso era difícil esquecer.

— Peço desculpas. — Ele parecia infeliz, mas seu tom não era de quem falava a sério. Então ele baixou o olhar para Teddy, que o observava por trás da mãe. — Peço desculpas a você, também, rapazinho. Fui extremamente rude com você e com sua mãe. É um defeito que eu tenho. Mas conheço sua mãe há muito tempo, quase desde que somos crianças. — Eles eram mesmo quase crianças, então. Dezoito e 23 anos... Meu Deus, eram bebês! E então ele olhou para Teddy com mais seriedade. — Eu gostaria de conhecer você um dia. — Teddy não parecia retribuir o sentimento. — Eu também tinha um filhinho... o nome dele era André... — Os olhos de Charles encheram-se de lágrimas, enquanto ele olhava outra vez para Marielle. — Desculpe-me... talvez seja porque ontem foi tão difícil... Ver você.... droga... — Desviou o olhar e fungou, para tentar clarear a mente. — Por que isso está sempre tão presente? Por que dói tanto? É assim para você, também?

Olhou para ela com curiosidade, mas estava mais calmo, e ela assentiu.

Ela também lhe dissera isso na véspera, na igreja, mas ele se esquecera. E começara a beber no momento em que a deixara.

— Temos que ir agora — ela repetiu. — Está ficando tarde. — Teddy tinha que almoçar e ir à festa de aniversário com a Srta. Griffin. No fim das contas, não tinha sido uma manhã muito boa. Na verdade, tinha sido horrível. E ela lamentava. Seu tempo com Teddy era precioso. — Sinto muito termos esbarrado assim com você.

Na véspera tinha sido mais fácil, antes que ele soubesse do filho. Agora ele estava cheio de raiva e ressentimento. Durante toda a noite ele se afundara em álcool e autopiedade. Mas agora ateara fogo em seus sentimentos com os vapores incendiários do ciúme e da raiva.

— Vou partir na semana que vem. Resolvi ontem. Vamos nos ver antes disso?

Ela sacudiu a cabeça, segurando com força a mão de Teddy.

— Por que não?

— Você sabe por quê. De qualquer maneira, está zangado comigo. Se nos encontrarmos, vamos piorar as coisas. Por que nos torturarmos com algo que agora não podemos ter?

— Quem disse que não podemos? Você não está feliz, está escrito na sua cara. Está nervosa, tensa, como um parafuso apertado demais, suas tripas estão formando um nó. Podemos ter tudo que quisermos, droga, se tivermos coragem de agir! — Ao dizer isso, ele de certa forma parecia ameaçador.

— Que bela atitude, Charles.

— Posso fazer tudo o que me der na telha.

— Que felizardo!

— Eu quero você.

— Não diga isto. — Seus olhos chisparam. — E mesmo que queira, e daí? Nós "agimos", como diz você, depois você me deixa e volta para a Espanha. Como é que eu fico? — Ela estava tentando argumentar com ele, coisa que não era fácil, no estado em que ele estava.

— Talvez você fique melhor do que está hoje. Ou talvez queira ir comigo.

A simplicidade daquilo quase a fez rir. Depois de seis anos, ela devia simplesmente abandonar Malcolm e o filho e voltar para a Europa com Charles como se nada tivesse acontecido... Ele estava mesmo maluco.

— Pode até trazer o menino.

— Sua generosidade me deixa abismada. E Malcolm? O que acontece com ele?

— Um perde, outro ganha... Ele perde.

— Que coisa horrível, Charles, você sabe que é. Você também me conheceu o suficiente para saber que eu não faria isso.

— Talvez... — fez ele, agarrando-lhe o pulso com sua mão poderosa. — Talvez você possa ser forçada...

— Charles, isto aqui não é a Espanha, e você não está lutando pela minha liberdade. Isto é ridículo.

Mas ela tentava encobrir o terror que o olhar dele lhe provocava.

— E seria ridículo se eu pegasse alguma coisa que você quer... ou ama muito... e então talvez você pudesse ser... induzida, digamos... a me acompanhar?

— Que é que você está dizendo, exatamente? — Até mesmo a idéia do que ele estava sugerindo a aterrorizava.

— Acho que você compreendeu muito bem.

— Você não faria uma coisa dessas.

Ele estava insinuando que seqüestraria Teddy para obrigá-la a ir com ele, mas estava louco, nem mesmo ele faria uma coisa dessas. Ou faria? Os olhos dele diziam que sim. Mas o passado dizia que ele não poderia. Ou poderia?

— Depende do meu desespero, não é? Não é?

De repente ele soltou o pulso dela e riu, e ela olhou para ele com terror. Seria um alívio saber que ele tinha partido novamente. De súbito ela lamentou profundamente tê-lo encontrado na igreja na véspera. Talvez ele também ainda chorasse por André, mas essa dor o deformara, transformando-o numa pessoa que ela não mais conhecia, nem desejava conhecer.

— Se você algum dia fizesse uma coisa dessas, quero que saiba que jamais se sairia bem, e em vez de me fazer acompanhá-lo... eu o mataria... e meu marido faria a mesma coisa.

— Você me aterroriza — fez ele, soltando uma gargalhada embriagada.

— E você me enoja. Nós dois tivemos um amor lindo, que guardei no coração durante doze anos... Juntamente com a lembrança de alguém lindo e puro... E você usa isso dessa maneira nojenta para envenenar a si mesmo e a todos ao seu redor. André não era assim, e você também não.

— Talvez eu tenha mudado.

Sorriu-lhe malevolamente, mas a tragédia para ambos era que ele realmente não mudara. Ainda a amava, ainda ansiava pelo filho, ainda queria que ela voltasse e que eles pudessem recapturar um passado distante e jamais esquecido.

— Adeus. — Ela o contemplou com tristeza por um momento, depois sorriu para Teddy e os dois se afastaram caminhando. — Agora vamos para casa.

Não havia mais o que dizer a Charles. Ele manteve os olhos fixos no par que se afastava, mas dessa vez não pediu a ela que lhe telefonasse. Estava zangado, mais zangado do que nunca. E ela sentia mais frio do que nunca, enquanto caminhavam de volta para o carro, e Teddy não disse uma só palavra até chegarem ao veículo.

— Não gosto dele — disse baixinho, enquanto o motorista fechava as portas do Pierce-Arrow.

Patrick os seguira ao interior do parque, obedecendo ordens de Malcolm para protegê-los, e vira novamente Charles, mas não conseguira ouvir a conversa. Reconhecera-o da igreja, e ficou ainda mais curioso quanto às atividades de Marielle. Era estranho que ela tivesse levado consigo o garoto; talvez quisesse que ele o conhecesse.

— Ele não é um homem mau — disse Marielle em tom melancólico. — É muito infeliz. Nós costumávamos ser ótimos amigos.

Teddy assentiu, tentando entender. Depois tornou a olhar para ela e fez uma pergunta pela qual ela não esperava:

— Quem é André?

Ela perdeu o fôlego, e levou um instante para responder.

— André era o filhinho dele. Ele morreu... há muito tempo... e Charles desde então ficou muito triste. Por isso é que se comporta como um maluco.

Teddy tornou a assentir, como se agora tudo estivesse claro. Depois ergueu os olhos para a mãe.

— Você também conhecia o André?

Ela lutou contra as lágrimas enquanto confirmava e segurava a mão dele com força. Sempre desejara contar a ele um dia, mas não assim, não se escondendo por trás do subterfúgio que tinha que usar agora. Mas era cedo demais, ele era jovem demais. E ela ainda tinha que tentar responder as perguntas dele.

— Também — disse com tristeza, enxugando uma lágrima.

— Ele era bonzinho?

Isso sempre era importante para Teddy, e Marielle sentiu um soluço aflorar-lhe à garganta, tentando sair, mas ela não deixou.

— Ele era muito bonzinho... e morreu muito novo.

Agora as lágrimas lhe desciam devagar pelo rosto, e ela não tinha certeza do que dizer a Teddy. Na verdade não havia mais o que dizer. Apenas segurou-o junto a si, mais grata que nunca por tê-lo. Estava também assustada pela ameaça de Charles. Perguntou-se se ele falava a sério. Levaria o menino para forçá-la a ir com ele? Era inimaginável. Ele nunca faria coisa alguma para magoar Teddy.

— Pena tê-lo encontrado hoje. Eu pretendia passar momentos agradáveis com você no lago dos botes...

— Tudo bem. — Ele sorriu. — Sempre gosto de estar com você.

Ele sempre dizia a coisa que derretia o coração dela e fazia com que ela o amasse.

— E se formos ver *Branca de Neve* amanhã?

Seria um domingo, e geralmente Malcolm gostava de trabalhar em casa nesse dia, o que a deixava sem ter o que fazer. E a melhor parte era que a Srta. Griffin estaria de folga, e não haveria qualquer interferência. Teddy poderia passar o dia inteiro com Marielle, com a ajuda de Betty, se fosse preciso, e Edith ficaria com ele à noite.

— Oba! Podemos mesmo? Podemos ir ver *Branca de Neve*?

— Claro que sim. Vou providenciar.

Quando chegaram a casa, ele saltou do carro e subiu correndo os degraus da frente, justamente quando Haverford abria a porta para eles, e quase sorriu quando o jovem Theodore entrou disparado em casa. Teddy quase colidiu com o pai. Por um instante Marielle perguntou-se se Teddy iria contar a Malcolm sobre Charles, mas o menino estava com pressa de almoçar e aprontar-se para a festa, e excitado demais por causa da *Branca de Neve* para se lembrar do homem esquisito que tinham encontrado no Central Park. Teddy estava quase no terceiro andar antes que Marielle tivesse acabado de despir o casaco.

— Onde vocês dois estiveram? — Malcolm perguntou informalmente. Ele fora ao escritório e já tinha voltado. Gostava de ir lá aos sábados, e agora ia almoçar no seu clube com um velho amigo da Califórnia que estava em visita. Eram rituais que ele apreciava e considerava importantes.

— Fomos ao lago dos botes, mas estava congelado.

— Deve ter estado muito frio — ele comentou, olhando para ela.

Ela concordou.

— Vai sair? — perguntou, querendo saber aonde ele ia.

— Vou. — Ele lhe deu um beijo rápido no rosto. — Mas não esqueça o jantar dos Whyte esta noite.

Tratava-se de uma festa de Natal, e ela planejava usar um fabuloso vestido de Madame Grès que Malcolm lhe comprara em Paris. Era todo de cetim branco e brilhante, caindo em pregas minúsculas, e ela ia usar diamantes no pescoço e nas orelhas, sapatos prateados e um casaco de arminho que ia até o chão que ele lhe dera de aniversário. Era uma peça belíssima.

— Temos alguma coisa amanhã à noite?

De repente ela não conseguia lembrar-se. Sua pergunta fê-lo recordar o bilhete que deixara na mesa dela naquela manhã.

— Vou para Washington um dia antes. Quero ir amanhã à tarde, jantar calmamente com o secretário de Comércio amanhã à noite, e estar pronto para um dia de trabalho com o embaixador na segunda-feira. — Aliás, essa viagem era tão importante que ele ia levar ambas as secretárias. — Isso convém a você?

Ambos sabiam que não fazia diferença se convinha a ela ou não, mas ele sempre tinha a gentileza de perguntar, e ela participava do jogo fingindo dar sua permissão.

— Convém, sim. Tenho um compromisso com o seu filho para ver *Branca de Neve* amanhã à tarde, e passaremos uma noite tranqüila.

Ela sorriu para o marido. Seus modos corteses eram um alívio, depois de ver Charles agindo como um louco.

— Tem certeza de que não quer ir?

— Estaremos bem. — Ela tornou a sorrir e ele beijou-lhe a testa.

Ele indicou a Patrick que estava pronto, e o motorista saiu para esperá-lo junto ao carro. Haverford entregou-lhe o chapéu.

— Vejo você mais tarde, minha cara. Tenha um bom dia.

Repouse bastante, para a noite. Você não vai querer ter uma de suas enxaquecas...

Ela às vezes sentia que todos a tratavam como inválida. É claro que o encontro com Charles era a centelha perfeita para provocar uma enxaqueca, mas ela passou muito bem a tarde. Viu Teddy antes e depois da festa dele, e subiu para beijá-lo antes de sair. A Srta. Griffin rosnou quando ela entrou, pois achava que ela já o tinha visto bastante por um dia, mas às vezes era divertido deixá-lo ver como ela estava vestida, e ele adorava isso. Fazia várias exclamações a respeito de qualquer coisa que ela usasse.

O vestido de Madame Grès ficava sensacional nela, grudando-se ao seu corpo como as asas de um anjo, e Malcolm ao vê-la declarou que ela parecia uma deusa. No jantar dos Whyte ela despertou atenção, todos admiraram sua aparência, e quase todos os homens disseram a Malcolm que ele tinha sorte em conseguir uma mulher com a metade de sua idade e tão incrivelmente linda.

Ela vinha calada, na volta para casa, e ele tornou a dizer-lhe que ela estava linda. Ela sorriu em agradecimento, mas estava pensando em Charles e nas ameaças que ele fizera no parque a respeito de Teddy. Acabou concluindo que Charles estava apenas com raiva, e ela tinha certeza de que ele jamais faria mal a uma criança, dela ou de qualquer outra pessoa. Apenas estava frustrado porque ela se recusava a encontrar-se com ele, e não sabia o que fazer, então recorria às ameaças. Mas ela estava contente por ter decidido não vê-lo; isso iria apenas reacender velhas chamas e trazer infelicidade aos dois. Se as coisas entre eles tivessem sido diferentes, ela teria contado a Malcolm, mas nessas circunstâncias ela sabia que não podia fazer isso. Ele não tinha idéia da importância que Charles tivera para ela, ou até mesmo que ele existia, muito menos que tinham se casado e tido um filho que morrera, ou a razão pela qual Charles se ressentia de Teddy.

— Você parece preocupada. — Ele também percebera, mas aquilo conferia a ela um ar sonhador que a fazia parecer ainda mais bonita, e pela primeira vez em muito tempo ele descobriu, para sua surpresa, que a desejava.

— Eu só estava pensando.

— Em quê?

— Nada de especial.

— Bem, para mim você parece muito especial.

Ela tornou a sorrir, ainda com expressão distante, e Malcolm, por motivos particulares, resolveu desistir.

Uma das criadas tinha ficado esperando para ajudá-la a despir-se, e Marielle guardou as jóias e deitou-se. Acordada, pensou em Charles e nas coisas que ele dissera no parque; quando, porém, adormeceu, não sonhou com André... mas com Teddy.

4

No dia seguinte, Marielle levou Teddy para ver Branca de Neve *no* Radio City Music Hall, e depois foram beber chocolate quente no Schrafft's. Foi para ambos uma tarde perfeita. Teddy adorava quando a Srta. Griffin estava de folga, fato que fazia Marielle desejar, mais do que nunca, que ela os deixasse. Resolveu tocar no assunto com Malcolm. Ele ainda achava que a presença da Srta. Griffin era boa para o menino, pois ela lhe ensinava boas maneiras e, segundo Malcolm, em matéria de babás, não havia melhores do que as inglesas. Mas Marielle e Teddy estavam longe de pensar na Srta. Griffin enquanto voltavam de carro para casa; e nessa noite ela lhe deu banho em sua enorme banheira de mármore, e ele adorou. Usaram toneladas de espuma de banho, que se espalhou por todo o banheiro, e Edith, a ruivinha irlandesa, mostrou-se furiosa com isso. Ela deveria ficar tomando conta de Teddy naquela noite, mas já fizera outros planos com Patrick: iriam a um baile de Natal na Danceteria Irlandesa no Bronx, e ela já conseguira que Betty, a jovem ajudante de cozinha, concordasse em subir e tomar conta dele enquanto ela estivesse fora. Quando voltasse, daria cinco dólares a Betty, depois iria deitar-se no quarto ao lado do quarto do garoto e ninguém ficaria sabendo. Assim, não gostou nem um pouco da bagunça que eles tinham feito, pois teria que limpar tudo antes de sair, a não ser que conseguisse alguém que fizesse isso, o que era pouco provável.

Nessa noite Marielle jantou com Teddy na saleta que fazia parte dos aposentos do menino, e leu uma história para ele. Depois cantou canções de Natal e acariciou-lhe os cabelos, e ele adormeceu ao lado da mãe, em seu pijama vermelho. Foi inteiramente diferente dos boa-noites curtos e gélidos e do frio das janelas abertas que ele tinha que agüentar com a Srta. Griffin. E Marielle levantou-se da cama dele com cuidado para não acordá-lo.

Enquanto descia para seus próprios aposentos, Marielle perguntava-se se estaria mimando demais o menino, como dissera a Srta. Griffin, e, caso estivesse, se isso tinha mesmo importância. Ultimamente Marielle passava cada vez mais tempo com ele, e parecia ter dificuldade em manter-se longe. Seus antigos temores a respeito de entregar-se demais pareciam ter se dissolvido ao vento, e ela florescia em contato com ele. E se o amasse demais, que mal havia nisso? Que diferença poderia fazer? Tinha a sorte de tê-lo, e não se permitiria pensar que alguma coisa ruim iria acontecer. Malcolm tinha razão, ela se preocupava demais com tudo, era hora de parar com isso.

Foi para a cama com um exemplar de *Rebecca*, e Malcolm telefonou de Washington quando voltou do jantar. Eram dez horas da noite, e ele disse ter tido uma noite ótima. Tinha jantado com Harry Hopkins, que em duas semanas ia substituir Daniel Roper como secretário do Comércio, embora isso ainda fosse segredo. Louis Howe, braço-direito de Franklin Roosevelt, também estava presente. E tinham conversado muito sobre os sentimentos de Roosevelt a respeito da Europa. Ele estava começando a achar que a guerra era inevitável, mas ainda tinha esperanças de que, com sorte, a situação pudesse ser contornada.

O embaixador alemão dissera a Malcolm que as coisas iam muito bem em Berlim. Não havia dúvida de que o exército alemão estava intensificando suas atividades, mas ele assegurou a Malcolm que seus investimentos estariam seguros lá. E quando Malcolm o interrogou, o embaixador admitiu que o caso da *Kristallnacht* tinha sido um constrangimento mas, por outro lado, o que Hitler estava fazendo pela Alemanha, em termos industriais, poderia mudar o mundo inteiro para melhor. Malcolm estava muito entusiasmado com seu envolvimento, e disse a Marielle que tinha sido interessante compartilhar alguns dos acontecimentos recentes com Howe, Roper e os homens que eles tinham levado consigo. Malcolm disse que enxergava um futuro extraordinário para a Alemanha e seus aliados, e Marielle ficou comovida por ele ter telefonado para partilhar com ela o seu entusiasmo.

Ele pretendia ir em breve à Alemanha, e como sempre ela planejava ficar em casa com Teddy.

— Aliás, que tal o filme? — Ele adorava ouvir notícias do filho. Juntamente com a Alemanha, era a sua maior paixão.

— Teddy adorou.

— Eu sabia. Ouvi dizer que é magnífico. Talvez possamos levá-lo outra vez.

Mesmo viajando cada vez mais, ele ainda gostava de fazer coisas com eles. Ela era tão boa com o garoto, e era óbvio que, apesar de suas outras ansiedades, era uma boa mãe. Malcolm então bocejou, e Marielle sorriu. Ele tivera um dia longo, e não tão relaxante quanto o dela: ir ao cinema, dar banho de espuma em Teddy. Quando terminavam a conversa, ela ouviu um barulho estranho no corredor, como alguém esbarrando nos móveis, e depois passos na escada. Escutou por um instante, mas estava tudo em silêncio e ela concluiu que não fora nada demais.

— É melhor dormir um pouco — disse a Malcolm. — Você com certeza terá outro dia longo amanhã. Vai estar de volta amanhã à noite?

Quando ele partira, ambos estavam tão ocupados que ela se esquecera de perguntar.

— É mais provável na terça-feira. Posso querer jantar com o embaixador alemão amanhã à noite, se ele estiver livre. Temos algumas reuniões amanhã à tarde, e então veremos. Mas, de qualquer maneira, acho melhor voltar na terça. Eu lhe telefono amanhã à noite.

— Até lá, então. E, Malcolm... boa sorte nas reuniões... — De repente ela se sentia novamente grata a ele, que lhe dera tanto e pedia tão pouco.

— Cuide-se, Marielle. Vamos passar uma bela noite juntos, quando eu voltar para casa.

E logo seria Natal. Com Teddy, era uma época mágica que significava muito para ambos. Para Malcolm, que nunca tivera um filho antes, era como uma vida nova, e ele mal podia esperar o momento de dar o trenzinho ao garoto e mostrar-lhe a sala que estava sendo construída especialmente para ele.

Ela desligou o telefone e ficou longo tempo deitada no escuro, pensando nele e em suas muitas virtudes. Duas horas depois, porém, ainda estava acordada; não conseguia dormir, pensando em Charles e nas coisas que ele dissera junto ao lago dos botes.

Rezou para que isso não provocasse uma de suas enxaquecas. Tinham sido dias difíceis, nos quais encontrara Charles por duas vezes, e às vezes a insônia significava que no dia seguinte ela seria vítima da enxaqueca. Resolveu levantar-se e, com um sorriso, começou a subir a escada para o terceiro andar, descalça e silenciosa. Ia dar mais um beijo no menino adormecido, tocar em seus cabelos, ficar a contemplá-lo por um instante antes de voltar para a sua cama. Percebeu que alguém deixara cair uma toalha no meio da escada: uma das criadas fora descuidada. Tinha sido esse, com certeza, o ruído que ela ouvira pouco antes: alguém batendo com a cesta de roupa suja nos degraus da escada, e talvez esbarrando num móvel e deixando cair a toalha. Marielle ergueu-a do chão e percorreu o corredor do terceiro andar em direção à porta da suíte de aposentos de Teddy. Havia três quartos dando para uma saleta: um da Srta. Griffin, um vazio, que seria para o segundo filho que eles nunca tinham tido, e o maior era de Teddy. Enquanto atravessava a saleta sem fazer ruído, Marielle ouviu algo mexer-se em algum lugar, e imaginou que era Edith no quarto de reserva. Sabia que a Srta. Griffin estaria dormindo, de volta do seu dia de folga, mas oficialmente ainda estava de folga, de modo que Edith estava tomando conta do menino. Mas, ao dar um passo em direção à porta de Teddy, Marielle, de camisola e descalça, tropeçou num obstáculo invisível e caiu no chão, tendo que reprimir um grito para não acordar Teddy. O obstáculo era grande e macio; ao passar por cima dele, alguma coisa tocou-lhe a perna, ela soltou um gritinho de susto e tentou saltar por cima antes que a coisa a tocasse de novo. Mas o aposento estava escuro e ela não conseguia enxergar coisa alguma. De súbito ouviu bem perto um horrível som animal e entrou em pânico. Tateando às cegas ao longo da parede, localizou a mesa que sabia estar ali e acendeu uma luz, perguntando-se se iria se encontrar cara a cara com um atacante. Mas não iria fugir correndo e deixar seu filho desprotegido. Porém, o que viu ao acender a luz não era o que esperava. Betty, a ajudante de cozinha, estava caída no chão, toda vergada para trás, o corpo formando uma bola, mãos e pés atados com corda, e uma toalha enfiada na boca e presa com corda. Tinha o rosto vermelho, as faces cobertas de lágrimas, mas não conseguiu produzir som algum exceto um gemido baixo.

— Ah meu Deus... meu Deus... que foi que aconteceu?

Com o choque de ver a garota amarrada e amordaçada no chão, ela esqueceu-se de baixar a voz ou de preocupar-se com Teddy. Teria havido um assalto? Uma briga? Um intruso? Que teria acontecido? E o que estaria aquela jovem fazendo ali, se trabalhava na cozinha? Marielle arrancou-lhe a mordaça da boca e lutou para soltar as cordas, enquanto lhe fazia perguntas frenéticas. Mas a corda era forte, os nós apertados, e por um instante ela achou que teria que cortar a corda, enquanto a criada gritava coisas incoerentes. Afinal, Marielle conseguiu libertá-la.

— Que aconteceu? — perguntou, sacudindo-a, em desespero. — Onde está Edith?

E onde estava a Srta. Griffin? Mas a garota ainda estava histérica demais para explicar, e só fazia soluçar e sacudir os braços como louca. E então, sentindo o terror penetrar-lhe no coração, Marielle arremessou-se para o quarto de Teddy e abriu a porta de um golpe. Seus piores pesadelos tinham se tornado realidade. Ele não estava, a cama estava vazia. Não havia sinal dele, nenhum bilhete sobre o travesseiro, nenhuma ameaça, nenhum pedido de resgate. Ele simplesmente tinha sumido, e a sua cama ainda estava morna ao toque. Ela pôs-se a tremer com violência quando entendeu o que tinha acontecido.

Então correu de volta até Betty, que, ainda soluçante, esfregava aos mãos e os pés e arfava, sem fôlego, enquanto Marielle tornava a sacudi-la.

— Que foi que aconteceu? Você tem que me dizer!

— Eu não sei... Estava escuro... Eu estava dormindo no sofá quando eles me agarraram. Só sei que ouvi vozes de homem.

Mas onde estava Teddy... Pelo amor de Deus, onde estava ele?

— Que é que você estava fazendo aqui?

Marielle gritava e a criada chorava tanto que mal conseguia falar, mas sabia que teria que dizer a verdade.

— Edith saiu... Foi a um baile... Pediu para eu ficar com ele... até ela voltar... Não sei o que aconteceu. Acho que eram muitos. Botaram um travesseiro no meu rosto e senti um cheiro horrível e acho que desmaiei, e quando acordei estava amarrada, eles tinham ido embora, e é só isso que eu sei até a senhora me encontrar.

— Onde está a Srta. Griffin?

Teria ela levado o garoto? Então seria capaz disso? Marielle correu para o quarto da babá, sentindo-se enlouquecer. Seu filhinho sumira... alguém o levara... e ela não sabia quem, ou onde ele estava... Mas no fundo de sua mente uma voz pôs-se a sussurrar... Ele estaria falando a sério, no parque? Teria levado o menino? Seria capaz de fazer uma coisa assim? Por vingança? Sentindo-se muito mal, ela abriu de um tranco a porta da Srta. Griffin e encontrou-a amarrada e amordaçada, com uma fronha na cabeça, e por toda parte o cheiro de clorofórmio; ao retirar a fronha, Marielle achou que a mulher parecia morta, mas ela se mexeu e Marielle deixou-a. Correu para o telefone da saleta e chamou a telefonista, rezando para que o encontrassem depressa. Numa voz que soava como a de outra pessoa, identificou-se para a telefonista e disse que precisava da polícia com urgência.

— E qual é o problema? — perguntou a mulher.

Ela hesitou por um instante, temendo a imprensa, e depois

deixou de se importar, e sua voz saiu aos arrancos. Perdera um filho e sabia que não sobreviveria à perda de outro.

— Por favor... Aqui é a Sra. Malcolm Patterson. Mande a polícia imediatamente... — Mal conseguia falar, mas depois recuperou o controle e pronunciou as palavras que são o pesadelo de toda mãe: — Seqüestraram meu filho.

Fez-se um breve silêncio do outro lado da linha, e depois a telefonista entrou em ação, pedindo o endereço. Marielle desligou o telefone com as mãos trêmulas e ficou a olhar para Betty, que, sentada no chão, estava aterrorizada pelo que iria acontecer, temendo que o desaparecimento do menino fosse, de certo modo, culpa sua. E por um longo momento Marielle deixou-se ficar ali... pensando nele, em seu rostinho, nos cachos macios que ela acariciara enquanto cantava para ele dormir, apenas poucas horas antes. E agora ele tinha sumido, à meia-noite.

Ouviu um gemido vindo do quarto da Srta. Griffin e correu em sua ajuda. Removeu a mordaça da boca da babá e depois chamou Betty para ajudar a desamarrá-la. A mulher mais velha estava tonta e começou a vomitar por causa do clorofórmio, mas quando finalmente conseguiu falar disse que não sabia mais do que Betty a respeito de seus assaltantes. Eles tinham entrado no quarto enquanto ela dormia, e ela julgava ter ouvido vozes de dois homens, ou talvez mais, mas eles tinham falado pouco, e então o clorofórmio a fizera perder os sentidos.

Enquanto ouvia, Marielle sentia-se anestesiada. Era como se estivesse escutando uma história que acontecera com outra pessoa. Era difícil assimilar o que ocorrera. Então, ouviu soar a campainha da porta da rua e correu para baixo, ainda de camisola e descalça. Desceu os degraus de mármore como um fantasma num sonho, e Haverford estava de roupão e com expressão atordoada. Ele estava dormindo quando a polícia chegou, e agora tentava assegurar-lhes que estava tudo bem e que devia haver um engano, porque não precisavam da polícia.

— Uma brincadeira, talvez, um engano qualquer...

Ele parecia muito sério, como se eles tivessem cometido uma

gafe terrível. Mas quando ela surgiu voando escada abaixo, os cabelos soltos, o rosto pálido, ficou claro que não havia engano. Os três policiais no saguão e o mordomo encararam-na com espanto.

— Não há engano. — Ela olhou para eles, subitamente trêmula, e Haverford foi buscar um casaco para ela. — Meu filho foi seqüestrado.

Os homens seguiram-na ao terceiro andar, com Haverford logo atrás. Ele parou no quarto dela para pegar roupão e chinelos, e ficou chocado quando chegou aos aposentos do garoto e ouviu a história das duas mulheres. Não havia engano, a criança desaparecera. Um policial tomava notas, enquando os outros dois confabulavam, e um deles pegou o telefone. Seqüestro já não era apenas crime estadual, desde o seqüestro do filho de Lindbergh. Agora era crime federal, e o FBI iria querer encarregar-se da investigação.

O homem que parecia ser o chefe falou primeiro com Marielle e advertiu que ninguém tocasse em nada, se possível, para não estragarem as impressões digitais que os seqüestradores tivessem deixado. Todos concordaram. Betty continuava a chorar e a governanta ainda parecia desesperadamente mal, e Haverford saiu para chamar o médico.

— Havia algum bilhete de resgate? Alguma mensagem em algum lugar do quarto? — perguntou o policial mais velho, um irlandês com seus cinqüenta e poucos anos. Ele tinha cinco filhos, e a perspectiva de perder um deles enchia-o de terror. Podia imaginar como ela se sentia, e ela o deixava curioso. Parecia tão calma, tão fria, tão totalmente controlada, parecia quase paralisada, mas as mãos tremiam horrivelmente, o corpo todo tremia, mesmo com o pesado roupão trazido por Haverford. Os pés ainda descalços, os cabelos soltos e o olhar enlouquecido de quem não entendia o que estava acontecendo... Ele já tinha visto isso muitas vezes, durante incêndios, uma vez durante um terremoto, durante a guerra... em casos de assassinatos... Era o tipo de choque que anestesiava a mente e a alma, mas cedo ou tarde, não importava o que ela fizesse, a realidade a atingiria: seu filhinho tinha sido seqüestrado.

Ela explicou que não havia bilhete, mensagem alguma, nenhum

sinal a não ser a cama vazia e as duas mulheres amarradas e amordaçadas pelos assaltantes. Ele assentiu, tomou notas, e os outros chamaram mais policiais. Em meia hora a mansão estava toda iluminada, e duas dúzias de policiais revistavam tudo por dentro e por fora, procurando qualquer tipo de pista. Mas até então nada tinham encontrado.

Todos os criados estavam agora acordados e a postos, e o sargento O'Connor interrogou um por um, mas nenhum deles tinha visto alguma coisa, ou sabia alguma coisa. E então Marielle percebeu de repente que Patrick e Edith estavam faltando. Nunca confiara neles e suspeitava que a odiavam, por motivos que ela desconhecia. E agora imaginava se o ódio deles os levaria a seqüestrar Teddy. Era difícil acreditar, mas tudo era possível, e valia a pena examinar tudo. Informou a ausência deles à polícia, que veiculou pelo rádio policial uma descrição de ambos e de Teddy.

— Quanto mais depressa o encontrarmos, melhor — explicou o sargento O'Connor.

Ele não acrescentou que isso daria aos seqüestradores menos tempo para fazer mal a ele, para levá-lo para longe ou, pior, para matá-lo. Mesmo assim ela se lembrava muito bem que o filho de Lindbergh tinha, provavelmente, sido assassinado na mesma noite em que fora levado.

O sargento avisou-a que enviar um boletim pelo rádio policial significava que a imprensa logo chegaria, mas se esse boletim podia ajudar a encontrá-lo logo, ela sabia que valia a pena correr o risco. Sabia também que tinha que avisar Malcolm antes que ele ouvisse no rádio ou lesse no jornal ao tomar o café da manhã, mas a casa já estava enxameada de policiais e o FBI chegou antes que ela tivesse tido tempo de telefonar para ele. Era como um pesadelo, ou um filme ruim, policiais subindo e descendo as escadas, abrindo com força as janelas, correndo as cortinas, deslocando móveis, revirando o jardim, iluminando os arbustos com holofotes, interceptando transeuntes e interrogando os criados. Tudo era totalmente frenético e irreal, e durante todo o tempo ela tinha a impressão de que não estava acontecendo realmente. Era tudo um pesadelo, e ela despertaria de manhã. Era um daqueles pesadelos terríveis que ela costumava ter com as enxaquecas.

— Sra. Patterson...

O sargento O'Connor estava parado junto a ela, rodeado de meia dúzia de homens de terno escuro. Todos usavam chapéu, menos um, aparentemente o chefe. Tinha uns quarenta anos, era alto, magro, sério, cabelos castanhos e penetrantes olhos azuis que pareciam atravessá-la quando ele a encarou. Parecia ser duro como aço, e conseguir sempre o que queria. O sargento O'Connor tornou a chamá-la, com toda a suavidade possível, dentro daquela balbúrdia:

— Sra. Patterson, este é o agente especial Taylor. Ele trabalha no FBI e foi designado para o seu caso.

Seu caso... que caso? Que coisa tinha acontecido? Onde estava ela? Onde estava Malcolm? E... onde estava seu filhinho?

— Como vai? — disse ela, apertando a mão dele maquinalmente.

Ele a observava e, como todo o resto, seus olhos eram frios. Não deixou transparecer coisa alguma enquanto escutava os poucos detalhes que ela lhe dava. Ele também trabalhara no caso Lindbergh, mas tarde demais: quando finalmente chamaram o FBI, o caso já estava perdido, e no final não fez muita diferença. Os seqüestros eram a sua especialidade, e pelo menos nesse caso ele poderia começar a trabalhar desde o início. Mas por enquanto havia pouca coisa com que trabalhar. O motorista e a criada estavam desaparecidos, e havia um boletim geral de captura deles, mas fora isso, nada. Nenhum bilhete de resgate, nenhuma pista, nenhuma impressão digital, nenhuma descrição dos homens, nada, exceto o *modus operandi*, o clorofórmio e o fato de que a criança tinha desaparecido. Ele escutara tudo, mas o que o intrigava era a mulher. Havia algo absolutamente aterrorizado em seus olhos, como se a qualquer momento ela fosse perder o controle, e as mãos tremiam visivelmente, mas fora isso ela parecia inteiramente calma e controlada, falando com deliberação e com uma polidez forçada. Por um instante apenas ele temeu que ela fosse perder o controle, enlouquecer. Sabia que ela estava por um fio. E que estava genuinamente apavorada. No entanto, durante todo o tempo, parada ali de camisola e roupão, parecia uma imperatriz num baile — quieta, alheia, e inacreditavelmente bonita.

— Há algum lugar mais calmo para conversarmos? — ele perguntou, olhando em volta, vendo a polícia desmantelar a casa enquanto a criadagem observava.

— Sim.

Ela o levou para o escritório de Malcolm. Era um aposento agradável, cheio de livros raros, sofás e poltronas de couro, e a enorme escrivaninha onde Malcolm trabalhava, a mesma à qual ele se sentara naquela manhã. Ao ver o aposento, Taylor lembrou-se de que ainda não conhecera o marido. Perguntou por ele, enquanto ela o convidava a sentar-se. Ela própria sentou-se, estremecendo, numa das poltronas, enquanto respondia.

— Ele viajou. Para Washington. Falei com ele cerca de duas horas antes de descobrir... Antes de subir... — Ela não conseguia forçar-se a dizer que Teddy tinha sido seqüestrado.

— Já telefonou para ele? — Ela sacudiu a cabeça, parecendo profundamente perturbada. Como poderia contar a ele?

— Não tive tempo — respondeu baixinho, sentindo, de súbito, que tudo aquilo era por culpa sua.

Ele assentiu, observando-a, profundamente intrigado por aquela mulher. Ele vinha de um mundo inteiramente diferente, e nunca conhecera alguém como ela: tão distinta, educada, e ao mesmo tempo tão simpática e gentil.

Ele crescera no Queens, e vinha de uma família desesperadamente pobre. Fora fuzileiro naval durante a Grande Guerra, e quando saiu ingressou logo no FBI. Isso já fazia vinte anos, e ele acabara de completar 42. Tinha esposa e dois filhos, e os amava profundamente; sentado ali, porém, a observá-la, tentando concentrar-se no caso, ele foi obrigado a admitir para si mesmo que jamais vira uma mulher como aquela. Mesmo em roupas de dormir ela parecia aristocrática e digna, com um rosto tão inocente, olhos tão cheios de sofrimento, que ele tinha vontade de abraçá-la.

— Lamento, Sra. Patterson. — Ele tinha que forçar a mente a se ater ao caso, principalmente por causa dela. — Conte-me tudo outra vez, exatamente como aconteceu.

A princípio ele apenas escutou de olhos fechados, e depois abriu-os algumas vezes para observar o rosto dela, como se para ver se havia ali alguma discrepância, alguma coisa errada, uma inverdade qualquer, o tipo de coisa que ele tinha uma estranha capacidade de captar. Mas havia ali algo diferente; não se tratava de mentiras, mas de um terror intangível. Esperou que ela terminasse, depois perguntou:

— Há mais alguma coisa? Qualquer coisa que a senhora possa ter visto, esta noite ou nos últimos dias... Alguma coisa que a tenha assustado, ou que agora faz sentido para a senhora, depois do que aconteceu...

Mas ela tornou a sacudir a cabeça, não querendo compartilhar seus terrores particulares com um desconhecido.

— Há qualquer coisa que a senhora gostaria de me contar, qualquer coisa que queira dizer antes que o resto do mundo fique sabendo... até mesmo seu marido? — insistiu ele. Em outras ocasiões ele perguntava às mulheres a respeito de namorados, amantes, amigos, mas, por um motivo qualquer, nesse caso parecia errado perguntar essas coisas. Ela não parecia ser esse tipo de mulher. Para ele, ela parecia o tipo de mulher pela qual um homem desejaria morrer. — Existe alguém na sua vida, ou mesmo no seu passado, que possa querer fazer uma coisa dessas à senhora? Qualquer pessoa de quem a senhora se recorde?

Houve um longo silêncio dessa vez, e depois ela sacudiu a cabeça com aparência visível de dor.

— Espero que não.

— Sra. Patterson... Pense com cuidado... A vida do seu filho pode depender da informação que a senhora me der.

Ao pensar em Charles, ela sentiu seu coração dar uma reviravolta. Seria possível que ainda estivesse disposta a protegê-lo? Poderia ter sido mesmo ele? Mas ela poderia arriscar-se a não contar ao agente Taylor? Antes que pudesse dizer outra palavra, o sargento

O'Connor bateu à porta e entrou no aposento para anunciar que a criada e o motorista tinham chegado, e a criança não estava com eles.

— Onde estão? — O agente do FBI pareceu contrafeito; tinha sentido que ela estava lutando consigo mesma e estava prestes a contar-lhe algo importante.

— Estão na sala, e, John... — O sargento olhou para o agente com ar conspirador, e depois para Marielle com ar de desculpas. — Estão bêbados como gambás, todos os dois, e ela está usando um belo vestido de baile. — Tornou a olhar de relance para Marielle. — Aposto meu último tostão que o vestido é seu e a senhora não sabe que ela o pegou.

Mas nada disso parecia importante agora. A questão era: onde estava seu filho, quem o tinha levado?

— Leve-os para a cozinha e encha-os de café preto até vomitarem, depois me chame.

O policial assentiu e retirou-se, e John Taylor voltou sua atenção para a mãe do garoto. E então o policial tornou a entrar, como se para contar algo a ela.

— Sra. Patterson, telefonamos para o seu marido.

Ela não tinha certeza se queria agradecer-lhe por isso. Sentia-se culpada por ela mesma não ter telefonado, mas também aliviada. Queria ter poupado a ele o choque de ouvir a notícia de um desconhecido. Não havia maneira de contar delicadamente, e tudo que ela podia pensar era em quanto ele amava Teddy.

— Que foi que ele disse?

Para o inspetor, que observava a reação dela, ela pareceu aterrorizada.

— Ficou muito perturbado. — Olhou de relance para John, e não contou a ela que o marido tinha chorado abertamente ao telefone, mas não tinha pedido para falar com a esposa. O'Connor achava isso estranho, mas as coisas às vezes eram diferentes, quando se tratava de gente como aquela. Ele já vira de tudo, de seqüestros a assassinatos. — Disse que estará aqui amanhã de manhã.

— Obrigada.

O policial deixou o aposento; ela voltou-se para o agente do FBI e ele, observando-a, teve certeza de que havia mais do que ela lhe contara. Perguntou-se até que ponto poderia ser direto com ela, se ela mentiria, ou desmaiaria, ou tentaria sair do escritório furiosa, mas ela não fez nada disso. Apenas ficou a olhar para ele. Ele era forte, simpático, muito bonito, de uma beleza rude, mas ela não prestava atenção a isso, apenas ao que ele estava dizendo.

— Sra. Patterson, há coisas, às vezes, que não queremos contar a pessoas que não conhecemos, coisas que não queremos admitir, a respeito de nós mesmos ou de alguém que amamos... Mas num caso como este, isso poderia fazer toda a diferença. Não preciso lhe dizer o que está em risco. A senhora sabe... Todos nós sabemos. Por favor, quer pensar no assunto, e ver se há alguma coisa que queira me dizer?

Mas antes que ela pudesse responder ele saiu da sala, prometendo voltar assim que tivesse conversado com Patrick e Edith. E ela ficou sentada ali no escritório de Malcolm, perguntando-se que coisas deveria contar ao policial, mas sabendo que teria que confiar nele.

Tanto Patrick quanto Edith ainda estavam bastante embriagados quando ele entrou, mas coerentes bastante para dizer onde estiveram, o que fizeram e quem tinham encontrado. Enquanto Taylor conversava com eles, O'Connor anotava tudo; Patrick mostrou-se muito ofendido por estar sendo procurado oficialmente pela polícia; isso poderia estragar sua reputação, com o que O'Connor e Taylor não estavam nem um pouco preocupados. Ambos suspeitavam que ele e Edith não valiam grande coisa.

— Por que saiu com ele esta noite? — Taylor perguntou a ela.

Edith cruzou as pernas e tentou parecer *sexy* no vestido que roubara. Era o mesmo que Marielle usara na véspera, na casa dos Whyte, e pedira a Edith que mandasse para a lavanderia. Edith realmente pretendia fazer isso, mas depois de usá-lo, tal como já tinha feito com outros vestidos. Só não tivera coragem de "pegar emprestado" o arminho.

— Você não tinha que tomar conta do menino?

— É, e daí? — intrometeu-se Patrick. — Que diferença faz quem estava com o garoto? Se ela estivesse lá, ia acabar amarrada como uma galinha recheada. Para quê? Pela droga de salário que nos pagam?

Ele ainda estava bêbado demais para compreender que o que dizia podia prejudicar os dois, mas Edith recuperava depressa a sobriedade e parecia muito nervosa.

— Não sei... Eu não devia... Eu acho... Só achei que, sendo quase Natal...

— Onde arranjou este vestido?

— É meu — ela arriscou a mentira. — Foi minha irmã quem fez.

Taylor assentiu, como quem compreendia, depois sentou-se diante dela, como se a conhecesse melhor do que conhecia realmente e não tivesse intenção de acreditar naquela história.

— Se eu pedir para a Sra. Patterson entrar, ela vai confirmar isso, ou o vestido é dela?

Como resposta, a jovem baixou a cabeça e pôs-se a chorar, enquanto Patrick ficava cada vez mais agressivo.

— Ora, pelo amor de Deus, sua cadela chorona, corta essa... Você pegou o vestido emprestado, e daí? Sempre devolveu direitinho. Que droga, parece até que trabalhamos para a Virgem Maria! E você, escute bem. — Sacudiu o dedo em riste na direção de John Taylor. — Não deixe que ela o engane com seu ar de santa madona. Duas vezes nesta semana eu a vi com o namorado. Uma das vezes ela até levou o menino, de modo que não vá ficar pensando que fomos nós. Pergunte a ela sobre o sujeito que ela estava beijando na igreja na sexta-feira, e ontem no parque com Teddy.

O rosto de O'Connor não transpareceu emoção alguma enquanto ele anotava tudo, e John Taylor encarava Patrick com silencioso interesse. Sabia que mais coisas viriam se ele mantivesse a boca fechada, e estava certo, pois elas vieram menos de um minuto depois:

— O camarada parecia louco, se quer saber, gesticulando e

gritando com ela, parecia estar ameaçando, depois tentou beijá-la. O coitado do Teddy parecia apavorado mesmo. Se quer saber, aquele filho da mãe é louco.

— Por que diz que ele é namorado dela? — A voz era fria, mas os olhos eram gelados. — Já a tinha visto com ele antes?

Patrick pensou no assunto e então sacudiu a cabeça.

— Não... Só naquela tarde na igreja e ontem no Central Park. Mas podem ter se encontrado outras vezes, pareciam se conhecer muito bem. Ela nem sempre deixa eu levá-la aos lugares.

— Ela dirige?

— De vez em quando. — Ele pensou mais um pouco. — Às vezes vai passear a pé. Mas não sai muito. Acho que sente muita pena de si mesma. Tem muita dor de cabeça.

Era certamente um retrato interessante, aquele. Por um motivo qualquer, John Taylor tivera a impressão de que ela era mais forte.

— Alguma vez a viu com outros homens?

Patrick parecia lamentar ter que admitir que não, a não ser aquele. E então Taylor fez uma pergunta a que ele não queria responder:

— Já viu o Sr. Patterson com outras mulheres?

Houve uma pausa longa e cheia de significado, enquanto Patrick olhava para a ainda soluçante Edith. Ela tinha certeza de que ia perder o emprego por causa do vestido que pegara. Estava muito mais preocupada com isso do que com o desaparecimento do garotinho num momento em que deveria estar tomando conta dele.

John Taylor repetiu a pergunta, como se Patrick precisasse de um lembrete:

— Alguma vez viu seu patrão com outra mulher?

— Não que eu me lembre... a não ser as secretárias, é claro.

Mas Taylor sabia que poderia aprofundar-se mais tarde nesse tipo de informação. A questão do namorado, porém, o intrigava. Ela parecia fria demais para isso, inteligente demais, limpa e decente demais. Mas nunca se sabia, e agora ele tinha mesmo que lhe fazer umas perguntas. Odiava essas coisas: forçar respostas, causar sofrimento... Mas a situação que o levara ali era dolorosa, e se ele pudesse ajudar a encontrar o menino, então valia a pena.

Pôs-se de pé e olhou para o motorista, que de imediato lhe causara péssima impressão. Formavam um casal nojento, mas o instinto lhe dizia que era pouco provável que estivessem envolvidos no seqüestro. Era possível que tivessem aceitado um suborno, deixando uma porta aberta por cem pratas, mas ele não podia ter certeza disso. Estavam apenas divertindo-se, traindo a confiança dos patrões, num vestido surrupiado, num carro emprestado, negligenciando seus deveres, mas ele duvidava que houvesse algo mais que isso — por sorte deles, pois ele teria tido prazer em prendê-los.

Voltou para a biblioteca, depois de instruir O'Connor para liberá-los. Ia interrogá-los novamente no dia seguinte. Ambos já tinham insistido que não tinham visto nada incomum durante a noite, ou nos dias anteriores. A única coisa incomum, repetia Patrick, era o encontro de Marielle com o "namorado".

— Que é que acha disso? — O'Connor perguntou baixinho, antes que Taylor saísse da cozinha.

— Com certeza é tudo mentira, mas vou perguntar a ela.

— Ela não parece o tipo...

O'Connor sacudiu a cabeça. Talvez o namorado tivesse levado o garoto. Era certamente uma possibilidade, se ela estivesse envolvida com alguém além do marido. E nunca se sabia. Eram sempre os tipos quietinhos que surpreendiam.

— Não parece, mesmo — Taylor concordou, quase com tristeza.

Mas, se fosse verdade, ele estava ainda mais ansioso para conversar com ela antes da volta do marido. Quando entrou na biblioteca encontrou-a sentada, quase como se não tivesse se movido, mas parecia estar tremendo ainda mais do que antes.

— Gostaria de uma bebida, ou uma xícara de chá?

— Não, obrigada — ela disse com tristeza. — Eles sabem de alguma coisa? — perguntou, esperançosa, mas ele sacudiu a cabeça. — Acha possível que eles o levaram e deixaram em algum lugar, e depois voltaram?

Era uma hipótese que lhe ocorrera enquanto ele conversava com o casal, e ela estava ansiosa para contá-la.

— É possível, mas não é provável. Vou vê-los novamente amanhã cedo. Mas acho que provavelmente saíram só para dançar e beber. — Ele, como ela, estava decepcionado. Teria sido tão simples...

— Nenhum dos dois gosta de mim.

Poucas pessoas gostavam dela na casa de Malcolm, mas ela tinha vergonha de dizer isso. Para eles, Malcolm era o único patrão. Não importava o quanto ela se mostrasse generosa, eles continuavam frios, rudes e mal-humorados, e aquilo a magoava mais do que eles imaginavam.

Ser casada com Malcolm não era sempre a vida fácil que parecia ser. Houve muitas e longas noites em que ela se sentia solitária e infeliz. Já havia anos e anos de noites assim. No entanto, ela era fiel a ele, honrada e decente, e uma boa mãe para Teddy. Mas ninguém lhe dava esse crédito. Às vezes ela achava que nem mesmo Malcolm o fazia.

Taylor observava o rosto dela, curioso com alguma coisa.

— Por que acha que não gostam da senhora?

Não que ele discordasse dela; tinha visto o ódio nos olhos de Patrick e a expressão de Edith ao falar sobre os vestidos.

— Acho que têm ciúme. A maioria já trabalhava aqui antes de nos casarmos. Para eles, eu sou uma intrusa. Tinham seus arranjos com meu marido, e de repente eu apareci, e eles não queriam complicações. Numa casa como essa, todo mundo tem um interesse secreto: alguma coisa que está fazendo, alguma coisa que quer conseguir, alguma coisa que não devia ter feito mas fez e não quer ser descoberto. Sou uma dor de cabeça para eles, e eles se ressentem.

Alguma coisa no que ela dissera fizera-o lembrar-se das enxaquecas dela. Era uma coisa estranha que ficara em sua mente, e ele não podia deixar de se perguntar, diante de tudo o que o motorista dissera, se ela e Malcolm eram felizes no casamento.

— Talvez tenha razão — disse, sem se comprometer. — E quanto ao que lhe perguntei antes de sair daqui?

— Não consigo me lembrar de coisa alguma — Ela ainda estava lutando contra a sua consciência e os seus temores, e sua dificuldade em acreditar que Charles seqüestraria Teddy; não importava o que ele tinha dito, não podia estar falando a sério.

— Tem certeza?

Dois policiais fardados passaram por ali, e Taylor chamou-os com um gesto e pediu que trouxessem uma xícara de chá para ela e café para ele, se conseguissem encontrar. Eram então três horas da manhã, e só de vê-la tremer o agente sentia-se friorento e cansado.

— Eles têm alguma notícia?

Ela teve que reprimir as lágrimas, enquanto fazia a pergunta, e ele sacudiu a cabeça. Ela ainda não conseguia permitir-se acreditar que se subisse ao terceiro andar não encontraria Teddy. Seu filho tinha que estar lá... Mas no fundo do coração ela sabia que não estava.

O chá chegou e o policial que o trouxe retirou-se, deixando a porta aberta. Taylor levantou-se, foi até lá e fechou-a. Depois começou:

— Sra. Patterson, quero lhe contar uma coisa que seu moto rista disse. Quero discutir isso com a senhora eu mesmo. Porque, se a imprensa ficar sabendo, vai ser uma história infernal.

Antes que ele dissesse alguma coisa, ela já sabia qual era a história; talvez, de certa maneira, contar a ele fosse um alívio.

— O Sr. Reilly diz que a senhora tem um "namorado" — ele continuou, o rosto sem expressão.

Marielle sorriu: era tão absurdo que ela tinha que sorrir, mas sabia também como Patrick era desonesto, e podia imaginar a história.

— É um termo interessante.

— É correto?

Ela sentia que ele a pressionava, querendo saber tudo sobre ela, tentando salvar a vida do filho dela. E seria implacável, se fosse preciso, mesmo sendo ela tão bonita.

Ela suspirou e encarou-o.

— Não é, não. — Era quase engraçado pensar em Charles como seu "namorado". — É meu ex-marido, e eu não o via há quase sete anos, até dois dias atrás. Nós nos encontramos na catedral de Saint Patrick.

— O encontro foi combinado?

Ela sacudiu a cabeça solenemente, e o modo como olhou para ele fez com que ele acreditasse. Os olhos dela estavam cheios de dor, e ele sentiu que por trás do sofrimento novo havia uma dor mais antiga.

— Foi total coincidência. Ele está vivendo na Espanha... Lutando contra Franco.

— Ah, meu Deus, um desses! — Taylor bebeu um longo gole do café. Já era uma longa noite, mas ele precisava ficar alerta, pois seria ainda mais longa. Queria conversar ele próprio com ela, e ouvir a história dela antes que o marido chegasse. — Ele é comunista?

Ela tornou a sorrir; era outra palavra engraçada aplicada a Charles, embora agora nada fosse engraçado. Agora que Teddy tinha sumido, nada voltaria a ser engraçado... ou feliz... ou agradável... nem mesmo valeria a pena viver. Mas ele ia voltar. Dessa vez seria diferente. Tinha que ser. A história teria um final feliz.

— Não creio que ele tenha alguma preferência política. Apenas passa a vida atacando moinhos de vento. É um idealista, sonhador e escritor. Foi para Pamplona para tourear. É amigo de Hemingway. Imagino que ele tenha visto o combate na Espanha e resolveu lutar lá. Não sei. Não o via há anos. Não converso direito com ele desde 1929... E não o vejo desde 1932, quando voltei aos Estados Unidos e me casei com Malcolm.

— E por que agora? Por que ele voltou de repente? Para vê-la?

— Não — fez ela, sacudindo a cabeça. — Obrigações de família. O pai está muito velho, provavelmente morrendo, ou quase.

— Ele a procurou ao chegar, ou lhe escreveu? — Ela sacudiu

a cabeça. — Acha que a seguiu? Está zangado com o seu casamento?

Ela suspirou e lançou ao inspetor um olhar longo e penetrante.

— Não sei se ele me seguiu, acho que não. Ele não me procurou... E sim... acho que ele está zangado por causa do meu casamento... e de Teddy... Ele não sabia. Na sexta-feira contei-lhe que estava casada, mas não... não falei de Teddy. E ontem ele o viu.

— Ontem? — John Taylor parecia intrigado.

— No Central Park. Fomos ao lago dos botes, mas estava congelado.

Taylor concordou, com dúvidas sobre esse segundo encontro.

— Combinou encontrar-se com ele lá?

— Foi outra coincidência. Ele mora bem defronte ao parque, na altura do lago dos botes.

— Queria encontrar-se com ele lá?

— Jamais pensei nisso. — Ela o encarou, ainda tremendo.

— Pensava nele?

Ela admitiu, e seus olhos perfuravam os dele. Não pensava em outra coisa desde que o vira na catedral.

— Não acha que dois encontros casuais depois de sete anos é um pouco demais para alguém acreditar? A senhora não o vê durante sete anos, e de repente ele aparece duas vezes em dois dias. Não acha que ele estava procurando a senhora?

— Talvez. — Era mesmo possível. Ela fizera essas perguntas a si própria.

— Ele queria alguma coisa da senhora? — Os olhos de Taylor a estudavam.

Ela hesitou, depois confirmou.

— Queria, sim... Queria me ver.

— Por quê?

— Não tenho muita certeza... Para conversar... Para conversar sobre coisas que já não têm importância. Está tudo acabado... Já passou... Foi há muito tempo. Eu estou casada com Malcolm... meu marido... há seis anos...

Ela silenciou, olhando com tristeza para John Taylor. Ele

entrara em sua vida numa ocasião terrível, e ela mal o enxergava. Via o rosto dele e ouvia sua voz, mas não sabia quem ele era, não sabia de coisa alguma. Sentia-se anestesiada e desesperadamente assustada cada vez que pensava em Teddy.

— Quando foi que se casou com ele? — insistiu o inspetor, a voz suave, mas persistente.

— Em 1926... Eu tinha dezoito anos... — Olhou para ele com intensidade, então, e concluiu que tinha que lhe contar. — Meu marido não sabe disso, inspetor. Ele acha que eu me "comportei mal" na Europa quando tinha dezoito anos. Acho que meu pai insinuou a todos os seus amigos que eu tivera "um flerte sério com um admirador inconveniente", nada mais. Meu pai era um sonhador. A verdade, como meu pai sabia muito bem, é que fiquei cinco anos casada, morando na Europa. Tentei contar a Malcolm quando ele me pediu em casamento, mas ele não quis ouvir. Disse que cada um de nós tinha um passado e era melhor deixá-lo intocado e irrevelado. O que ele tinha ouvido era a história que meu pai contara para poupar-se de constrangimentos, acho que ele jamais admitiu para qualquer amigo seu que Charles e eu éramos casados. Morávamos na França... — Havia uma expressão distante em seus olhos. — E éramos muito felizes. — Ao dizer isso ela parecia ainda mais bonita.

— E que foi que mudou tudo? — A voz dele era baixa e rouca, e ele tentava não se deixar influenciar pela figura dela.

— Várias coisas.

Ele sentiu de imediato que ela estava fugindo. Apenas uma coisa acontecera para destruir o sonho. Uma única coisa. Uma tarde tenebrosa, da qual nenhum dos dois jamais se recuperara.

— Sra. Patterson... Marielle... Preciso saber o que aconteceu... pelo seu bem... e o de Teddy.

Essas palavras penetraram direto no coração dela, e seus olhos encheram-se de lágrimas quando ela olhou para ele.

— Não posso falar sobre isso agora. Nunca falei... — A não ser com o médico na clínica.

— É preciso. — Ele era forte e determinado, mas ela continuava a resistir.

— Não consigo.

Ela se levantou e pôs-se a caminhar pelo aposento, e durante longo tempo ficou parada junto à janela, olhando para o jardim. Lá fora estava escuro, e em algum lugar dessa escuridão estava Teddy. Ela voltou-se então para olhar para o inspetor; ele nunca em sua vida vira tamanho sofrimento. Mais do que nunca ele teve vontade de estender a mão e tocá-la.

— Sinto muito. Odeio ter que fazer isso a você. — Nunca falara assim com pessoa alguma, mas nunca se sentira assim a respeito de mulher alguma. Havia nela uma pureza e uma suavidade, e ao mesmo tempo uma fragilidade que o assustava genuinamente. — Marielle... — Permitia-se tratá-la assim sem nem mesmo lhe pedir licença, mas tinha que fazer o possível para trazê-la para mais perto de si. — Você tem que me contar.

— Nunca contei ao meu marido... Talvez se ele soubesse... se eu tivesse contado... — Ela pensou: talvez então Teddy não existisse, nem mesmo o casamento.

— Pode me contar. — Ele queria que ela confiasse nele.

— E depois? Você vai contar à imprensa?

Os olhos dela perfuraram os dele, mas ele sacudiu a cabeça lentamente.

— Não posso prometer coisa alguma. Mas dou-lhe a minha palavra de que vou fazer tudo que puder para guardar seu segredo, a não ser que seja importante para a segurança de Teddy. Combinado?

Ela assentiu em resposta e tornou a desviar os olhos para o jardim.

— Nós tivemos um filho, Charles e eu... Um menininho chamado André... — Ela sentia a garganta apertar-se ao dizer o nome dele. — Nasceu onze meses depois que nos casamos... Tinha os cabelos negros e brilhantes, e enormes olhos azuis. Parecia um anjinho... um querubinzinho gorduchinho... nós o adorávamos. Levávamos André para toda parte. — Voltou-se novamente para

John, sentindo de repente que tinha que contar-lhe a história toda. — Ele era tão belo, estava sempre rindo. Era conhecido em todo lugar que íamos.

Enquanto ela falava, John a observava e não estava gostando da expressão nos olhos dela, o modo como ela contava a história.

— Charles o adorava... eu também... Certa vez fomos passar o Natal na Suíça. André tinha dois anos e meio, e nós nos divertimos muito, brincando na neve. Fizemos até um boneco de neve. — As lágrimas começavam a descer-lhe pelo rosto, lágrimas de dor, e ele não a interrompeu. — Certa tarde, Charles queria subir a montanha para esquiar, mas eu quis ficar em Genebra. Então André e eu fomos passear a pé pela margem do lago, conversamos e brincamos. O lago estava congelado. Havia um grupo de mulheres e crianças, e paramos para conversar. E eu estava conversando com uma delas, sobre meninos daquela idade... — Ela agora mal conseguia falar, mas foi em frente, esforçando-se para respirar enquanto lutava com cada palavra. — Sabe como são as mulheres, adoram falar sobre seus filhos, de modo que ela e eu estávamos falando sobre as travessuras dos meninos de dois anos, e enquanto conversávamos... enquanto conversávamos... — Tocou nos olhos com a mão trêmula e ele, sem pensar, estendeu-lhe a mão, e ela agarrou-se aos seus dedos. — ...Enquanto conversávamos, ele correu para o gelo com outras crianças, e de repente ouvi aquele barulho horrível... horrível... — Ela mal conseguia continuar, o aposento lhe parecia horrivelmente abafado, mas John apertou-lhe a mão com força e ela continuou. Agora não tinha consciência da presença dele, estava perdida num tempo que quase a matara. — Aquele ruído terrível de coisa quebrada... quase como um trovão... e o gelo se partiu... Três crianças caíram na água... uma delas era André... Corri para o gelo, com as outras mulheres. Todos gritavam. Fui a primeira a chegar ao buraco... tirei as duas menininhas... Eu as salvei — soluçou. — Eu as salvei... mas não consegui salvar André. Tentei... tentei tanto... tentei tudo que pude... Cheguei a entrar na água, mas ele tinha deslizado para debaixo do gelo, e quando o encontrei... — A voz dela estava distorcida pela dor, e John Taylor, enquanto escutava, chorava. — Ele estava azul, tão pequenino, tão frio e tão imóvel no meu colo... Tentei tudo... Tentei respirar por ele, tentei aquecê-lo... A ambulância veio e levou-o para o hospital, mas... — Ela ergueu os olhos para John, tornando a vê-lo, e ambos estavam chorando pelo menininho que morrera sob o gelo em Genebra. — Não conseguiram salvá-lo. Disseram que ele tinha morrido em meus braços, quando o retirei da água... Mas nesse momento ele nem estava respirando... Como podiam saber quando ele morreu? — E que importância tinha aquilo? — Foi tudo minha culpa... Eu devia estar tomando conta dele, e não estava. Estava conversando com aquelas malditas mulheres... falando sobre ele... E ele se foi... Um instante de conversa, e eu o matei...

— E Charles?

Ele fez a pergunta-chave, e mal se recuperara do que acabara de ouvir, mas soube que ainda havia mais ao observar o rosto dela, sua expressão ainda perturbada pela história que ela acabava de contar.

— Ele me culpou, é claro. Fizeram com que eu ficasse no hospital, e eu queria mesmo ficar lá... com André... Deixaram que eu o segurasse no colo por muito, muito tempo. Segurei-o pertinho de mim, pensando que, se conseguisse aquecê-lo... Mas, claro... — A voz dela denunciava a sua grande perturbação.

— O que foi que Charles fez quando chegou ao hospital? — ele perguntou com suavidade.

Era uma pergunta importante, e ela o olhou como se não o visse, enquanto respondia.

— Ele me bateu... com força... muitas vezes... Depois... disseram... eu pensei... Não tinha importância... Disseram que quando pulei na água gelada...

— Que foi que ele lhe fez, Marielle?

— Ele quis me dar uma surra... Disse que eu tinha matado André, que a culpa era minha... E me bateu... mas eu merecia... E eu... — Ela soltou um soluço terrível, e fez um som que ele nunca escutara de outro ser humano, um gemido de dor que era quase um uivo — ...perdi meu neném...

— Ah, meu Deus! — exclamou ele, compreendendo de súbito. — Você estava grávida!

— Cinco meses... Uma menininha... Ela morreu no mesmo dia que André.

Ela então ficou muito tempo em silêncio, chorando baixinho, enquanto John Taylor a abraçava.

— Sinto muito... Sinto muitíssimo por tudo que lhe aconteceu... e por obrigá-la a passar por isso agora.

Mas tinha que agir assim. Tinha que saber o que ela estava ocultando. Tinha visto nos olhos dela, mas não imaginara que seria assim.

— Eu estou bem — disse ela baixinho, e estava mesmo, de certa forma, mas por outro lado não estava. De repente tomara consciência de que Teddy tinha desaparecido, e isso, somado ao resto, era demais. Por isso John Taylor tinha que encontrá-lo. — Mas na ocasião fiquei muito mal. Durante muito tempo. Acho que... acho que você chamaria de colapso nervoso, ou algo mais que isso. Acho que Charles também ficou meio louco. Naquela noite tiveram que arrancá-lo de cima de mim, e eu soube que ele teve um ataque no enterro. Não sei... não me deixaram ir. Puseram-me numa clínica particular em Villars, onde fiquei durante 26 meses. Charles pagou tudo, mas nunca me visitou. Finalmente permitiram que ele fosse me ver antes de me deixarem sair, e ele me pediu para voltar para ele, mas eu não podia. Sabia que nós dois achávamos que eu tinha matado nosso filho, se não nossos filhos. Não somente deixei que André se afogasse, mas também pulei na água gelada e matei o bebê.

— Que é que você devia ter feito? Deixar que ele se afogasse?

— Não, eu fiz o que tinha que fazer, mas levei dois anos para entender isso, e desde então são seis anos que vivo com isso. — Começou a chorar mais forte. — Acho que pensei... quando Teddy nasceu... que Deus tinha decidido me perdoar. Foi muito difícil engravidar novamente, e sempre achei que estava sendo castigada.

— Isso é loucura. Já foi suficientemente castigada. Que foi que fez para merecer tudo isso?

Ela sorriu tristemente para o homem com quem acabara de dividir sua vida.

— Passei a maior parte da minha vida tentando entender isso.

Ele tocou-lhe a mão novamente e serviu, na xícara onde ela bebera o chá, uma pequena quantidade de conhaque de um dos frascos de Malcolm. Ainda tinha dificuldade em acreditar que ela nunca contara ao marido. Que carga terrível e solitária ela tivera que suportar! Não era de se estranhar que sofresse de enxaquecas...

— E o encontro na igreja? — Mas ele já tinha entendido.

— Era o aniversário da... da morte das crianças. Sempre vou à igreja e acendo velas para elas, e para os meus pais. E de repente lá estava Charles, parecia uma alucinação.

Taylor perguntou-se se seria uma alucinação bem-vinda. Estava agora fascinado por ela, por tudo que ela sofrera e a que conseguira sobreviver. Ela era muito mais forte do que aparentava ser, e muito mais profunda.

— Ainda o ama? — Ele agora queria saber.

— Sim. Acho que uma parte de mim vai amá-lo para sempre.

Ela estava sendo tão honesta com ele, tão aberta, e havia nela algo que parecia tão correto, que ele se arrepiava ao pensar na acusação do motorista de que ela tinha um "namorado".

— Mas essa parte da minha vida acabou — ela continuou, e parecia falar com toda convicção.

— Era isso que ele queria? Que você voltasse para ele?

— Não sei. Só o vi na catedral durante pouquíssimo tempo, e ambos ficamos constrangidos. Ele disse várias vezes que não era culpa minha, mas sei que sempre achou que fosse. Acusou-me de ter matado nosso filho, de ter sido negligente... — Novamente desviou os olhos de John, e dessa vez ele a forçou a beber um gole do conhaque. — A verdade é que fui mesmo negligente. Era uma menina de 21 anos, e cometi um erro terrível. Conversei com aquela mulher por um instante só, e ele morreu... Fiquei surpresa por Charles estar disposto a me perdoar, sabendo como ele se sentia na época.

— Tem certeza de que ele a perdoou?

Ela lançou um olhar honesto ao inspetor. Aquela era a questão.

— Não sei. Achei que sim, quando o vi sexta-feira na igreja. Contei-lhe que tinha me casado de novo, e ele pareceu surpreso, e talvez não muito contente, mas pareceu aceitar. No dia seguinte, porém, quando nos encontramos no parque... Ele ficou furioso por causa de Teddy, furioso por eu ter tido outro filho... e ele não. Disse que eu não merecia, e senti que estava me ameaçando, mas acho que eram apenas palavras vazias. Disse que ia levar o menino para me obrigar a ir com ele.

John Taylor estava ouvindo o que queria ouvir, e tinha quase certeza de que agora tinha seu homem. Tudo o que era preciso fazer era encontrá-lo. Graças a Deus ela tinha confiado nele! Com sorte encontrariam o menino, trancafiariam o ex-marido e o esqueceriam. Por mais pena que tivesse dela, por tudo aquilo pelo qual ela passara, Taylor não sentia a menor pena de Charles, que a surrara no hospital quando ela estava grávida e, em vez de consolá-la, acusara-a de ter matado seus filhos. Ele a deixara dois anos num hospital e de certa forma permitira que ela carregasse pelo resto da vida a culpa de ter matado o fiho. Para John Taylor, o sujeito merecia um castigo.

— Acha que ele falou essas coisas a sério?

— Não tenho certeza. Não sei mesmo. Não posso imaginar Charles fazendo mal a alguém, menos ainda a uma criança. Mas não sei até que ponto ele ainda está zangado, e fiquei com medo de não lhe contar o que aconteceu.

No fim, tinha sido uma bênção que o motorista a acusasse de ter um namorado.

Eram então seis horas da manhã e não havia novidade alguma, nenhuma pista de Teddy. Mas a informação que ela lhe dera era ampla. Ele anotou cuidadosamente o nome e o endereço de Charles, e prometeu ter com ele uma conversa discreta, mais tarde Se ficasse satisfeito com o álibi e acreditasse no que ele dizia, a questão de Charles Delauney ficaria afastada, e nada mais precisaria ser dito. Caso contrário, porém, ele teria que agir segundo o que descobrisse. Secretamente tinha esperança de descobrir alguma coisa. O sujeito era no mínimo um tolo, e a tinha ameaçado abertamente. Era inteiramente possível que ele tivesse levado o garoto, mesmo como vingança pelos filhos que perdera e porque ainda a culpava pela morte deles, ou apenas porque queria atraí-la para si. Mas ele prometera a ela não informar a imprensa, ou o FBI, ou Malcolm, até ter falado com Charles Delauney. Era o máximo que podia fazer por ela, e ela ficou grata por isso.

Eram quase sete horas quando deixaram a biblioteca, e ainda estava escuro. Pararam no vestíbulo e conversaram durante muito tempo. Ele baixou os olhos para ela, desejando poder prometer que encontraria Teddy. Ela merecia pelo menos isso na vida. Ele tinha a sensação de que o casamento com Malcolm Patterson era apenas um acordo. Tudo que ela tinha era Teddy, e Teddy estava desaparecido. E Taylor sentia o quanto ela o adorava. Era óbvio que ela nunca voltaria para Charles, o que era sábio, no entender de Taylor, mas na verdade ela não tinha na vida quem a ajudasse. Era impossível entender como o menino desaparecera à meia-noite, sem qualquer som ou vestígio. Tinha sido simplesmente levado de sua cama, em seu pijama vermelho... e desaparecera.

5

Depois da longa conversa com John Taylor, Marielle ficou a vagar pela casa como um fantasma. Primeiro voltou para seu quarto, mas não suportou ficar lá. As paredes pareciam fechar-se sobre ela, e ela mal conseguia respirar. Mesmo sem ter planejado, percebeu-se subindo a escada, e ao dar por si estava no quarto de Teddy. Era o único lugar aonde queria ficar, o único aposento onde se sentia perto dele. Achava impossível acreditar, impossível compreender: quem teria feito aquilo, e por quê? Mas era óbvio, tinha que ser por dinheiro. Novas linhas de telefone já tinham sido instaladas na casa, e havia policiais por toda parte. Esperavam um telefonema ou um bilhete pedindo o resgate. Os jornais da manhã já estavam sendo esquadrinhados, em busca de uma mensagem dos seqüestradores. Todos os métodos de rotina estavam sendo usados. E mais homens do FBI estavam esperando para conversar com Malcolm. Mas ela agora se sentia inútil. Nada havia que pudesse fazer, a não ser rezar para que o filho ainda estivesse vivo. Ajoelhou-se ao lado da cama dele e apoiou nela a cabeça, lembrando-se da sensação de tocar nele apenas horas antes, quando o colocara para dormir em seu pijaminha vermelho com a gola bordada em azul. A Srta. Griffin fizera aquele pijama para ele. E Marielle perguntou-se se ele estaria sentindo frio, ou medo... Se estavam sendo bons com ele, se o tinham alimentado. Era insuportável não saber onde ele estava, e

Marielle, ajoelhada ali, sentia dificuldade em respirar. Ouviu um ruído no quarto e voltou-se rapidamente, a tempo de ver a Srta. Griffin parada atrás dela, ainda pálida, mas empertigada em seu uniforme engomado. Pela primeira vez naqueles anos ela olhou para Marielle com bondade. Havia algo que ela sentia que tinha que dizer, mas, como Marielle, mal conseguia falar.

— Eu estou... — Seus lábios tremiam, e ela afastou o olhar. Não suportava ver o sofrimento no rosto da jovem. Era um espelho demasiado fiel daquilo que ela própria estava sentindo. — Eu sinto muito... Devia ter sido... Devia ter ouvido... — Rompeu em pranto, como se as palavras a torturassem. — Eu devia ter sido capaz de impedir...

— Você não podia saber... E devem ter sido muitos. — Armados com cordas e clorofórmio, e talvez com pistolas, estavam bem equipados para o que tinham vindo fazer. — Não deve se culpar...

Marielle ergueu-se lentamente, tão digna e generosa, e sem uma palavra aproximou-se da mulher mais velha e abraçou-a. Estava chorando também, mas abraçou a outra como se esta fosse uma criança, e tentou acalmá-la. Aquilo fez a babá sentir-se ainda pior, sabendo que sempre fora severa demais para com ela. Mas sempre a achara tão fraca, tão tola... E agora via algo que não imaginava existir nela, uma força silenciosa não apenas para si mesma, mas para todos que dela precisassem.

As duas mulheres ficaram longo tempo abraçadas em silêncio, extraindo forças uma da outra. Depois Marielle retirou-se e tornou a descer. Quando chegava ao andar térreo, houve uma comoção; ela ouviu vozes e gritos e percebeu que um grupo de repórteres do lado de fora tentava forçar a entrada quando a porta da rua se abrira.

— Ele chegou! — gritou um policial.

Ela se perguntou quem seria, rezando para que fosse uma pessoa que fizesse alguma diferença. Olhou por cima do corrimão e constatou que era Malcolm quem acabara de chegar em casa, parecendo aristocrático e pálido, em seu sobretudo preto, terno azul e chapéu. Tinha uma expressão fúnebre ao subir a escada ao encontro dela, que ainda estava de roupão e descalça. Ele abriu os braços e por longo tempo ficou a abraçá-la; finalmente subiram para o quarto dela, e ele perguntou:

— Como isso pôde acontecer, Marielle? Como puderam entrar e dominar tudo tão completamente? Onde estava Haverford? Onde estavam as criadas? Onde estava a Srta. Griffin?

Era como se ele tivesse esperado que Marielle tomasse conta de sua casa e de seu filho, e ela tivesse fracassado. Ela agora via que os olhos dele estavam cheios de censura e sofrimento, e o olhar que ele lhe lançou feriu-a em seu âmago. Ela não tinha desculpas ou explicações a dar. Não conseguia explicar sequer a si mesma. Mal suportava permitir-se entender o que acontecera.

— Não sei... Também não compreendo... Ouvi um barulho enquanto estava falando com você pelo telefone, mas não imaginei que fosse uma coisa assim... Nunca me ocorreu que havia alguém na casa além dos criados... Não sabia sequer que Edith tinha saído...

O vestido já lhe tinha sido devolvido, sujo, manchado, com marcas de batom e cheirando a cigarro e uísque barato. Mas ela não se importava com o vestido; importava-se apenas com seu filhinho.

— Eu devia ter contratado um guarda-costas — disse Malcolm, olhando para ela em agonia. — Nunca pensei... Sempre achei você tola e histérica com o caso Lindbergh... Quem poderia saber que você tinha razão?

Ele a encarou, um homem alquebrado: seu único filho desaparecera e com ele sua esperança, felicidade e bem-estar. Malcolm de repente parecia envelhecido, como se não fosse sobreviver àquilo. Isso fez Marielle achar que o destruíra por ter sido tão descuidada. No entanto, a culpa não era sua... Não era... ou era? Estava tudo confuso, exatamente como anos antes: confuso em relação a quem tinha a culpa, e por quê. André tinha se afogado porque correra para o gelo; por que ela conseguira salvar as duas menininhas mas não o próprio filho? Ela tinha matado o bebê ao saltar atrás de André... ou o bebê morrera por causa da surra de Charles? E agora aquilo... era culpa dela... ou dele... ou de mais alguém? Ela parecia desesperada, passando a mão pela cabeleira em desalinho, e Malcolm a observava, percebendo de repente que ela parecia enlouquecida.

— Você deveria vestir-se — disse ele em voz calma, deixando-se cair numa cadeira. — Há policiais por toda parte, e os jornalistas estão amontoados lá fora. Nos próximos dias teremos que tentar sair pelos fundos. — Então olhou para ela com mais tristeza ainda. — A polícia diz que ainda não há um pedido de resgate. Já falei com o banco, e as notas marcadas estão prontas para quando recebermos o bilhete, ou um telefonema.

Era tudo que podiam fazer enquanto esperavam, e de repente Marielle sentiu alívio por ele estar em casa. Ele se encarregaria de tudo, faria com que tudo desse certo, forçaria os bandidos a devolverem Teddy. Então ergueu os olhos para ele, sentindo mais do que nunca que o decepcionara, coisa que ele nunca fizera a ela. Ele nunca a decepcionara, nunca, em todos os anos de casamento.

— Lamento tanto, Malcom... Não sei o que dizer...

Ele assentiu, sem dizer que ela não tinha culpa. E Marielle entendeu então, ao olhar para ele, que Malcolm realmente a culpava. Ele levantou-se devagar e afastou-se para a janela. Ficou olhando para o jardim onde Teddy costumava brincar, e ela viu que ele chorava. Tinha quase medo de ir consolá-lo ou de dizer alguma coisa, de aproximar-se dele em sua dor. Se ele a culpava por não vigiar Teddy, que poderia ela dizer para confortá-lo? Enquanto ficava a contemplá-lo, impotente, sentiu a familiar pressão a esmagar-lhe a cabeça, e quase desmaiou. Ele voltou-se então e olhou para ela, e reconheceu os sintomas. Ela tinha uma aparência terrível, mas ele não ficou surpreso. Sentia-se tão horrível quando ela.

— Você está pálida, Marielle. Está com enxaqueca?

— Não — ela mentiu. — Não ia permitir que alguém soubesse como se sentia fraca, temerosa, alquebrada. Tinha que ser forte, por ele, pelo filho, por todos. Tentou manter o equilíbrio, enquanto lutava para reprimir uma onda de náusea. — Estou bem. Vou me vestir.

Ela devia ir deitar-se, mas sabia que não conseguiria dormir. E não teria suportado os pesadelos.

— Vou falar com os homens do FBI — disse Malcolm.

Ele já tinha entrado em contato com alguns conhecidos em

Washington, e eles tinham telefonado para J. Edgar Hoover, diretor do FBI; este tinha providenciado uma escolta policial que permitira a Malcolm chegar em casa o mais rápido que lhe permitira seu Franklin 12. O embaixador alemão também telefonara para expressar seu choque e sua preocupação.

— Eles têm sido muito bondosos — Marielle comentou num sussurro.

Perguntava-se se o agente Taylor iria contar a Malcolm sobre Charles. Se fosse para ajudá-los a encontrar Teddy, ela estava disposta a passar por isso. Taylor prometera manter segredo se pudesse, mas não se fosse prejudicar o menino, e ela concordara inteiramente com isso. Estava disposta a sacrificar-se, sacrificar seu casamento e a sua vida por Teddy.

Malcolm lançou-lhe um olhar longo e severo, e por um momento sentiu-se culpado.

— Não quero culpá-la, Marielle... Sei que não é culpa sua. Só que não compreendo como pode ter acontecido.

Ele parecia destruído, como um moribundo. Perdera o amor de sua vida, mas ela também perdera. No entanto, não conseguia ajudá-lo.

— Também não compreendo — disse em voz baixa.

Ele retirou-se então, e ela vestiu um vestido de *cashmere* cinzento e meias de seda cinzentas. Penteou os cabelos e lavou o rosto, calçou sapatos pretos de crocodilo e rezou para ser capaz de controlar a enxaqueca.

Desceu para a cozinha depois de vestir-se, planejando organizar as coisas com a cozinheira para providenciar comida para os agentes da polícia e do FBI que estivessem trabalhando na casa, mas Haverford já fizera isso, e enchera várias bandejas com sanduíches, frutas, bolos e enormes bules de café fumegante; quando ela tornou a subir, constatou que havia um bufê servido na sala de jantar, mas quase intocado, pois os homens estavam tão ocupados que mal tinham tempo de comer.

— Há algo que eu possa fazer? — perguntou ela ao sargento encarregado.

O'Connor saíra horas antes, e o plantão tinha mudado. Ela não reconheceu qualquer policial da noite anterior entre os que continuavam a procurar impressões digitais pela casa e a aguardar o telefonema pedindo o resgate. Só que ela não fora deitar-se. Ao passar pela porta da biblioteca, viu Malcolm conversando gravemente com dois agentes do FBI. Ele olhou-a de relance, depois desviou os olhos, e por um instante ela se perguntou se estariam falando sobre ela. Os homens lançaram-lhe olhares estranhos, e ela se afastou. Que é que poderiam ter dito? Que é que havia a dizer? Culpavam-na por causa de Charles? E com razão? Estariam contando a Malcolm?

Enquanto voltava para o saguão, assustou-se ao ouvir sons de tumulto e vozes altas na rua. A porta abriu-se alguns centímetros e de repente havia meia dúzia de desconhecidos rodeando-a aos berros; *flashes* explodiam em seu rosto e um pelotão de policiais ergueu-se como um escudo e empurrou-os de volta para fora, mas uma ruiva de baixa estatura conseguiu ficar. Era jovem e bonitinha, de aparência delicada, e usava um ridículo chapéu preto e uma roupa muito feia. Ficou olhando para Marielle como se a conhecesse, e antes que esta pudesse entender o que estava acontecendo, a ruivinha pôs-se a interrogá-la:

— Como está se sentindo, Sra. Patterson? Está bem? Alguma novidade? Teve notícias do pequeno Teddy? Qual é a sua reação a isso tudo? Está com medo? Acha que ele pode estar morto?

Durante todo o tempo clarões espoucavam ao longe, cegando-a com a luz e a dor, quase como se fizessem parte da enxaqueca. Enquanto ela tentava escapar, uma voz vigorosa rugiu ao seu lado e um par de mãos possantes agarrou-lhe os ombros e a afastou dali. Era John Taylor.

— Tirem esta mulher daqui!

E então a ruiva sumiu, a porta da rua estava fechada outra vez e o tumulto estava muito, muito distante. E ela se deu conta de que John Taylor amparava-a pelo braço e a levava para uma cadeira no saguão. A imprensa forçara a entrada na casa quando ele entrara.

— Gentalha... Na próxima vez vou entrar pelos fundos.

Ele a observava com patente preocupação. Parecia muito cansado. Mas ela parecia estar pior. Ele fez sinal a um de seus homens, pedindo um copo d'água; ela bebeu um pequeno gole e tentou sorrir, mas não conseguiu reprimir as lágrimas. A dor de cabeça estava forte demais, e havia a raiva de Malcolm, o pavor que ela sentia por Teddy e a pura exaustão física. E aquela mulher tinha feito perguntas terríveis. E se ele estivesse morto? E se o tivessem matado? Sim, ela tinha medo, um medo desesperado. E Malcolm parecia tão triste e tão zangado... Ela olhou para John Taylor e suspirou, embaraçada por ter perdido o controle.

— Sinto muito.

— Por quê? Por ser humana? Esses filhos da mãe me dão nojo. — Ele então baixou a voz, olhando para ela. Acabara de falar com Charles Delauney. — Há algum lugar onde possamos conversar a sós? No escritório, de novo?

Ela sacudiu a cabeça.

— Meu marido está lá, com dois dos seus homens. — Então ficou pensando um instante. — Já sei.

Levou-o para uma saleta de música que nunca era usada. Estava cheia de partituras e instrumentos antigos, e alguns dos arquivos de Malcolm — de vez em quando Brigitte usava esse aposento como escritório. Havia uma escrivaninha, duas cadeiras e um sofá pequeno, onde ele a instalou, puxando depois uma cadeira para si. Ficou olhando para ela por um longo momento. Conhecera-a apenas na noite anterior, mas estava disposto a acreditar em cada palavra que ela dissera, e arriscar nisso a sua reputação. Nunca conhecera um ser humano como ela. Era como alguém num livro, ou num sonho, com o tipo de ideais e de força interior que as pessoas reais não possuíam — pelo menos as que ele conhecia. E ao mesmo tempo, porém, era uma jovem muitíssimo atraente. E só tivera golpes em sua vida, de dois homens, nenhum dos quais Taylor apreciara muito. Delauney lhe parecera um menino rico, bêbado, indulgente consigo mesmo e equivocado em seus ideais políticos, ainda choramingando pelo que lhe acontecera quase dez anos antes e porque ela não estava disposta a voltar para ele depois que ele quase a matara.

Taylor sentia que Charles podia ser impetuoso e louco, e até mesmo perigoso, se tivesse a oportunidade, e poderia ter feito aquilo por vingança. E Taylor tampouco apreciava Malcolm. Até então, só o conhecia pelos jornais, e ele sempre lhe parecera muito frio e pomposo.

— Alguma coisa errada? — Mais errada do que já estava? Seria isso possível? — Soube de alguma coisa?

Em súbito pânico, ela fixou nele os olhos muito abertos, mas ele apressou-se a sacudir a cabeça para tranqüilizá-la.

— Sobre Teddy, não — respondeu Taylor.

Sentia que na noite anterior ambos tinham partilhado segredos de uma vida inteira, e queria fazer o que pudesse para protegê-la agora. Ela já sofrera bastante, e confiara nele, e ele não queria trair essa confiança. Mas tampouco queria colocar a criança em perigo, e estava preocupado.

— Acabo de passar três horas com Charles Delauney.

Marielle observava-o com olhos ansiosos, imaginando o que Charles teria dito.

— Disse-lhe que eu lhe contei tudo?

— Disse, sim. Ele se culpa, ou pelo menos diz que se culpa, por ter enlouquecido quando a tragédia aconteceu, e ter reagido tão mal. Mas diz também que quando encontrou a senhora e Teddy no parque ele ainda estava bêbado da noite anterior, e que não tem certeza do que falou, e está disposto a admitir que se excedeu. Mas insiste em dizer que não pretendia mal algum, e jamais faria alguma coisa para ferir Teddy.

— Acreditou nele?

Ela buscou o olhar dele, precisando saber a verdade e disposta a acreditar. Confiava nele. Havia nele algo que lhe parecia justo, e ela sentia, corretamente, que ele não a trairia. Lembrou-se de como ele segurara sua mão na noite anterior, e a abraçara enquanto ela chorava por André.

— O problema é esse. — Ele respondeu ao olhar dela, depois sacudiu a cabeça e recostou-se na cadeira. — Eu não acredito nele. Não creio que ele o tenha machucado, como no caso Lindbergh, nada disso. Mas acho que ele é um rapaz mimado. Acho que faria quase qualquer coisa para conseguir o que quer: ameaças, coerção, talvez até pior. Talvez tenha seqüestrado Teddy para fazer você se aproximar. Talvez pense que tem todo o direito de fazer isso. Não tenho certeza. Nem sequer sei o que eu penso. Mas posso garantir que não acredito nele. Não engoli aquela história de que estava bêbado e que suas ameaças eram falsas.

Ao conversar com John Taylor, ele tinha os olhos enlouquecidos, os cabelos negros estavam despenteados, ele não se barbeara, havia no ar um forte cheiro de bebida alcóolica. Parecia um tipo dissoluto e doidivanas, cuja vida não dera certo, e talvez fosse capaz de coisas assustadoras, tudo em nome da justiça. Estava envolvido com uma guerra, afinal, que não era sua, apenas pelo puro prazer de matar, ou pelo menos era assim que John Taylor o via. Ele não compreendia certas coisas como causas políticas, ou guerras nobres, ou touradas na Espanha, ou surras na mulher grávida depois de perder seu filhinho. Ele não compreendia essa gente. A única pessoa que ele compreendia ou com que se preocupava, só Deus sabia por que, era Marielle; ele queria ajudá-la.

— Estou desconfiado dele, quero que saiba disso. Significa que vamos vigiá-lo, e eu gostaria de voltar lá e revistar a casa. Mas isso significa também que eu talvez não consiga guardar o seu segredo, e queria avisá-la disso. Talvez a senhora queira contar ao seu marido antes que ele saiba por outro modo.

Ela concordou, grata pelo aviso. Pelo menos ele permitia que ela mesma contasse. Ele era tão decente quanto ela imaginara, e ela tentou sorrir, mas a cabeça lhe doía tanto que ela não conseguiu. Fez uma careta de dor, e ele percebeu.

— Está se sentindo bem?

— Estou bem. — Essas palavras já não significavam coisa alguma, mas eram as esperadas.

— É melhor dormir um pouco. Ou vai desmoronar quando realmente precisarmos da senhora.

Ela aceitou, mas não podia imaginar-se dormindo outra vez... pelo menos até Teddy voltar. Como iria viver sem ele? Não poder tocá-lo, abraçá-lo ou saber onde ele estava, ou se estava seguro, ou bem cuidado... De repente ela ansiou pelo perfume da pele e dos cabelos dele... sua risada infantil... os bracinhos gorduchos rodeando-lhe o pescoço, o modo como olhava para ela, um olhar que dizia quanto ele a amava. Como iria sobreviver sem ele até o encontrarem? Ao pensar nisso, ela quase desmaiou, e então sentiu uma mão firme em seu braço, como se alguém a puxasse de volta de seus terrores.

— Agüente firme, Marielle... Vamos encontrá-lo.

Ela assentiu e levantou-se, cônscia de que tinha coisas muito difíceis a contar a Malcolm.

— Vai dizer alguma coisa ao meu marido sobre Charles?

Parecia preocupada, mas não muito. Se tivesse que contar, contaria. Era simples. Não era a hora de esconder coisa alguma, pois poderia prejudicar Teddy.

— Vou contar a ele que, como muitas outras pessoas neste momento, Charles Delauney é um possível suspeito. Não tenho certeza se ele faria alguma coisa. Mas quero lhe dizer neste instante que não gosto dele. Não gosto das ameaças que ele fez, ou da idéia de que ele está tão zangado porque você tem outro filho e ele não tem. Acho que, do jeito louco dele, ele ainda a ama. Diz que a quer de volta. E na cabeça dele isso é razão suficiente para você voltar correndo para ele, porque ele quer assim.

Não contou a ela o que Charles dissera sobre o casamento dela com Malcolm: que era uma fraude, uma farsa, que todos na cidade sabiam que ele tinha outras mulheres, que as pessoas diziam que ela se comportava como uma freira e Malcolm não ligava a mínima para ela. Charles Delauney parecia pensar que isso era razão suficiente para que ela abandonasse o marido. Ele tinha dito também que achava que Marielle não amava Malcolm, e que se casara com ele por motivos errados, porque não tinha ninguém na vida, estava assustada e insegura depois de ter alta na clínica suíça. Disse que ela estava procurando um pai e não um marido.

Mas ao ver Delauney com seu ar atormentado era fácil ver por que ela agia assim. Taylor conseguia entender o encanto de um homem como Malcolm Patterson e ao mesmo tempo conseguia entender por que uma moça de dezoito anos seria atraída por Delauney. Ele era interessante e bonitão, impetuoso e romântico, mas homens assim eram também perigosos... Homens assim cometiam tolices... como surrar suas esposas... ou fazer acusações e ameaças terríveis. Mas eles seqüestrariam uma criança? Isso faria parte de sua personalidade? Essa era a questão. Taylor não sabia a resposta. Mas de uma coisa tinha certeza: se Charles tinha feito aquilo, não teria sido por dinheiro. Talvez por isso não houvera ainda um pedido de resgate. Ele teria contratado gente para roubar o garoto e escondê-lo. Mas que faria então com o menino?

John Taylor ergueu-se e acompanhou-a, andando devagar, para fora da saleta, enquanto ela tornava a agradecer-lhe pelo aviso sobre o que ele teria que contar a Malcolm. Depois voltou-se e fitou John Taylor mais uma vez, com expressão preocupada. Era tudo tão confuso...

— Acha mesmo que ele faria uma coisa dessas? Estou falando de Charles.

Era difícil acreditar. Ele sempre fora impulsivo e descontrolado, mas não desse jeito... Ela não conseguia acreditar que ele roubaria mesmo Teddy. Será que a odiava tanto assim? Era difícil imaginar.

— Não sei. — Taylor foi sincero. — Gostaria de saber a resposta.

Ela assentiu e voltou para o caos na sala de estar. Malcolm estava lá, com ar carrancudo, ladeado por agentes do FBI, e ela apresentou-lhe John Taylor.

— Estava esperando para vê-lo — Malcolm resmungou, aparentemente nada impressionado com Taylor.

— Estive conversando com algumas pessoas a respeito deste caso — declarou Taylor.

Seus olhos nem uma vez voltaram-se para Marielle. Ele sabia que não deveria fazer isso. Mas, ao observar Malcolm, não tinha certeza de discordar de Delauney. Parecia não haver carinho para com Marielle, nenhum apoio visível, apenas preocupação consigo mesmo e o sofrimento de perder seu filho único. Em vez de pedir a ajuda de John, ele exigiu que o agente encontrasse seu filho.

— Estamos preparados para um possível pedido de resgate, senhor — disse John Taylor, com um respeito que não sentia. Na verdade, já decidira que não gostava dele.

— Eu também — retrucou Malcolm. — O Departamento do Tesouro dos Estados Unidos vai mandar notas marcadas hoje mesmo.

— Temos que ter muito cuidado com a maneira de cuidar disso. — O caso Lindbergh tinha sido um desastre, e John não queria alguma coisa errada dessa vez. — Gostaria de conversar com o senhor esta tarde, se o senhor tiver tempo. — John queria saber se ele suspeitava de alguém ou temia alguém. E, como fizera com Marielle, queria estar com ele a sós, mas queria também dar a Marielle tempo de contar-lhe sobre Charles Delauney.

— Vamos conversar agora — disse Malcolm com fisionomia contrafeita. Ele tinha dormido no carro durante a viagem desde Washington, e estava mais descansado do que Marielle ou John Taylor.

— Infelizmente tenho outras coisas para tratar antes.

Queria pelo menos voltar ao escritório, tomar uma chuveirada e fazer a barba, beber outra xícara de café forte e passar algum tempo pensando sobre o que estavam fazendo. A verdade era que não tinham pista alguma. Tudo o que tinham era Charles, e o fato de que o motorista admitira naquela manhã que alguém lhe telefonara algumas semanas antes e lhe oferecera cem dólares para ele escolher essa determinada noite para sair com Edith.

Patrick tinha imaginado que era um trote, pois há séculos ele e ela já tinham planejado ir ao baile de Natal irlandês no Bronx, de modo que não foi esforço algum de sua parte. Mas na semana anterior os cem dólares tinham chegado à porta dos fundos num envelope branco; ele jogara fora o envelope e gastara o dinheiro, e não tornara a pensar no caso. Disse que não tinha reconhecido a voz ao telefone, mas que ela tinha um sotaque, ele não tinha certeza do tipo de sotaque, talvez britânico, talvez alemão. Insistiu que não conseguia lembrar-se.

Mas mesmo se Delauney tivesse levado a criança, não poderia tê-lo feito ele próprio. E supostamente na semana anterior ele ainda não se encontrara com Marielle e não sabia que ela tinha um filho... ou sabia? Seria tudo um plano diabólico? Ele estaria há semanas a vigiá-la? Meses? Estaria recebendo notícias dela enquanto ainda estava na Europa? Teria planejado aquela vingança durante anos? Era difícil acreditar nisso, mas havia tão pouca informação concreta, e ainda era cedo demais. E por que o motorista não desconfiara do telefonema? Afinal, podia significar que estava sendo planejado um assalto a Malcolm ou Marielle. Mas era óbvio para John Taylor que o motorista não se importava com seus patrões.

Malcolm pareceu aborrecido porque Taylor não estava pronto para conversar com ele naquele momento, e para que o agente entendesse com quem estava lidando ele tornou a mencionar a viagem a Washington. Mas Taylor entendera perfeitamente. A mensagem era: faça tudo direito, faça agora, faça como eu quero, ou vai se arrepender. O problema era que Taylor não era esse tipo de homem. E não ia aceitar pressão por parte de Malcolm.

— Virei à tarde, senhor. Às quatro horas está bom?

— Está bom. Suponho que seus homens saibam onde encontrá-lo se houver algum telefonema antes disso. — Era um tapa com luvas de pelica, uma insinuação de que ele estava "desaparecendo".

— Claro que sim.

— Muito bem. Ah, pode fazer alguma coisa quanto a esses urubus lá fora?

— Receio que não. Todos eles acham que estão lá fora defendendo a Primeira Emenda. Podemos recuá-los um pouco, afastá-los da casa. Vou mandar meus homens cuidarem disso.

— Faça isso — fez Malcolm com um olhar severo, em vez de dizer "obrigado".

Taylor deixou-os então, enquanto Malcolm olhava para a esposa e resmungava:

— Não gosto dele.

— É um bom homem. Foi muito bondoso conosco ontem à noite. — Ela não lhe contou detalhes, mas o agente lhe causara uma impressão duradoura, na ausência do marido.

— Eu ficaria mais impressionado se ele encontrasse o seu filho. Não se esqueça disso, Marielle.

Como se ela pudesse esquecer... Ela se perguntou por que ele estava sendo tão cruel, embora soubesse que ele estava perturbado. Por um motivo qualquer, ele parecia pensar que era tudo culpa dela. Ou ela estaria imaginando isso? Estaria se sentindo responsável novamente, como se sentira com André e a menininha? Tudo era sempre culpa dela? Era isso que costumava provocar sua enxaqueca, isso e aquela terrível sensação de impotência que ela sempre sentia quando as coisas davam errado e ela não podia mudá-las. Mas não podia permitir-se pensar nisso naquele momento, não podia permitir-se pensar no que poderia estar acontecendo a Teddy. Tinha que ser forte. E sabia que tinha que contar a Malcolm antes que John Taylor voltasse à tarde.

— Podemos subir um instante? — ela perguntou ao marido, olhando para ele com nervosismo, enquanto ele a encarava com expressão estranha, como se ela tivesse feito um convite indecente no qual ele não conseguia acreditar. — Tenho que falar com você.

— Agora não é hora. — Ele tentou evitá-la, queria responder ao telefonema do embaixador alemão. Ficara comovido com aquele gesto.

— É, sim, Malcolm. É muito importante.

— Não pode esperar? — ele retorquiu.

Mas via nos olhos dela que ela falava sério. Na verdade, ela o estava surpreendendo. Para uma mulher que parecia ficar de pernas bambas cada vez que a vida ficava um pouquinho difícil, ela parecia estar suportando muito bem aquela crise. Mostrava cansaço, naturalmente, e estava pálida, mas parecia calma e sensata, e, com exceção das mãos que tremiam pateticamente e que ele percebera de imediato, ela parecia estar com suas emoções sob controle. O que ele não tinha visto era a cena terrível no quarto do menino naquela manhã, o pranto que parecia não ter fim, enquanto ela apertava contra si o ursinho dele e sentia o terror subir-lhe à garganta cada vez que pensava no filho. Mas estava lutando contra o terror porque sabia que tinha que fazer isso. Se não fizesse, entraria em pânico e desmoronaria completamente.

— Malcolm, quer subir comigo? — insistiu.

— Está bem, está bem, subo já.

Ela esperou por ele em seu quarto de vestir, porque não sabia onde mais ficar, e ficou andando de um lado para o outro enquanto esperava. Não sabia onde começar ou o que dizer, e desejava tê-lo forçado a escutar antes de se casarem, mas na ocasião ele não quisera ouvir. Agora seria obrigado a isso.

Ele subiu meia hora depois, quando ela estava prestes a descer para procurá-lo. Mas finalmente apareceu, sentou-se numa cadeira e olhou para ela com evidente irritação. Parecia enorme naquele aposento exíguo.

— Está bem, Marielle. Não imagino o que você possa querer conversar agora. Espero que seja importante e que tenha algo a ver com Teddy.

— Pode ser que tenha. Espero que não — respondeu ela, sentando-se num sofazinho diante dele. Era estranho como se sentia distanciada dele, mesmo nessa crise. Na verdade, de repente essa distância parecia maior do que nunca. — Tem a ver comigo. E acho que é muito importante. Há muitos anos, quando íamos nos casar, eu lhe disse que havia coisas a meu respeito que você poderia não aprovar, e você disse que todos têm um passado e que isso não era importante. Que era melhor deixá-lo intocado. Eu achava que lhe devia contar tudo. — Ela suspirou, com dificuldade para respirar. Tudo aquilo era tão difícil que ela parecia ter problemas até para respirar. Mas sabia que tinha que contar. E dessa vez ele teria que ouvir. — Lembra-se? — perguntou em voz baixa.

Por um instante os olhos dele suavizaram-se, e ela disse a si mesma que talvez ele estivesse apenas sofrendo muito. Talvez o choque de perder Teddy fosse tão grande que ele não conseguia consolar Marielle, assim como ela e Charles não tinham conseguido consolar um ao outro nove anos antes. Às vezes, quando o sofrimento comum é grande demais, só se consegue suportá-lo sozinho. Ela se perguntou se era o que estava acontecendo agora, se não era porque ele a culpava. Mas tinha que continuar.

— Eu me lembro, sim — respondeu ele. — Mas o que isso tem a ver com o que está acontecendo agora? Ou com Teddy? — O rosto dele tinha uma expressão de acusação que ela esforçou-se para ignorar.

— Não sei. Não tenho certeza. Mas tenho que lhe contar o que sei. — Ela respirou fundo e continuou, inconsciente de como estava bela naquele momento. — Meu pai contou aos seus amigos mais íntimos que eu tivera um flerte juvenil e que ficara um pouco perturbada aos dezoito anos, quando viajamos para a Europa. E depois disse a todos que eu resolvera ficar estudando em Paris. Bem, uma parte é verdade, mas só uma parte. Eu tive muito mais do que um flerte. Fugi com Charles Delauney. Sei que você conhece o pai dele.

Malcolm assentiu. Conhecera melhor o pai de Charles do que o dela. Era um velho antiquado, mas esperto, com uma vasta fortuna. Malcolm não conhecia o filho. Diziam que era um moleque da pior espécie, um escritor que fugira para a guerra aos quatorze ou quinze anos, depois ficara pela Europa. O velho Delauney dizia que ele não prestava, e isso era tudo que Malcolm sabia, e agora ficara pasmo com a confissão de Marielle. Ela continuou:

— Casei-me com ele aos dezoito anos, e quando voltamos da lua-de-mel meus pais queriam anular o casamento, mas eu estava grávida. Assim, eles voltaram para casa, mas eu fiquei lá. O casamento não foi anulado. E nós tivemos um filhinho... — Ela teve que reprimir as lágrimas para poder falar. Depois de todos esses anos, contar aquela história duas vezes no mesmo dia era mais do que ela podia suportar. Mas sabia que tinha que contar. O desaparecimento de Teddy mudava tudo. — O nome dele era André. — Tornou a respirar fundo. — E ele parecia um pouco com Teddy, mas tinha os cabelos negros, e não louros como os seus.

Tentou sorrir, mas Malcolm nada disse Ele não estava achando graça. E ela sabia que para Malcolm ela precisava ater-se aos fatos. Ele não precisava saber quanto ela amara Charles, ou como tinha sido terrível quando André morreu; tinha que saber apenas que o menino tinha morrido, e que Charles vira Teddy e ficara louco. Ele tinha que ouvir isso dela, para não pensar que ela estava protegendo Charles. A única pessoa que ela queria proteger era Teddy. E Malcolm precisava ouvir tudo, se queriam encontrá-lo.

— Ele morreu aos dois anos... na Suíça. Eu estava grávida de outro filho, que também morreu.

Por um instante Malcolm pareceu muito constrangido.

— Como foi que aconteceu?

— André morreu afogado. — Ela fechou os olhos com força, lutando para controlar-se, mas, ao contrário de John Taylor na véspera, Malcolm Patterson não se aproximou dela. — Ele correu para o lago... Estava congelado... e ele caiu... com duas menininhas. Eu as salvei. — Ela prosseguiu, a voz sem expressão, tentando não ver de novo o rosto dele, tentando não sentir o rosto gelado ao lado do seu, enquanto ela tentava soprar a vida para dentro dele, tentando não sentir o cheiro que ela amara tanto... Exatamente como Teddy... E se Teddy morresse também... como ela iria sobreviver? — Não consegui alcançá-lo. Ele estava sob o gelo. — Era um sussurro ofegante, e então sua voz tornou a ficar mais forte. Contar a ele era como subir uma montanha, o ar parecia ficar cada vez mais rarefeito. — Charles sempre me culpou. Achava que a culpa era minha porque eu não estava vigiando o meu filho. Eu estava, mas estava conversando com uma mulher... a mãe das duas garotinhas... Ela disse que não foi culpa minha, mas acho que foi. E Charles também achou. Ele tinha passado o dia esquiando, e quando voltou, tentou me matar... Ou talvez não... Talvez estivesse apenas descontrolado com a dor. De qualquer maneira, perdi o bebê. Provavelmente teria perdido de qualquer maneira, por causa da água gelada quando mergulhei para salvar André.

Malcolm concordou, hipnotizado pelo horror das palavras dela. Seu rosto estava pálido. Ela continuou:

— Charles sempre achou que eu matei os dois, que era por

minha culpa que perdemos nossos filhos. E eu... eu... — Sua voz tremia e ela não conseguiu continuar. Baixou a cabeça, depois olhou para ele, o rosto cheio de angústia, os olhos cheios de um horror que ele jamais poderia conhecer e do qual ninguém poderia libertá-la. — Acho que se pode dizer que tive um colapso nervoso. Fiquei num hospital... uma clínica... um sanatório... por mais de dois anos. Tinha 21 anos quando isso aconteceu, e tentei me matar várias vezes. — Ela resolvera contar tudo a ele. Ele agora tinha o direito de saber, e não havia mais lugar para segredos. — Eu não queria viver sem Charles e meus filhinhos. Fiz tudo que pude para morrer, e eles fizeram tudo que puderam para me salvar. Não cheguei a ver Charles nessa época... Na verdade, só o vi uma vez durante aquele primeiro ano. Ele foi me avisar que meu pai tinha morrido, poucos meses depois de André. Dizem que o choque do colapso da Bolsa o matou, e acho que foi isso mesmo... Não me contaram que minha mãe se matou seis meses depois. Acho que sem papai, e sem mim... — Ela deixou a frase por terminar, mas Malcolm entendeu o significado. — Só me contaram mais de um ano depois, quando eu já estava melhor. Finalmente disseram que eu tinha que ir embora, tinha que voltar para o mundo e viver com o que tinha acontecido. Disseram que a culpa não tinha sido minha, que eu não era responsável, e se Charles ainda achava que era, isso era algo que ele tinha que resolver por si mesmo. — Ela tornou a respirar fundo, e parecia um pouco mais calma, enquanto olhava sem ver para fora da janela. — Ele foi lá me visitar uma vez, no final, antes de eu sair, e me pediu desculpas, disse que tinha estado fora de si por causa do sofrimento, que a culpa não era minha, que ele não tinha querido dizer isso. Mas eu via nos olhos dele que ele realmente me julgava culpada, ainda achava que eu tinha matado seus filhos. Eu ainda o amava. — Ela encarou Malcolm com honestidade. — Sempre o amara, mas sabia que se ficasse com ele ia sempre me sentir culpada. Aquilo estaria sempre entre nós. Não poderia voltar para ele. Tinha que ficar sozinha. Assim, saí do hospital e voltei para os Estados Unidos, e foi a última vez que o vi. E então conheci você — ela suspirou — e você foi muito bom para mim. Deu-me um emprego e fez muito por mim. Tomou conta de mim, sempre foi muito bondoso comigo. E nos casamos. Eu na verdade nunca tinha pensado em casar-me de novo. Achava que não seria justo para a outra pessoa... Eu tinha muita coisa na consciência. Mas você parecia não ligar... e... — De repente ela se sentiu culpada. — Eu não tinha ninguém... E às vezes ficava muito assustada. E você me fez sentir segura... Achei que poderia ser boa para você também... e talvez fazê-lo feliz. — Baixou os olhos então, pensando na época em que Teddy nascera, e as lágrimas novamente lhe desceram pelo rosto. Dera a ele muita coisa para ser absorvida em pouco tempo. — Fiquei tão feliz quando Teddy nasceu...

— Eu também. — A voz dele era um grasnido no pequeno aposento. — Era a minha razão de viver. Sempre achei que havia algum pequeno mistério no seu passado, Marielle. Mas nunca suspeitei que fosse algo tão feio — declarou, fazendo-a sentir-se cheia de vergonha.

— Eu sei. Foi por isso que achei que você devia saber. Achei que você devia escutar antes de decidir casar-se comigo, mas você não quis.

Ele assentiu, concordando, e ela continuou:

— Nunca mais vi Charles depois que voltei para os Estados Unidos. Até sexta-feira passada. Encontrei-o na catedral de St. Patrick, por acaso. Fui acender uma vela por meus filhos e meus pais. Era o aniversário da morte de nossos filhinhos. — Ela forçou-se a pronunciar as palavras que odiava. — E ele estava lá. Contou que estava em Nova York para ver o pai.

— E que foi que ele disse? — Malcolm estava interessado nessa parte.

— Disse que queria me ver outra vez, e eu disse que não podia.

— Por que não?

Ele a trespassava com suas palavras, e ela se sentiu magoada com essa pergunta.

— Porque eu amo você, porque estamos casados. Por causa de Teddy.

— E ele ficou zangado? — Malcolm perguntou, quase esperançoso.

— Não, na hora não... Nós dois estávamos muito perturbados. É um dia terrível, todos os anos.

— E ele telefonou para você?

— Não, eu o encontrei por acaso no dia seguinte, no parque, com Teddy, no lago dos botes. Acho que ele estivera bebendo, ou ainda estava bêbado da véspera. Tinha um olhar enlouquecido, e ficou extremamente abalado ao perceber que tínhamos um filho... um menininho. Ele ficou muito zangado — ela admitiu. Esse era o ponto crucial da história.

— Que foi que ele disse? Machucou o menino? — Malcolm parecia aterrorizado.

— Claro que não. Acho que ele não seria capaz disso, e eu não permitiria. — Ela respirou rapidamente. — Mas ficou muito zangado. Acho que me ameaçou. Disse que eu não merecia ter outra chance. — Ela respirou fundo antes de contar o resto. — E disse algumas bobagens sobre levar Teddy para obrigar-me a voltar para ele. Mas, Malcolm, tenho certeza de que não estava falando a sério. Mesmo assim achei que você tinha que saber. A polícia me perguntou se alguém me ameaçara ou tinha motivos para ficar zangado comigo, e pelo bem de Teddy eu lhes contei.

Malcolm ficou surpreso por ela não se mostrar mais ansiosa em proteger Charles Delauney, pois podia ver, pelo olhar dela ao falar sobre ele, que ela ainda gostava profundamente dele.

— Contou isso à polícia? Tudo?

— Contei. — Ela admitiu lentamente. Já não sentia vergonha. Era doloroso, mas não era culpa sua; finalmente conseguira aceitar isso.

— É uma bela história. Imagino que vai ficar muito interessante no jornal.

— O Sr. Taylor prometeu fazer todo o possível para manter o assunto confidencial. Mas ele já foi procurar Charles.

— Você parece saber muita coisa da investigação...

A princípio ela não respondeu. Depois disse:

— Queria contar-lhe eu mesma. Achei que você tinha o direito de saber.

Ele concordou e pôs-se de pé, ainda profundamente perturbado, e depois olhou para ela, e por um momento ela se perguntou se ele estava zangado.

— Parece-me que o seu contato com Delauney pode ter colocado nosso filho em perigo, Marielle. Já pensou nisso?

Culpada outra vez... e responsável... Por que era sempre culpa dela? Por que sua vida ou seus fracassos ou a sua estupidez sempre causavam sofrimento aos outros?

— Já, sim. Mas não planejei encontrá-lo. Aconteceu.

— Tem certeza disso? Tem certeza de que Delauney não a seguiu e ficou esperando na igreja?

— Ele ficou tão surpreso quanto eu. E o lago dos botes fica bem em frente à casa do pai dele.

— Então você não devia ter ido lá. — A voz de Malcolm era severa, ele estava a acusá-la. E agora era evidente que a censurava. — Você não devia ter feito coisa alguma para arriscar a vida do meu filho. — Não filho *deles*, mas *dele*. — E, diante da sua história, fico surpreso por você ainda levá-lo ao lago dos botes, principalmente neste tempo frio.

Era a coisa mais cruel que ele poderia dizer. Ela tinha levado anos para conseguir chegar perto de um lago, e além disso não deixara o menino aproximar-se da água.

— Como pode dizer uma coisa dessas? — protestou, chocada; as palavras dele atingiram-na como um golpe.

Mas ele já não se importava. Estava preocupado demais. Pôs-se a andar de um lado para outro enquanto falava.

— Como pode me contar essa história e esperar que eu a perdoe? Você se envolveu com aquele homem horrível, que você mesmo admitiu que tentou matá-la e pode muito bem ter matado o seu filho não nascido, e você expõe meu filho a esse homem, admite que ele a ameaçou, ameaçou levar nosso filho, seja por que motivo for... e o que é que espera de mim, Marielle? Piedade pelos seus filhos que morreram? Ou pelo meu filho que foi seqüestrado? Você trouxe esse homem para dentro da minha vida, você o trouxe para a minha porta, você levou meu filho ao parque onde os dois podiam encontrar-se, você expôs Teddy a ele, e provocou esse lunático até ele levar nosso filho, e o que é que espera de mim agora com tudo isso? Que eu a *perdoe*?

Havia lágrimas nos olhos dele e ódio em sua voz, enquanto Marielle postava-se diante dele em prantos.

— Não temos certeza de que ele o levou — disse ela, em voz cheia de agonia. Contara-lhe tudo e agora sabia que ele jamais a perdoaria. — Não sabemos de coisa alguma.

— Eu sei que você se envolveu ao longo dos anos com pessoas que podem muito bem ter me custado meu único filho, e o seu último.

— Malcolm! — Ela fechou os olhos, à beira de um desmaio. — Como pode dizer isso?

— Porque é verdade! — rugiu ele. — Porque Teddy pode estar morto agora, enterrado numa cova rasa que jamais vamos encontrar, ou, se ainda não está morto, poderá morrer a qualquer momento. Pode ser que você nunca mais veja seu filho. — Ele a pressionava como um pesadelo, com sua voz tonitruante e suas acusações terríveis. — E o que você tem que entender, o que tem que dizer a si mesma, é que você levou Teddy a ele, você provocou aquele homem, você trouxe Charles Delauney para a nossa vida... Foi você, Marielle, quem causou tudo isso.

Ela ofegou diante da dor que ele lhe causava, mas não podia dizer que ele estava errado. Talvez tivesse mesmo feito tudo aquilo que ele dissera. Talvez fosse de novo culpa sua. Enquanto o escutava, deixou-se cair sobre uma cadeira, pois a enxaqueca invadiu seu cérebro com tanta violência que ela mal conseguia manter o equilíbrio. Ouvia novamente todas as vozes, sentia a costumeira dor e, exatamente como antes, ouviu o som da água fluindo sob o gelo, e, estava quase inconsciente quando escutou Malcolm sair.

Parecia que muitas horas tinham passado quando ela ouviu um som, e teve um sobressalto ao erguer os olhos e ver a criadinha que fora amarrada e amordaçada pelos seqüestradores na véspera. Era

Betty, trazendo a roupa lavada. Numa tentativa de fazer a casa voltar ao normal, o Sr. Patterson mandara todos voltarem às suas tarefas — com exceção de Edith e Patrick, que tinham sido advertidos para não saírem da cidade. O FBI ainda estava muito interessado na história deles.

— Sra. Patterson, a senhora está bem?

Betty, que ao entrar a encontrara como se estivesse desmaiada, metade para fora da cadeira, correra para perto dela. O som de sua voz fez Marielle voltar a si, e ela olhou em volta, sentindo uma dor cegante, lembrando-se do que acontecera e do que Malcolm dissera... Era tudo sua culpa... Ela trouxera Charles para o meio deles... e ele levara Teddy... Mas levara mesmo? Será que a odiava tanto assim? Será que todos a odiavam... e com razão? De súbito desejou ter morrido anos antes, devia ter morrido... talvez até mesmo sob o gelo, com seus filhinhos...

— Sra. Patterson...

— Estou bem... — Marielle murmurou, pondo-se de pé com esforço, tentando endireitar a roupa e os cabelos, enquanto a assustada jovem a observava. Marielle tinha a palidez de um cadáver, e parecia mal, lutando para equilibrar-se de pé. — Não estou muito bem... É só uma enxaqueca... Nada de sério...

Foi caminhando devagar para o quarto de dormir, seguida por Betty. A própria Betty passara por maus bocados, na véspera, mas a polícia lhe assegurara que a culpa não tinha sido sua, que ela nada podia ter feito para impedi-los e que, se tentasse, provavelmente a teriam matado. Ela já não se sentia culpada, apenas afortunada. Ao contrário de Marielle, que se sentia culpada por tudo em sua vida nos últimos nove anos. Era uma carga terrível.

— Gostaria de uma compressa fria?

— Não, não... obrigada... Vou apenas me deitar por um momento...

Assim que o fez, porém, o quarto girou, e ela achou que iria vomitar. Era quase como estar bêbada, mas pior, por causa da dor.

— Há alguma notícia? — perguntou, erguendo a cabeça por um instante depois de deitar-se, mas Betty apenas sacudiu a cabeça.

Quando ela saiu, logo depois, os olhos de Marielle estavam fechados, por causa da dor, mas ela não estava dormindo.

No andar térreo, Betty esbarrou com John Taylor, que lhe perguntou onde estava a Sra. Patterson. Betty falou da dor de cabeça e disse que ela estava descansando.

— Deixe que descanse — instruiu ele. Queria apenas assegurar-se de que ela tinha contado a Malcolm sobre Charles antes do seu encontro com ele, mas teve certeza disso assim que entrou na biblioteca. Malcolm Patterson cumprimentou-o com a fisionomia carrancuda.

— Minha mulher contou-me sobre Charles Delauney — disse de imediato. John calculava que ela lhe contara também o resto mas ele não parecia ter se comovido. — É uma história chocante. Acha que ele é o culpado? — Ele estava visivelmente frenético, por causa do filho, e não queria deixar pedra sobre pedra, por maior quer fosse o escândalo.

— Poderia ser. Não temos prova alguma. Ele tem um álibi para a noite de ontem; não é grande coisa, mas ele insiste nisso, e nós verificamos, pode ser verdadeiro: ele estava bebendo num bar da Terceira Avenida. E antes esteve com amigos no 21. Mas de qualquer maneira ele não teria agido pessoalmente, teria pagado a outros para isso, é o que imagino.

Malcolm pensara muito no assunto, desde que ela lhe contara a história.

— Se foi por vingança, não haverá pedido de resgate. E por enquanto não há — disse, em voz melancólica.

— É verdade. Mas o menino está desaparecido há menos de um dia. Muita coisa pode acontecer nas próximas horas.

— Quero Delauney preso! — rugiu Malcolm. — Agora! Está entendendo?

— Estou, sim, senhor — replicou John Taylor em tom tenso. — Mas precisamos de provas, e não temos. Não há absolutamente nada, a não ser o fato de que ele estava bêbado e fez algumas ameaças que podem não querer dizer coisa alguma. E de já ter sido casado com a sua esposa.

Malcolm encarava-o com raiva, nada satisfeito com o rumo da conversa.

— Então me parece, senhor Taylor, que é melhor o senhor sair para encontrar alguma prova, não acha?

— Está sugerindo que eu fabrique uma prova? — perguntou Taylor, fascinado. Por mais poderoso, importante, inteligente ou supostamente encantador que aquele homem fosse, John Taylor suspeitava que no fundo Malcolm Patterson era um pilantra.

— Não estou sugerindo nada disso. Estou mandando que vá encontrar uma prova.

— Se houver alguma, vou encontrá-la.

— Ótimo.

Malcolm levantou-se, então, indicando que a audiência estava encerrada, e Taylor teria achado graça, se não antipatizasse com ele. E por um instante o policial perguntou-se se sua hostilidade vinha do fato de estar com ciúmes. O outro tinha tudo: dinheiro, poder e uma esposa pela qual Taylor teria dado seu braço direito. E alguma coisa lhe dizia que para Malcolm Patterson ela era a única coisa sem valor.

— Infelizmente tenho que lhe fazer mais algumas perguntas.

— Certamente — concordou Malcolm, tornando a sentar-se, com ar prestativo e cerimonioso. Queria fazer todo o necessário para ter o fiho de volta.

— Existe alguém que possa querer atingi-lo? Alguém lhe fez ameaças, digamos, no ano passado, mesmo que sejam tolas, coisas que na ocasião podem não ter parecido importantes, mas que diante do que aconteceu lhe venham à mente agora?

— Não consigo me lembrar de coisa alguma. Pensei sobre isso a noite inteira, na viagem de Washington para cá, mas não consigo lembrar de alguém que quisesse me prejudicar.

— Alguma ligação política delicada? Ou um ex-empregado insatisfeito?

Malcolm tornou a sacudir a cabeça. Taylor prosseguiu:

— Alguma mulher com quem tenha se envolvido? O que me

contar será confidencial, no que estiver ao meu alcance. — Era o que ele prometera a Marielle. — Pode ser importante.

— Estou ciente disso — disse Malcolm em tom frio. — Mas não será necessário. Não tenho me envolvido com mulher alguma — completou, parecendo achar ultrajante o simples fato de isso ser mencionado.

— Ex-esposas que podem estar ressentidas porque o senhor teve um filho com outra mulher depois de todos esses anos?

— Dificilmente. Minha primeira mulher está casada com um dos pianistas mais famosos do mundo e mora em Palm Beach, e a outra está casada com o presidente de um banco e mora em Chicago.

Ele então fez uso de um golpe que John achou baixo, mas não demonstrou reação:

— Ao contrário de minha esposa atual, ao que parece, as anteriores não são gente perigosa.

— Talvez Charles Delauney também não seja. — Taylor achava que tinha que dizer alguma coisa para defendê-la.

— Não me importo quem seja, inspetor. Só quero meu filho de volta.

Faltavam onze dias para o Natal.

— Eu compreendo, Sr. Patterson. Todos nós queremos. E vamos fazer tudo o que pudermos para que isso aconteça.

— Volte lá e converse com Delauney.

Taylor não gostava de receber ordens de civis, mas aceitou, enquanto se punha de pé e agradecia a Malcolm pela paciência. Taylor percebeu que o outro parecia cansado e desgastado, mas para um homem da sua idade ele parecia bem saudável e composto, diante do que tinha acontecido. E ao perguntar por Marielle, antes de sair, ficou sabendo que ela tinha sido vítima de uma enxaqueca.

De seu quarto bem em cima da biblioteca Marielle ouviu a porta da rua fechar-se quando ele saiu, e os gritos dos jornalistas em volta dele. E pouco depois a polícia interditou a frente da casa, para mantê-los a distância. Mas para Marielle, ali deitada no escuro, sentindo uma dor torturante e orando em silêncio por Teddy, tudo aquilo era apenas barulho.

6

Taylor retornou no dia seguinte, ainda sem notícias de Teddy. Os seqüestradores não tinham aparecido, nem telefonado ou mandado um bilhete, e ainda não havia pedido de resgate. E a imprensa estava tendo um prato cheio. Velhas fotos de Malcolm e de Marielle enchiam os jornais. Patrick, o motorista, dera uma entrevista insinuando que Marielle estava envolvida com um homem, e havia uma foto dele com Edith, ela usando o vestido Madame Grès branco de Paris que pertencia a Marielle. A foto tinha sido tirada na noite do seqüestro, quando eles estavam no baile irlandês no Bronx, e pareciam muito imponentes ao posarem para a foto. E no jornal da véspera havia uma foto de Marielle, assustada e desorientada, quando a imprensa forçara a entrada em sua casa, e outra dela de roupão, tirada através das janelas da biblioteca. Mas embora Patrick tivesse insinuado que poderia haver um homem na vida dela, não havia menção alguma a Charles Delauney.

— É uma leitura muito agradável — Malcolm comentou acidamente ao café da manhã, no dia seguinte à sua volta. — Não gosto de ler sobre as intimidades de minha mulher com outro homem.

Ele não a via desde a véspera, quando a deixara com a enxaqueca, e ela ainda parecia doente, embora tivesse dito que estava melhor.

— Eu lhe contei o que aconteceu — ela replicou, parecendo muito magoada com o que ele dissera.

— Talvez você devesse ter explicado ao Patrick.

Ela olhou para ele e por um instante quase perdeu o controle de si. O esforço pareceu alimentar sua enxaqueca.

— E talvez você devesse arranjar espiões mais competentes, Malcolm.

— Que é que você quer dizer com isso? — ele quis saber, encarando-a com um olhar frio.

— Exatamente o que você ouviu. Nenhum dos seus criados me tratou bem desde o dia em que cheguei a esta casa, e você sabe disso.

— Talvez você não saiba como dar ordens, Marielle. Ou talvez eles saibam algo que eu não sei.

— Como ousa!

Ela tinha sido tão fiel, tão leal, tão decente. E agora, por causa de Charles, ele a culpava por tudo. Ele mudara da noite para o dia. Era injusto. Ela saiu da sala de jantar com lágrimas nos olhos, e colidiu com John Taylor.

— Bom dia, Sra. Patterson.

Olhando para o rosto dela, ele viu que a tensão estava cobrando caro. Ele voltara a ver Delauney e o advertira para não deixar a cidade, mas ainda não tinham qualquer prova e o álibi dele era sólido. Até então não havia pistas das pessoas que ele poderia ter empregado para seqüestrar Teddy. Mas o FBI estava tentando freneticamente montar um caso, partindo do princípio de que Teddy podia muito bem ter sido levado para fora do estado, para Nova Jersey. E até então Charles Delauney era o maior suspeito. As pessoas que tinham pagado cem dólares para Patrick passar a noite fora tinham desaparecido sem deixar pistas, e até então isso era tudo que tinham. E nem Betty, nem a Srta. Griffin tinham visto ou ouvido algo que os ajudasse.

— Está se sentindo melhor hoje? — perguntou ele.

Ela confirmou. Mas como poderia sentir-se melhor, com Teddy desaparecido?

— Alguma notícia? — quis saber.

— Ainda não. Mas estamos trabalhando nisso, e esperando. Mais cedo ou mais tarde receberemos um pedido de resgate, e aí poderemos agir. Hoje quero conversar outra vez com alguns membros da criadagem, para ver se alguém lembrou-se de algo que possa ter esquecido no momento da confusão.

Ela concordou; parecia sensato. E ele queria também falar com Malcolm.

Ela então voltou para o quarto da criança e ficou surpresa quando encontrou o marido. Ele estava parado no quarto de Teddy, tocando nos brinquedos do filho com ar compungido, e passou a mão pelo travesseiro. Quando o viu, Marielle sentiu outra vez lágrimas nos olhos. Sentia-se culpada pelo ríspido diálogo durante o desjejum. Ambos estavam sob terrível tensão. Enquanto olhava em volta do quarto, seu coração tornou a apertar-se. Ela lembrou-se de quando lhe acariciara a bochecha, ao colocá-lo para dormir em sua caminha, usando o pijama vermelho com gola bordada que a Srta. Griffin confeccionara. Havia trenzinhos espalhados, cuidadosamente bordados em azul pela Srta. Griffin.

— É impossível acreditar que uma criança possa desaparecer no ar, não é? — Malcolm comentou com tristeza, e ela concordou. Ele olhou melancolicamente para ela, e seu tom parecia mais delicado que uma hora antes. Ali naquele quarto podia-se ficar triste, mas não zangado. Ele deixou-se cair lentamente na cadeira de balanço junto à cama e fixou o olhar no local onde seu filho se deitara pela última vez antes que o levassem. — Fico só pensando no trem lá embaixo, esperando por ele. — Havia lágrimas em seus olhos, e Marielle virou-se para que ele não visse as suas. Ele então estendeu o braço e tocou-lhe a mão. — Desculpe-me por hoje de manhã. Acho que eu estava arrasado. E ontem também... Tudo isso é um pesadelo horrível, Marielle. Que é que vamos fazer?

Era a primeira vez que ela o via desorientado, e de repente sentiu muita pena dele, que parecia alquebrado.

— Vamos rezar para que ele volte logo para casa — ela tentou dizer em tom calmo, apertando-lhe a mão.

Minutos depois, Haverford veio procurá-lo para dizer que Brigitte estava esperando por ele na biblioteca. Ele ainda tentava cumprir seu horário de trabalho, e Brigitte mostrara-se imensamente solidária e prestativa. Chorara durante horas ao saber da notícia, e ainda não conseguia acreditar.

Marielle seguiu-os escada abaixo. Ele foi para o escritório e ela voltou para seu quarto. Pelo menos tinham feito as pazes, de certo modo. Ela trocou algumas palavras com Brigitte quando a viu. Ambas choraram, e Brigitte abraçou-a carinhosamente, incapaz de falar por um instante, antes de ir trabalhar com Malcolm. Marielle sempre soubera que Brigitte adorava Teddy.

Foi no fim da tarde que John Taylor terminou de interrogar a criadagem pela segunda vez e pediu para ver Malcolm. Não ficara surpreso pelo que ouvira até então, porque ela o avisara, mas mesmo assim não gostara do que ouvira. Tinham pintado o retrato de uma mulher muito diferente daquela que ele vira na noite do seqüestro. Uma mulher fraca, mimada e assustada, sempre se escondendo. A Srta. Griffin tinha dito que a Sra. Patterson era nervosa demais, ansiosa demais, e que isso não era bom para o menino. Aliás, ela às vezes ficava tão nervosa que não queria sequer vê-lo, e no início levara longo tempo para acostumar-se com ele. A princípio quase não mostrara interesse pelo filho, como se não tivesse certeza de querê-lo. Só nos últimos meses é que ela vinha passando algum tempo com ele, "no intervalo das enxaquecas".

E quando ele falou com Edith pela última vez ela a chamou de menina mimada, e insinuou que poderia ter dito coisas piores, que ela gastava demais com roupas e era de se estranhar que ainda não tivesse levado o marido à ruína. Disse que ela passava o dia cochilando ou descansando e não perdia tempo cuidando da casa, o que estava muito bem, já que ninguém teria obedecido. Ela deixou bem claro que todos trabalhavam para o Sr. Patterson, antes que "ela" aparecesse. Chegou até a culpar Marielle, e não Malcolm, pela perda do seu emprego.

A governanta quase não disse coisa alguma, afirmando que conhecia muito pouco os hábitos da Sra. Patterson. Deixou igualmente claro que a Sra. Patterson não lhe interessava. Só o Sr. Patterson importava.

Apenas Betty tinha coisas boas a dizer. E Haverford parecia ter pena dela, embora não quisesse dizer por que, e recusou-se a abrir-se com John Taylor. Naturalmente, da última vez em que o entrevistaram, o motorista Patrick insistiu em sua história do namorado, que Taylor sugeriu que ele guardasse para si, já que havia mais coisas por trás daquilo e ele podia muito bem virar testemunha judicial, coisa que pelo menos por um instante pareceu assustá-lo e silenciá-lo.

Mas o retrato que Taylor conseguiu foi o de uma mulher universalmente repelida, por motivos que ele não conseguia imaginar. Ela era, como ela mesma descrevera, uma pária na própria casa, e poucas das pessoas que supostamente trabalhavam para ela pareciam conhecê-la ou gostar dela. Ele teve a sensação de que ela se mantinha afastada de todos eles, e suspeitava corretamente de que ela era muito solitária. Ainda estava pensando nisso quando entrou na biblioteca para ver Malcolm, e mencionou esse fato enquanto Haverford lhes trazia uma xícara de café.

Colocando uma colher de açúcar no café preto, ele ergueu os olhos para Malcolm e perguntou:

— Por que seus criados parecem não gostar dela?

Percebeu que Haverford olhava para ele, mas o velho mordomo nada disse. Malcolm soltou um longo suspiro e olhou pela janela.

— Ela não é uma pessoa forte, você sabe... É fraca e assustada, e talvez eles sintam isso. Ela teve... — ele pareceu hesitar — problemas mentais, digamos... no passado... E ainda sofre enxaquecas terríveis.

— Isso não é motivo para odiá-la.

Todos pareciam ter pouquíssima consideração por Marielle como pessoa, como se ela não contasse, como se não existisse, como se trabalhassem para ele e não para ela, e quisessem que todos soubessem disso. E John Taylor não pôde deixar de se perguntar se Malcolm dispusera as coisa assim, para mantê-la impotente em sua própria casa. Ela parecia não ter o menor controle sobre qualquer pessoa: nem o filho, nem os criados, certamente nem o marido. Até mesmo a Srta. Griffin admitira que jamais obedecia às ordens da Sra. Patterson, e explicou que recebia suas ordens do pai do garoto. Mas quando ele lhe perguntou o motivo ela não soube explicar, dizendo apenas que Marielle era fraca e não sabia o que queria, mas isso não fazia sentido para ele. Ela não parecera fraca ao conversar com ele; mostrara-se sensata, inteligente e educada. O fato de ter enxaquecas não fazia dela uma pessoa doida. Mas era essa a sensação que ele experimentava agora: todos pensavam que ela era meio "lesa", como se sua mente e suas opiniões não fossem confiáveis. E ele não pôde deixar de se perguntar o que os fazia pensar assim.

— Não creio que alguém aqui a odeie. Que coisa horrível de dizer! — Malcolm sorriu benevolentemente, mas depois olhou para o outro com tristeza. — Ela não é uma pessoa forte, e teve problemas terríveis. Quem pode dizer se ela conseguirá sequer suportar o choque disso tudo? Esta podia ser a última gota numa taça já transbordante.

— É isso que o senhor pensa? — Taylor sabia que o outro estava querendo chegar a algum lugar, mas não sabia aonde. E havia outra coisa que ele queria saber. Mas estava deixando isso para depois. — É o que está me dizendo? — insistiu. — Que ela é louca?

— Claro que não! — Malcolm parecia ofendido com esse insulto à sua esposa. — Estou dizendo que ela é frágil.

— Não é a mesma coisa? Não está me dizendo que ela poderia perder o controle porque Teddy foi seqüestrado? Não tem sido essa a insinuação nesta casa durante todos esses anos, de que ela é "frágil", como o senhor diz, e que não deve ser levada a sério? O senhor disse isso a eles, ou eles adivinharam?

— Eu disse a eles que deviam lidar comigo, e não perturbá-la. — Ele parecia contrafeito. — Mas não vejo a menor ligação entre isso e o seqüestro do meu filho.

— Às vezes é importante ver a situação por inteiro.

— A situação por inteiro é que ela é uma moça delicada, com um passado terrível, como o senhor mesmo sabe e eu acabo de descobrir. Dois anos num sanatório mental e nove anos de enxaquecas imaginárias.

Ele parecia frio como aço, e Taylor não gostava do que ele estava dizendo. Era como se Patterson estivesse tentando anular Marielle como pessoa, e de algum modo ele transmitira isso a todos que trabalhavam para eles. Taylor suspeitava que apenas Haverford sentia algo diferente em relação a ela.

— Está dizendo que as enxaquecas dela são imaginárias?

— Estou dizendo que ela é neurótica. — Ele tinha ido mais longe do que pretendia, e de repente sentiu raiva de John Taylor.

— Suficientemente neurótica para envolver-se com Charles Delauney e seqüestrar o próprio filho?

Malcolm pareceu chocado, mas por um longo instante nada respondeu.

— Nunca pensei nisso. Mas imagino que seja possível. Talvez qualquer coisa seja possível. Não sei. Perguntou a ela?

— Estou perguntando ao senhor. Acha que ela faria uma coisa dessas? Acha que ela ainda está apaixonada por ele? — Taylor perguntava-se até onde Malcolm condenaria a própria esposa, e não gostou da resposta.

— Não tenho idéia, inspetor. Vai ter que descobrir isso sozinho.

John Taylor concordou.

— E o senhor, até que ponto está envolvido com a Srta. Brigitte Sanders?

Era a pergunta que ele vinha guardando, e para a qual queria uma resposta. E adorou a expressão no rosto de Malcolm ao ouvi-la.

— Que foi que disse? — Malcolm parecia ofendido. — A Srta. Sanderson é minha secretária há seis anos, como tenho certeza de que o senhor sabe, e não tenho o hábito de me envolver com empregados.

John Taylor pareceu achar graça nisso

— Parece-me que o senhor se casou com a última.

Malcolm enrubesceu violentamente, e não pareceu achar graça.

— A Srta. Sanderson tem um caráter de primeira linha.

— Isso é realmente impressionante. — Taylor não pareceu desconcertado, e secretamente estava achando graça. Aliás, estava adorando. — Mas os dois viajam muito, até mesmo para a Europa. E observei que pelo menos nos navios suas cabines são sempre contíguas. — Ele pesquisara cuidadosamente, até mesmo com plantas dos convés.

— Isso é perfeitamente normal, se pretendo que a mulher trabalhe para mim. Já que investigou com tanto cuidado, tenho certeza de que sabe que freqüentemente levo também minha outra secretária, a Sra. Higgins. Ela tem mais de cinqüenta anos, e decerto ficaria extremamente lisonjeada pelas suas insinuações.

Mas não era a mulher mais velha que interessava a John, e sim Brigitte. Ele sabia também que a Sra. Higgins não viajava com ele havia mais de dois anos, mas não disse isso a Malcolm.

— Peço perdão se a pergunta parece impertinente, senhor. Mas, assim como tivemos que investigar a história da sua esposa, é importante conhecermos também a sua. Amantes desprezadas podem fazer coisas muito feias.

— A Srta. Sanderson não foi desprezada, nem é minha amante, posso assegurar.

Ele ainda tinha o rosto vermelho por causa das sugestões de Taylor. Continuaram conversando mais um pouco sobre os envolvimentos de Malcolm na Alemanha, seus negócios nos Estados Unidos e qualquer pessoa que poderia zangar-se com os negócios que ele fizera. Mas parecia nada haver digno de nota. No fim, tudo que Taylor conseguiu concluir foi que Teddy tinha sido levado por dinheiro ou por vingança. Se foi por dinheiro, eles logo teriam alguma notícia. Se foi vingança, tinha que ser Charles, e John rezava para que Delauney não tivesse machucado o menino.

Tornaram a falar sobre Delauney, e Taylor reiterou que não havia provas contra o homem, nada a ligá-lo ao garoto ou ao crime, exceto as bobagens que ele dissera a Marielle. E não era possível colocar um homem na prisão por ser estúpido. Ele tinha um álibi, não havia prova alguma e, mesmo que ele tivesse um motivo, tudo era muito duvidoso.

— Ainda acho que ele é o homem — Malcolm declarou solenemente, enquanto acompanhava Taylor até a porta.

O inspetor concordou.

— Infelizmente, eu também. E se for ele, vamos rezar para pegá-lo.

Malcolm deixou-o à porta e Taylor abriu caminho através da multidão de jornalistas. Finalmente, duas horas depois, quando Malcolm e Marielle sentavam-se para jantar, veio o telefonema.

Dois policiais atenderam, fingindo serem criados; o gravador foi ligado imediatamente, e quando Malcolm atendeu, aparentemente inocente, tudo estava funcionando.

Tinham perguntado por ele com um sotaque do sul do Bronx ou do leste de Jersey.

— Sim, aqui é o Sr. Patterson. — Quatro policiais, mais Marielle, ouviam em várias extensões. — Quem está falando?

— Estou aqui com um amigo... um baixinho de pijama vermelho.

Marielle sentiu-se tonta ao escutar isso. Tinham levado o menino exatamente 46 horas antes, e ela chorava enquanto segurava o fone na mão trêmula.

— Como é que ele está? — Malcolm fechou os olhos para escutar a resposta.

— Está muito bem. Com um pouquinho de frio, eu acho. Precisamos de dinheiro para comprar-lhe um cobertor.

— Posso falar com ele? — Malcolm perguntou em tom calmo, mas um policial que o observava viu que sua mão tremia.

— Não... Ele está dormindo. Primeiro, vamos falar sobre o dinheiro.

— De quanto precisa?

— Bem... Eu diria que uns duzentos mil dólares comprariam um bom cobertor. — Era quatro vezes o que os Lindberghs tinham pago, mas valia. — Em notas não marcadas, Sr. Espertinho. Num armário público na Estação Grand Central. Deixe lá. Nada de polícia. Nada de notas marcadas. Nada de gracinhas. Deixe o dinheiro lá até nós irmos buscar. E quando estivermos prontos, terá seu filho de volta.

— Como é que vou saber se ele está bem agora?

— Não vai saber. — A voz era rude e terrível. — Mas se me enganar, se contar aos tiras, qualquer coisa... nós o matamos.

Marielle sentia o aposento girar enquanto escutava, e a transpiração pingava do rosto de Malcolm quando ele desligou. Anotara as instruções, embora o telefonema tivesse sido gravado.

John Taylor chegou a casa menos de meia hora depois; Malcolm ainda tinha uma cor acinzentada, e Marielle tremia. Não tinham deixado que eles falassem com o filho, e ele lembrou-lhes de que não havia como saber se o telefonema era real ou algum trote, ou alguém querendo ganhar um dinheiro fácil. As pessoas eram cruéis, e às vezes queriam participar da excitação. Mas pelo menos era uma esperança, algo em que se agarrar, e quando Taylor saiu da sala Malcolm escondeu o rosto nas mãos e pôs-se a soluçar. Era a sua única esperança de rever Teddy.

À meia-noite o dinheiro estava preparado. A Unidade de Informações do Departamento do Tesouro colocara meio milhão de dólares em notas marcadas na conta de Malcolm no dia anterior, e Taylor telefonou para o presidente do banco pedindo para liberar duzentos mil dólares. O dinheiro foi colocado numa pequena bolsa de crocodilo e por volta das duas horas da madrugada estava tudo no lugar num armário de aluguel na Estação Grand Central. Ele deveria colocar um anúncio no *Daily Mirror* quando a bolsa estivesse no lugar; na manhã seguinte o anúncio foi publicado, e havia centenas de policiais à paisana na Grand Central, caminhando de um lado para outro, dormindo em bancos, comendo cachorros-quentes, lendo revistas, com aparência normal, esperando que alguém fosse buscar o dinheiro. Mas depois de três dias ficou claro que ninguém iria fazer isso. O telefonema tinha sido um trote cruel, e, com a esperança finda, Marielle não conseguia sequer forçar-se a sair da cama. No sábado ela estava acinzentada, e Malcolm tinha uma aparência ainda pior do que a dela. A tensão estava marcando a ambos, e tudo parecia ainda pior porque faltavam apenas seis dias para o Natal. A perspectiva de passar o Natal sem o menino aumentava ainda mais o sofrimento. Malcolm encarava Marielle diante do jantar intocado.

— Por quê? Por que não foram buscar o dinheiro? — perguntou ela, obcecada pelo telefonema e pela ameaça de matá-lo se alguma coisa desse errado. E se tivessem feito isso? E se tivessem entrado em pânico e matado o menino?

— Taylor diz que foi um trote, você sabe disso. — Ele estava sendo rude com ela outra vez. Mas ele próprio não estava conseguindo mais suportar a tensão. — Ainda acho que foi Delauney.

— Então por que não descobrem alguma coisa? Por que, em nome de Deus, não conseguem descobrir quem fez isso?

Ela voltou para seu quarto, incapaz de ficar mais tempo ali. Nem mesmo a figura de John Taylor, agora familiar, a tranqüilizava. No dia seguinte, Malcolm implorou ao policial que revistasse novamente a casa de Delauney e Taylor prometeu fazê-lo.

Era a tarde de domingo, quase uma semana depois do seqüestro, quando encontraram a prova. Estava no porão da mansão de Delauney, na adega, escondida atrás de velhos caixotes. Um dos policiais achou o que a princípio pensou ser um trapo, não parecia mais que isso, mas quando ele afastou o caixote e ergueu-a com ar espantado, constatou que encontrara o que tinham ido procurar. Era um pijama infantil vermelho com bordadinhos azuis na gola. Ele subiu a escada o mais rápido que pôde e pediu para falar com o inspetor Taylor, e então mostrou-lhe o que tinha encontrado. Taylor ficou longo tempo olhando para o pijama, perguntando-se onde estaria a criança, o que Delauney teria feito com ela. Agora havia muita coisa a descobrir. Voltou para onde Delauney estava sentado e contou-lhe o que tinham encontrado. Charles escondeu o rosto nas mãos e jurou que não tinha feito aquilo.

— Meu próprio filho morreu há alguns anos. — Ele lançou a Taylor um olhar implorante. — Sei o que é isso... Por que causaria isso a alguém?

Não fazia sentido, e John desejava de coração que Charles não tivesse feito aquilo. Mas colocou-lhe as algemas e momentos depois estavam na delegacia, o pijama vermelho cuidadosamente lacrado num envelope na mão de John Taylor, e Charles Delauney estava sendo preso por seqüestro.

John ligou para Malcolm e Marielle, e ela chorou ao saber que tinham encontrado o pijama de Teddy.

— Mas onde está ele? — Isso era tudo que importava.

— Ainda não sabemos. Vamos interrogar Delauney agora. Mas queria fazer isso aqui na delegacia. Aqui podemos apertá-lo mais. — Ambos sabiam que John Taylor não estava brincando. — Telefono assim que souber alguma coisa.

Isso explicava por que não tinha havido um pedido de resgate de verdade. Charles fizera aquilo por vingança, ou por raiva, ou para conseguir Marielle, e certamente não precisava do dinheiro deles. Tinha a única coisa que desejava: o menino. Mas a questão verdadeira era: o que tinha feito com ele depois de seqüestrá-lo? E onde estava Teddy agora? E, pior de tudo... ainda estava vivo?

Marielle parecia desesperada quando John Taylor desligou, e não podia deixar de imaginar o que Malcolm estava pensando. Ele não disse uma única palavra; simplesmente subiu para o segundo andar e em silêncio entrou no quarto e fechou a porta.

7

Quando a notícia da prisão de Charles Delauney se espalhou, a imprensa assanhou-se, e na manhã seguinte havia dez vezes mais repórteres diante da casa dos Patterson. Malcolm só saiu sob pesada escolta policial. Os repórteres agora atacavam John Taylor e o chefe de polícia. Queriam saber tudo. Esse caso era importante, e eles queriam saber toda a história. O herdeiro de uma das maiores fortunas do país preso por seqüestro... E mais que isso, tratava-se de um crime passional, uma saga de vingança... O acusado tinha sido casado com a esposa do outro magnata, e considerava-a responsável pela morte do filho de ambos. Apesar de todos os esforços de John, a história vazou, e quando chegou o Natal o escândalo estourara, fora de controle. Charles estava há cinco dias sob custódia no Centro Federal de Detenção, e ainda não se tinha notícia de Teddy. Delauney ainda jurava não ter idéia de onde ele estava e que nada tinha a ver com aquilo, o que levava John Taylor a temer que ele o tivesse matado. Para sua própria tristeza, comunicou isso a Marielle e Malcolm na noite de Natal. Agora tinha certeza de que a teimosia de Delauney em relação ao crime significava que ele agira por vingança, e Taylor achava mais do que provável que ele tivesse matado o menino.

— Ah, meu Deus! — Malcolm quase perdeu os sentidos, quando Taylor contou-lhe.

Mas dessa vez Marielle ficou firme e enlaçou-o com o braço como se para ampará-lo. Ela não tinha enxaqueca há vários dias, e sua vida inteira girava em torno de esperar notícias de Teddy.

— Não consigo acreditar — disse baixinho, em resposta à notícia de Taylor. — Não consigo acreditar que nunca mais vamos vê-lo. Não importa o que Charles tenha feito, não consigo acreditar que ele fosse matar Teddy.

— Caia em si! — gritou Malcolm, na frente de John Taylor. — Quando é que você vai entender que esse homem levou Teddy como vingança do próprio filho? O filho dele está morto, e o meu também...

E a maneira como ele disse isso revelava com clareza que ele a culpava. John Taylor também entendeu a insinuação, mas nada podia dizer para ajudá-la. Tinha vontade de sussurrar-lhe "Seja forte" ou abraçá-la por um instante antes de sair. Mas nada podia dizer. Apenas apertou-lhe a mão imperceptivelmente e depois deixou-a com Malcolm.

O Natal sequer existiu para eles nesse ano; não houve troca de presentes nem pensamentos e sentimentos carinhosos. Não se enfeitou a casa, e o quarto de Teddy era como um pequeno altar de tudo que tinham perdido. Ambos pareciam estar indo lá constantemente, para recobrarem a esperança e a coragem. Marielle não conseguia acreditar que nunca mais o teria nos braços, não conseguia acreditar que ele tinha morrido. Não era possível... Charles não faria isso.

Ela passou a noite toda acordada depois que John saiu, e decidiu o que tinha que fazer. Na manhã seguinte, quando Malcolm saiu para resolver alguns negócios, ela mandou que trouxessem o carro e pediu a um dos policiais para levá-la até a delegacia. A princípio ele pareceu espantado, mas concordou em fazer isso depois de consultar o sargento encarregado. Retiraram-na às escondidas pela porta de serviço, num vestido negro, um chapéu e um velho casaco de peles que pertenceram à mãe dela, e o carro atravessou o grupo de repórteres do lado de fora da casa e tomou o caminho do centro da cidade, enquanto Marielle tremia entre dois policiais no banco traseiro. Não saía de casa desde o seqüestro, e achou aterrorizante atravessar a multidão e ser levada à delegacia por quatro policiais. Mas sabia que era algo que tinha que fazer. Não importava o que dissessem, tinha que vê-lo.

Ele estava detido no Centro Federal de Detenção havia seis dias. A acusação formal de seqüestro tinha sido feita logo de início. Taylor ainda tinha esperança de conseguir uma confissão dele, ou pelo menos ficar sabendo onde estava a criança, se pudessem forçá-lo a contar. Mas até então ele nada revelara.

Havia um punhado de repórteres nos degraus quando ela chegou.

Assim que a viram, eles enlouqueceram, mas a escolta policial abriu caminho e um momento depois ela estava lá dentro, ofegante e trêmula. Explicou quem tinha ido visitar, provocando cochichos e consultas sussurradas. Não era dia de visita, e aquilo era altamente irregular, mas ela lhes disse quem era e declarou que tinha que vê-lo.

Finalmente um dos sargentos levou-a até um pequeno aposento vazio, e dez minutos depois levaram-no até ela. Ele usava calças grosseiras, uma de suas próprias camisas, botas que pareciam militares, e tinha uma barba de uma semana e nos olhos uma expressão que ela não via há anos, uma expressão de dor e sofrimento que bastou para revelar o que ela viera saber, antes mesmo que lhe perguntasse. Ele começou a chorar no momento em que a viu; o guarda deixou-os sozinhos e ele tomou-a nos braços e agarrou-se a ela.

— Não fui eu, Marielle... Juro... Nunca faria isso... Eu estava louco... Estava bêbado naquele dia... Não sei... Ver você ali com ele... Lembrei-me de André...

— Eu sei... Eu sei... psiu... Tinha que vir falar com você.

Ela afastou-se dele para poder vê-lo, e sentiu-se feliz por ter ido. Precisava ouvir dele exatamente o que acontecera. Ele sentou-se devagar, e ela sentou-se diante dele e encarou-o. Tinham caminhado tanto, quanta dor havia entre eles...

— Que foi que aconteceu?

— Não sei. Dizem que encontraram o pijama dele no meu porão. Pelo amor de Deus, Marielle, diga que você não acredita...

— Como é que o pijama foi parar lá?

— Não sei. Juro por Deus, não sei... Sou um tolo... Fui horrível com você... Eu estava errado... Estava louco... Mas passei o resto da vida tentando expiar meu erro, nunca feri ninguém... Lutei por meus amigos, estava disposto a morrer pela causa deles porque não tenho mais nada a perder... Por que faria isso com ele? Por que magoaria você? Já lhe fiz bastante mal, Deus sabe... — Soluçante, tomou-lhe as mãos. — Ainda amo você.

— Eu sei — ela sussurrou. Ainda o amava também. Mas amava Teddy mais. Era seu bebê. — Mas onde está ele?

— Juro que não sei. — Ele então ergueu os olhos para ela, olhos claros, profundos e honestos, e ela acreditou neles. — Juro, Marielle, mesmo se me matarem. Juro que não sei coisa alguma do seqüestro do garoto. Espero que o encontrem, por sua causa. Apesar de tudo o que eu disse tão estupidamente, você merece.

Ela assentiu.

— Obrigada. — Como tinham chegado a isso? Como acontecera?

O guarda voltou então e disse que ela tinha que ir. Ela concordou e levantou-se, e Charles lançou-lhe um olhar direto e demorado antes de deixá-la.

— Acredite em mim — foi tudo que disse.

Ela assentiu. Ele parecia estar falando a verdade. Mas se ele não tinha levado o garoto, quem fora então? Ela não estava mais perto de saber alguma coisa do que antes de ir até ali. Mas pelo menos sabia que Charles Delauney não tinha feito aquilo.

Ao sair do pequeno aposento, Marielle espantou-se ao deparar com John Taylor vindo a seu encontro; ele era do FBI, não da polícia, e não tinha o que fazer ali, embora ela imaginasse que ele tinha vindo ver Charles, mas ele parecia muito sério quando a levou para um escritório deserto.

— Que é que está fazendo aqui?

Parecia zangado com ela, quase como Malcolm ficaria, mas ela mesmo assim estava contente de ter ido. Tinha valido a pena.

— Eu tinha que falar com ele.

— Você é uma tola.

Ela sacudiu a cabeça, e ele entendeu que ela não era tola.

— Ele diz que não foi ele. E eu acredito. — Ela precisava ter perguntado, precisava saber, precisava vê-lo.

— E que é que achava que ele ia lhe dizer? Que matou o menino?

Ela fez uma careta ao ouvir essas palavras, mas ele estava zangado por ela ter ido até ali, e prosseguiu:

— Ele não vai lhe dizer a verdade. Está com a corda no pescoço e neste momento fará o que puder para salvar-se.

— Por que ele mentiria para mim?

— Por que lhe diria a verdade? O risco dele é muito grande. Escute-me, Marielle, fique longe daqui. Fique longe dele. Se pudermos, vamos encontrar seu filho, mas este homem nada pode fazer por você. Ele só lhe trouxe dor... Deixe-o de lado...

Ele não dinha o direito de dizer, mas sabia que ela estava sendo engambelada. Agora conhecia coisas demais sobre Delauney: as loucuras na Espanha, os ataques de fúria que tinha de vez em quando, as bebedeiras alucinadas, o ódio... O fato de tê-la surrado naquelas circunstâncias... O fato de ainda amá-la. Taylor sequer tinha certeza se o outro era mentalmente são; isso ia ser investigado. Mas não queria que ela se magoasse mais do que já se magoara. E quando a imprensa descobrisse ia ter um prato cheio.

— Vamos, vou levá-la em casa.

Ela aceitou, agora querendo ir embora.

— E da próxima vez que quiser fazer alguma coisa assim, telefone para mim.

— E o que é que você vai dizer? — perguntou ela, sorrindo, enquanto ele a levava até a porta.

Ele dera ordem para o policial ligar o motor do carro, e tudo que tinham a fazer era dar uma corrida até ele, com os *flashes* dos fotógrafos espoucando. No dia seguinte saiu publicada uma fotografia dela entrando no carro com John Taylor logo atrás.

— Que é que você diria se eu lhe pedisse para me trazer até aqui? — repetiu ela, enquanto se acomodavam no carro, e ele franziu a testa.

— Teria dito que não.

— Por isso não lhe telefonei — disse ela, sorrindo. Estava se sentindo aliviada. Acreditava em Charles. Talvez não fosse tudo culpa sua. E John Taylor ficou a contemplá-la, achando-a maravilhosa e pensando em quanto gostava dela: muito mais do que deveria.

— Na próxima vez em que você tiver uma idéia dessas, vou levá-la para um passeio de carro e dar-lhe uma boa reprimenda — disse, como se censurasse uma criança.

— Era isso que eu temia — disse ela baixinho, e depois ficou calada durante o resto do percurso.

Enquanto ele a observava, sentia muita pena dela. Sabia como ela estava desesperada por causa do filho, e estava começando a achar que não iam encontrá-lo. Ele começara a se sentir assim no caso Lindbergh, e desejara muito estar enganado, mas afinal não estava.

Uma vez em casa, entraram correndo pela cozinha, e ela agradeceu por tê-la trazido. Mas na manhã seguinte Malcolm não demonstrou a mesma gratidão. Os jornais estavam cheios da visita de Marielle a Charles na prisão, com fotos dela por toda parte, e uma de John abraçando-a quando ela entrava no carro. Quando Malcolm chegou a casa, estava lívido.

— Que história foi essa, Marielle?

— Ele estava me protegendo dos repórteres — disse ela baixinho.

E Taylor estava certo, os repórteres tiveram um prato cheio.

— Parece que ele está gostando. Foi idéia dele levar você para ver Delauney?

— Não, minha. Eu o encontrei lá. E, Malcolm... Sinto muito. Tinha que ir vê-lo... Queria ouvir o que ele tem a dizer.

— E ele lhe contou como foi que matou o seu filho? Ele lhe contou isso? Ou chorou por causa do filho dele?

Malcolm estava furioso.

— Malcolm, por favor...

— Por favor o quê? Seu amante... Seu ex-marido, seu seja lá o que for, leva meu filho, e você quer que eu sinta pena dele? Foi isso que você fez? Foi lá dizer-lhe que tem pena dele? Sabe de quem tenho pena? Tenho pena de Teddy... Nosso filhinho, que provavelmente está morto em algum lugar, que pode ter sido surrado, esfaqueado, pode estar doente ou ferido...

Ela começou a gritar, as mãos tapando os ouvidos, incapaz de escutar por mais um momento sequer.

— Pare! Pare! Pare!

Ela saiu gritando da sala de jantar e foi para seu quarto. Era demais. Estavam acontecendo coisas demais. E todos pareciam culpá-la. Era culpada por conhecer Charles, por ter sido casada com ele, por não ter sido capaz de salvar seu próprio filho. Charles também a culpava disso, e agora Malcolm culpava-a pelo seqüestro de Teddy.

John Taylor voltou para visitá-la naquela tarde, e teve a bondade de não mencionar o furor da imprensa, mas tampouco tinha notícias novas. Iam tornar a revistar a casa de Charles.

Dessa vez encontraram um brinquedo de Teddy, um ursinho, escondido justamente no próprio quarto de Charles. Já não havia dúvida alguma. E dessa vez até mesmo Marielle acreditou neles.

8

Em meados de janeiro, os preparativos para o julgamento já estavam sendo feitos, e ainda não havia notícia alguma de Teddy. Já se tinham passado três semanas e meia desde que ele desaparecera, e Malcolm voltara a Washington por alguns dias para uma sessão conjunta secreta dos Comitês de Negócios Militares da Câmara e do Senado, e para ver o embaixador americano na Alemanha, Hugh Wilson, que estava no país para uma curta visita.

Marielle viu-se sozinha em Nova York, numa casa cercada por guardas, e já havia quase uma semana que ela não falava com John Taylor.

Certa tarde, ela estava examinando alguns papéis, tentando manter o pensamento longe de Teddy e ficar longe do quarto dele. Não conseguia mais ouvir rádio. Ou eram notícias do julgamento, que a perturbavam, ou eram os programas favoritos de Teddy, como *O Zorro*, que a faziam chorar e a deprimiam. E Marielle passara a odiar Shirley Temple, porque lhe lembrava Teddy. Finalmente tinham mandado a Srta. Griffin visitar a irmã em New Jersey por algum tempo. Também ela já estava quase histérica. Era um alívio para Marielle não ter que olhar para ela quando subia ao terceiro andar. Agora podia ficar sozinha no quarto dele, com suas roupas, seus brinquedos, as coisinhas que ele usava, como a escova de cabelos. Às vezes ela apenas ficava horas lá, tocava nas coisas dele, ou sentava-se em sua cadeira favorita, ou deitava-se em sua cama, tentando não pensar na última noite que ele passara ali.

Nesse dia, Haverford apareceu na biblioteca quando ela guardava o último papel. Os olhos dele eram bondosos. Ele sentia uma pena desesperada dela, embora nunca fosse confessá-lo.

— Há uma pessoa que quer ver a senhora. Uma Srta. Ritter. Diz que marcou com a senhora.

— Não conheço ninguém com esse nome.

— Conhece, sim.

Ao som dessas palavras, Marielle voltou-se e viu uma jovem entrar na sala. Era baixa, de cabelos castanhos e mais ou menos a mesma idade de Marielle. Parecia familiar, embora Marielle não conseguisse reconhecê-la. Por um instante encontrou-se rezando para que fosse alguma espécie de ameaça, ou uma extorsão, alguém que pudesse levá-la a ele, mas essas esperanças já estavam quase mortas. O resgate não fora recolhido e ainda estava esperando no armário público da Estação Grand Central.

— Quem é você? — perguntou Marielle.

Ela parecia perplexa, e Haverford acorreu para defendê-la. E então Marielle lembrou-se. Reconheceu nela a repórter que forçara sua entrada na casa. A garota parecia assustada ao olhar para o mordomo.

— Posso falar a sós com a senhora?

— Não. Sinto muito... Não pode. — Marielle aparentava muito mais coragem do que realmente sentia. A garota parecia persistente e segura de si, e Marielle tinha que tomar cuidado.

— É importante. Por favor... — implorou a jovem. Estava usando outro de seus trajes incongruentes.

— Infelizmente não. Como foi que entrou aqui?

— Marcamos um compromisso para hoje.

Ela estava tentando blefar, mas Marielle não caiu nessa. Ela não tinha qualquer compromisso havia mais de um mês, a não ser com investigadores e policiais.

— Sinto muito, Srta...

— Ritter. Beatrice Ritter. Bea.

Ela sorriu, tentando encontrar algum modo de alcançar Marielle, alguma coisa que lhe despertasse interesse para aceitar conversar com ela, mas Marielle era perspicaz.

— Você vai ter que ir embora — decretou.

Por um instante, a jovem pareceu amargamente decepcionada, depois assentiu.

— Compreendo. Só queria lhe falar de Charles.

O som daquele nome foi como uma corrente elétrica no aposento, e Marielle encarou-a.

— Por quê?

— Porque ele precisa da senhora. — Era complicado demais para discutir com uma desconhecida.

— Madame...?

Haverford olhava-a interrogativamente, e ela, sem saber por que, resolveu deixar que a moça ficasse, pelo menos por um instante. Assentiu e ele deixou o aposento, mas alertou dois policiais, e Marielle viu-os perto da porta.

— Não compreendo por que está aqui. Charles mandou você me procurar?

Ela não tinha notícias dele desde sua visita à prisão, desde que a descoberta do ursinho no quarto dele finalmente a convencera de sua culpa.

Mas Bea Ritter queria ser honesta com ela, e percebeu que teria que ir logo ao ponto, antes de ser convidada a ir embora. O próprio Charles lhe dissera que Marielle jamais a receberia.

— Sou da Associated Press. E não creio que ele seja o culpado. Quero ver se posso ajudar a descobrir quem foi. Quero saber se a senhora vai me ajudar. — Ela foi tão clara e concisa quanto pôde.

— Infelizmente eu não concordo, Srta... — Marielle fez um esforço para lembrar-se do nome — Ritter. — Eu também achava que não tinha sido ele, mas duas coisas foram encontradas ligando-o ao meu filho: o pijama que o menino estava usando quando desapareceu, e seu ursinho favorito. E ninguém mais apareceu... — Marielle já não tinha dúvidas.

— Talvez os seqüestradores tenham medo, ou tenham boas razões para não aparecer. Tem que haver uma razão qualquer.

Ela estava convencida da inocência de Charles. Passara horas com ele, e não conseguia acreditar que ele fosse capaz daquele crime. Marielle, porém, não acreditava mais na inocência dele. Levantou-se em silêncio, desejando que a jovem partisse.

— Receio não poder ajudá-la.

Seus olhos também estavam cheios de dor, seu coração pesava. Ela não queria ouvir aquela moça pedir por Charles. Tudo que queria era seu filho de volta.

— Acredita que ele seja capaz disso? — A jovem precisava saber. Queria saber se Marielle acreditava nele. Mas Marielle tinha medo do que a outra publicaria em seu jornal.

— Claro que acredito que ele é capaz disso. Simplesmente não há outra resposta. E ele ameaçou fazer isso.

Ela finalmente estava convencida, mesmo se aquela jovem não estivesse. Depois de todos esses anos, seu coração finalmente se fechara para Charles Delauney.

— Ele estava bêbado.

Era óbvio que ela tinha falado com ele, e Marielle irritou-se com aquela insistência. A jornalista era inteligente, forte e incrivelmente determinada. Usava os cabelos curtos e um conjunto barato, azul-escuro, e um chapéu ridículo, com uma flor vermelha; mas a seu modo estranho e petulante, ela era bonitinha.

— Bebedeira não é desculpa. Sinto muito...

Marielle encaminhou-se para a porta, mas Bea Ritter não se moveu.

— Sra. Patterson, ele a ama...

Essas palavras fizeram Marielle estacar e voltar-se para encará-la, cheia de raiva.

— Ele lhe disse isso?

— É uma coisa óbvia.

— Para mim não é óbvia há muitos anos, e eu não quero ouvir.

Ela estava afinal com muita raiva dele, e mortalmente ferida pelo que ele fizera. Mas Bea Ritter recusava-se a compartilhar da opinião de Marielle.

— Ele é inocente.

Ela estava tão decidida, tão segura, que quase balançou Marielle, mas esta não queria envolver-se novamente com Charles. Ele levara seu filhinho.

— Como ousa dizer que ele é inocente! Se é, então onde está meu filho?

— Ele jura que não sabe. — Os olhos dela não se desgrudavam do rosto de Marielle. — Se Charles soubesse, ele nos diria.

— Você nem o conhece!

Mas ela o conhecia melhor do que Marielle pensava. Passara horas com ele na prisão, depois de subornar dois policiais. A princípio era apenas um trabalho, uma entrevista, mas por uma razão qualquer ela acreditara nele. Tinha certeza de que ele estava falando a verdade, e prometera a si mesma fazer todo o possível para ajudá-lo. Na verdade, ela fora procurar Tom Armour, a pedido dele, e implorou que o advogado defendesse Charles. Os dois se conheciam de anos antes, mas até então Armour ignorara as cartas e os telefonemas de Charles. Foi Bea quem mudou a situação, quem implorou por Charles, quem convenceu o jovem criminalista de que Charles era mesmo inocente, apesar das evidências contra ele. E lembrou a Tom que, se ele não aceitasse o caso, e Charles perdesse, este seria condenado à morte... Um homem inocente. Ela insistiu que Tom poderia fazer toda a diferença. Graças a Bea Ritter, Tom Armour finalmente concordara em defendê-lo.

— Vai me ajudar? — Seus olhos imploravam. Marielle, assim como Tom Armour, não queria ouvi-la, mas ele acabara ouvindo. Bea Ritter era incomodamente convincente.

— Encontre meu filho, e eu acreditarei em você — Marielle respondeu em tom frio.

— Vou tentar. — Bea pôs-se de pé finalmente. — Posso telefonar se surgir alguma coisa?

Marielle hesitou, depois permitiu, a contragosto.

— Obrigada — fez Bea, que ficou por um instante olhando para Marielle, como se pensasse em tudo que ouvira sobre ela, e depois tornou a agradecer e saiu, enquanto a outra a observava.

Marielle ainda estava sentada à escrivaninha, infeliz, pensando na jovem jornalista, quando John Taylor chegou com o promotor federal. Este era um homem alto e magro, de aparência um tanto assustadora, que parecia absolutamente convencido de que Charles Delauney tinha seqüestrado o menino; mais ainda, tinha certeza de que Charles o matara. Marielle fez uma careta ao ouvir essas palavras; John Taylor sofria ao observá-la. Era um contraste total com o pedido de ajuda de Bea Ritter.

O promotor federal disse a ela que tinham marcado o julgamento para março, e explicou que esperavam um veredicto de culpado, acrescentando que desejavam toda a cooperação possível da parte dela e do marido.

— O que significa isso, Sr. Palmer?

— Significa que espero que a senhora compareça ao julgamento, sente-se lá e comova o júri. Queremos que eles saibam o que significa para a senhora perder o seu filho, para que eles condenem o Sr. Delauney. E se tivermos sorte e conseguirmos provar ou até mesmo insinuar que ele atravessou uma fronteira estadual com o garoto, conseguiremos a pena de morte, Sra. Patterson, nada menos que isso!

O modo como ele falava provocou-lhe arrepios. Ele também lhe fazia sentir que ia tentar condenar Charles através das emoções que aquele caso despertava, mais do que das provas. E desagradava-lhe ser colocada "em exibição" durante o julgamento. Taylor tampouco gostava disso, mas compreendia. William Palmer era um promotor altamente respeitado, mas não era um grande ser humano.

— É lógico que se até então encontrarmos seu filho, gostaríamos de vê-lo no tribunal também, pelo menos por pouco tempo.

Marielle ficou pensando que teria adorado que encontrassem seu filho para que ele pudesse ir ao tribunal.

— Mais alguma coisa? — perguntou ela.

Estava sendo ríspida com ele porque o que ele estava dizendo era horrível, mas ele pareceu não entender. Levantou-se, preparado para partir.

— A senhora será informada. — Ele ajeitou os óculos e a encarou, como se avaliasse se ela seria uma boa testemunha; depois pegou sua pasta. — Gostaria de conversar com o seu marido quando ele voltar de Washington. Por favor, avise a ele.

— Vou avisar.

Ele saiu e Taylor ficou, e ela suspirou enquanto se sentavam no sofá. Tinha sido um mês sem fim, uma época terrível, e ainda não tinham idéia do que acontecera a Teddy: nenhum telefonema, nenhum indício, apenas algumas poucas pistas falsas e um punhado de notícias desencontradas, vindas desde New Hampshire até New Jersey.

— Ele é bonzinho...

Ela se referia ao promotor federal, e Taylor riu enquanto acendia um cigarro e a observava. Entre outras coisas, ela tinha espírito esportivo, quando a vida não estava tentando esmagá-la.

— Ele é melhor no tribunal do que na sala de visitas.

— Sorte dele. — Ela olhou interrogativamente para John. De um modo estranho, eles tinham se tornado amigos. Às vezes ela achava que ele era o seu único aliado. — Imagino que o julgamento vai ser horrível...

— Vai ser duro. E vão aparecer coisas de que a senhora não vai gostar. Pelo menos a defesa vai fazer isso. Talvez sua estada no hospital, ou coisa assim. Eles vão ter que fazer o possível para desacreditá-la.

— Por quê? Não estou acusando Charles. — Embora na maior parte do tempo ela agora acreditasse que ele era culpado. Só de vez em quando ela tinha dúvidas sobre a culpa de Charles. Então contou a ele sobre Bea Ritter.

— Fique fora disso. Vai apenas magoar-se. Tudo que cair nas

garras da imprensa será distorcido e usado para apunhalá-la pelas costas.

Ela concordava. Mas e se a moça dos chapéus engraçados tivesse razão? Ela era inteligente, decidida e franca.

— Às vezes não sei o que pensar — admitiu melancolicamente. — E que diferença faz isso tudo? Teddy desapareceu. O resto não tem importância.

Os olhos dela estavam enormes e tristes. Tinha perdido três filhos em sua curta vida.

— É importante para Charles. A vida dele está em jogo. Ele vai se agarrar a qualquer palha para sobreviver.

— Quem é o advogado dele?

— Ele escolheu um ótimo. Um homem chamado Tom Armour. Jovem, inteligente, pode ser brutal no tribunal, mas se alguém consegue livrar o pescoço de Delauney, é ele.

— Não sei se fico contente ou não. Já não sei o que pensar. Malcolm diz que foi ele. E quando encontraram o ursinho... — Os olhos dela encheram-se de lágrimas, e ela pestanejou. — Mas não sei... Quando fui visitar Charles, acreditei quando ele disse que era inocente. Mas se ele é inocente, onde está Teddy?

Essa era a pergunta a que ninguém conseguia responder, e, contemplando-a, ele se sentia tão atraído por ela que mal escutava suas perguntas. Nunca sentira algo assim por alguém, nem mesmo por sua esposa, e certamente por nenhuma das mulheres com quem costumava lidar em suas investigações. Mas havia nela algo que o dominava, alguma coisa tão vulnerável e delicada que tudo que ele desejava quando estava perto dela era estender a mão e tocá-la.

— Gostaria de saber a resposta — disse ele finalmente, mas seus olhos a acariciavam.

Enquanto os dois conversavam sentados no sofá, escurecia lá fora. Era outra noite fria, e ela estava sozinha, como sempre. Malcolm estava em viagem e, apesar dos policiais em toda parte, a casa parecia estar vazia e solitária. Ele desejou poder levá-la para jantar em algum lugar onde houvesse barulho, risadas, fumaça e música. Desejava poder levá-la para longe daquilo tudo, para longe dos homens que a surravam e lhe partiam o coração, e de outros que a ignoravam. Ele sabia agora mais coisas sobre Malcolm Patterson do que desejava saber, e uma coisa da qual tinha certeza era que Marielle estava recebendo menos do que merecia, por parte de todos. E John Taylor desejava poder fazer as coisas serem diferentes.

— Gostaria de poder fazer tudo isso sumir, Marielle.

Era um comentário nada profissional, mas que a comoveu realmente.

— É muita bondade sua. Eu também... Costumava acreditar que as coisas ruins acontecem por um motivo qualquer. Não tenho certeza se ainda acredito nisso. Aconteceram coisas ruins demais comigo. — Era impossível acreditar que, através de circunstâncias inteiramente imprevisíveis e terríveis, aquela mulher perdera três filhos. — Você tem filhos? — Sabia muito pouco sobre ele, apesar de saber há um mês que gostava dele.

— Dois. Uma menina de quatorze anos e um menino de onze.

De repente ele se arrependeu de ter dito isso, mas ela parecia calma ao assentir.

— André teria onze anos... E a menininha, oito... O bebê que morreu sem nem ter respirado, e sem nome... apenas o bebê Delauney...

— Jennifer e Matthew — disse ele, para distraí-la.

— São parecidos com você? — Ela estava sorrindo, feliz por conversar com ele sobre coisas normais, e não sobre seqüestro e assassinato.

— Não sei. As pessoas dizem que sim. É difícil dizer. E você? Que é que gosta de fazer quando a vida está normal?

Ela tornou a sorrir.

— Gosto de nadar, fazer longas caminhadas, andar a cavalo... Gosto de música... Costumava pintar, mas já não faço isso há muitos anos... — Desde o sanatório, mas ela não disse isso. — Gosto de todas as coisas bobas que costumava fazer com Teddy. — No fim tudo sempre voltava a isso; era só nele que conseguia pensar. — Vimos *Branca de Neve*, no dia... no dia em que ele...

— Eu sei — disse ele baixinho.

Ele se lembrava. Ela então assentiu, sentindo-se triste. Ele colocou a mão sobre a dela, e ela encarou-o, perguntando-se por que ele se importava, por que era tão bondoso. Sentia-se grata pela sua presença. Ele sempre parecia estar presente quando era importante.

— Marielle...

Ele falou o nome dela com suavidade, e o ar parecia não se mover entre eles, e então, sem dizer coisa alguma, ele inclinou-se e beijou-a. Ela sentiu todo o seu corpo derreter-se quando ele a tomou nos braços e apertou-a contra si. Só conseguia pensar na energia dele, na excitação e na força, e na bondade. Não soube o que lhe dizer quando ele afastou-a de si e ambos pareciam surpresos, mas era óbvio, pelo rosto dela, que ela estava feliz.

— Não sei bem o que dizer agora... a não ser que você significa muito para mim... E não sei se teria sobrevivido a tudo isso sem você.

— Quero estar perto de você...

Na verdade, ele queria mais que isso, mas não sabia como dizê-lo. Afastou-se lentamente e recostou-se no sofá, espantado com o que fizera e perguntando-se por que, embora soubesse que tinha que ter feito isso. Jamais poderia dar-lhe qualquer das coisas que ela possuía. Tudo que poderia dar-lhe era a única coisa que ela não possuía havia muitos anos: amor. E de uma coisa ele tinha certeza: Malcolm Patterson não a merecia.

Ela contemplava John em silêncio, com expressão apaziguada, mais do que em muito tempo. Tomou a mão dele e beijou-a.

— Você ama a sua esposa?

Ela queria saber mais por curiosidade do que qualquer outra coisa. Queria conhecê-lo melhor. E ele não poderia deixar de ser honesto com ela; hesitou, depois confirmou.

— Ela tem muita sorte — disse Marielle.

Mas ele não queria falar sobre a esposa com ela.

— Não consigo pensar em outra pessoa senão você, desde a noite em que a conheci. Tudo que queria fazer, naquela noite, era abraçá-la.

Trocaram um olhar longo e intenso, cada um compreendendo o que o outro sentia. Não precisavam sequer de palavras; precisavam apenas um do outro. Ambos sabiam que ele podia perder seu emprego por causa do que estava fazendo... e a esposa... Mas a verdade era que ele já não se importava. Tudo que queria era ficar com ela, cuidar dela e protegê-la como ninguém tinha feito. Marielle também se sentia atraída por ele, mas não conseguia imaginar o que aconteceria. Ambos eram casados, felizes ou não, e por mais que Malcolm lhe demonstrasse raiva, ela não poderia abandoná-lo depois de perder Teddy.

— Que é que vai acontecer conosco? — perguntou baixinho.

— Que é que você quer que aconteça, Marielle? — A voz dele era profunda e suave.

— Não tenho certeza. — Ela parecia preocupada. Não queria ferir ninguém: nem John, nem a esposa dele, nem mesmo Malcolm.

John tocou nos cabelos sedosos, cor de canela. E a verdade era que ele estava pronto para deixar Debbie por ela, mas sabia que, se dissesse isso a Marielle, ela ficaria assustada e ele se sentiria culpado. Não queria fazer promessas que não poderia cumprir, no entanto desejava-a demais. Queria estar com ela, ajudá-la, abraçá-la, dar-lhe tudo que ela jamais tivera antes. Queria-a por inteiro... Sua alma... sua vida... e seu corpo...

— Você não teve muitos golpes de sorte nesta vida, minha amiga — disse, com um sorriso de lástima e mais bondade no olhar do que ela vira em toda a sua vida.

— É, acho que tem razão... Teddy foi um deles... E agora você... Talvez seja só isso que se tem... Uns poucos anos, uns poucos dias... uns poucos momentos... — Ela tivera André por dois breves anos... e Charles por três... Teddy por quatro... Talvez fosse assim mesmo... Talvez isso fosse tudo... Talvez nada existisse para sempre.

— Você não pede muito.

— Não tive muita escolha.

Ela olhou-o nos olhos e ele inclinou-se e beijou-a outra vez. Dessa vez ambos ficaram sem fôlego, e ele ficou sem saber se conseguiria controlar-se por muito tempo mais.

— Quero que você seja feliz... — sussurrou ele com emoção.

Mas ela lançou-lhe um olhar triste. Mesmo que ele tivesse lhe dado tanta alegria naqueles poucos e preciosos momentos, ela não esperava mais que isso, e queria que ele soubesse disso. Tudo que queria naquele momento era encontrar Teddy.

— Tem sido um tempo tão difícil — disse baixinho.

— Eu sei disso. — Ele tomou-lhe a mão, desejando poder resolver todos os problemas dela. Talvez com o tempo... Mas ele estremecia ao pensar no que aconteceria a ela se nunca encontrassem o menino, ou se encontrassem seu cadáver. — Você tem que ser muito forte, Marielle. — Sabia que ela era forte. — Estou aqui para ajudá-la. — Então um pensamento lhe ocorreu, pois, na verdade, ela pedira muito pouco a ele. — Por que você pede tão pouco a todos? Por que é tão decente?

Então ele compreendeu que tinha descoberto a razão por que todos a odiavam: porque ela nada esperava deles, porque ela dava sem querer coisa alguma em troca, e isso fazia com que todos se sentissem em falta. Ela era boa demais, generosa demais, pura demais, e disposta demais a suportar a dor que lhe causavam.

— Não seja tão boa, Marielle... Nem mesmo comigo... Não...

Tornou a beijá-la e dessa vez ela retribuiu ardentemente, mas finalmente afastou-se com um sorrisinho que fez o coração dele dar uma reviravolta. Com toda a sua dignidade e sua bondade, ela transpirava uma aura de paixão e o estava deixando louco.

— Se não pararmos com isso, vamos ter um problema sério – disse ela, olhando para ele.

— Não tenho certeza se não é isso que eu quero — replicou ele em voz rouca.

E ela tinha certeza de que era isso que queria. Havia três anos que não fazia amor com um homem, e os músculos sob a camisa dele pareciam imensamente atraentes, mas eles não precisavam daquele tipo de complicação nesse momento, e ambos sabiam disso.

— Quando tudo isso estiver terminado, você e eu vamos ter uma conversa séria, Sra. Patterson. Não sei o que vai acontecer. Mas sei que não vou deixá-la livre tão facilmente.

Ele jamais se sentira assim com pessoa alguma, nem mesmo sua esposa, e não estava disposto a renunciar a isso. No momento em que conhecera Marielle ele teve consciência de que sua vida estava prestes a mudar para sempre. Mas sabia também que o que lhe devia agora era encontrar seu filho, ou, se não pudesse fazer isso, pelo menos ajudá-la durante o julgamento e ver Charles Delauney condenado.

— Gostaria de comer alguma coisa antes de sair? — ela ofereceu.

Ele sacudiu a cabeça.

— Tenho que voltar para o escritório — disse com relutância, detestando ter que deixá-la. Ele raramente ia para casa antes das dez horas da noite. Porque na verdade não queria. Dissera a Marielle que amava a esposa, e amava mesmo... ou tinha amado... costumava amar... Mas a verdade era que amava mais os filhos, e que isso e a sua religião os mantinham juntos. — Vou lhe telefonar amanhã — sussurrou, perguntando-se se ela se arrependeria do que tinham feito, do que tinham dito, e se ficaria constrangida.

Mas quando ela se levantou havia contentamento em seu olhar, e ela o encarou de modo estranho.

— Sei que deveria me sentir culpada, mas não sinto. Sinto apenas paz.

Como se alguma coisa muito especial tivesse acontecido. Ele também sentia isso: uma coisa correta, uma coisa boa. Alguma coisa de que ambos precisavam e que ambos desejavam. Mas teriam algum dia permissão para isso? Ainda era cedo demais para saberem a resposta a essa pergunta.

— Boa noite, Sra. Patterson — disse ele baixinho, roçando de leve seus lábios pelos dela antes que saíssem da sala e se encontrassem sob a observação dos policiais que ainda vigiavam a casa dia e noite. — Boa noite, Marielle... — sussurrou.

Ela sorria ao acompanhá-lo até a porta, e minutos depois subiu em silêncio para seu quarto. Era a primeira vez que sorria em um mês. Era maravilhoso sentir-se novamente amada e desejada, mesmo que só por um instante.

9

Bill Palmer, o promotor federal, tornou-se um freqüente visitante da casa enquanto preparava sua acusação, e passava longo tempo fechado com Malcolm. Conversou com vários membros da criadagem, e com os ex-empregados Edith e Patrick. E finalmente, no início de março, tornou a conversar com Marielle, dessa vez a sós, sem John Taylor ou o marido.

— Quero que vá ao banco das testemunhas com a certeza de ter bem claro na mente o que a senhora acredita que aconteceu. Está me entendendo?

Ela entendia, sim. Ele era uma daquelas pessoas que falavam em tom deliberado, e nada tinha de simpático. Os cabelos eram alisados com gomalina, e o rosto era pálido. Tinha provavelmente a idade de John Taylor — quarenta e poucos anos. Gostava de ternos listrados e gravatas escuras, usava óculos de lentes de chifre e era evidente que ele estava extremamente impressionado com Malcolm.

— Estou, sim — disse ela em voz baixa.

Mas havia muito pouco a contar. Naquela noite ela ouvira um ruído, tarde, e à meia-noite subira para ver Teddy, apenas para beijá-lo, ela explicou pela centésima vez, mas o promotor não pareceu comover-se com o seu relato. Ele só estava interessado em condenar Delauney. Odiava os homens como Charles, em sua opinião um socialista escondido nas roupagens de homem rico, um *playboy* mimado que achava que podia fazer tudo que quisesse.

— Encontrei Betty, e a Srta. Griffin, amarradas e amordaçadas, a Srta. Griffin com a cabeça enfiada numa fronha, e ela tinha sido cloroformizada. E Teddy tinha desaparecido... Foi só isso, na verdade... Ele tinha desaparecido.

E desde então não surgira coisa alguma, à exceção do alarme falso do resgate deixado na Estação Grand Central. Ninguém foi recolher o dinheiro, e nunca mais telefonaram, o que convenceu a polícia e o FBI de que o telefonema tinha sido um trote idiota.

— E o pijama encontrado na casa de Delauney era de seu filho?

Ela se sentia como se já estivesse no banco de testemunhas, enquanto ele andava de um lado para outro e a observava.

— Creio que sim — disse, em voz baixa.

— Não tem certeza — fez ele, estacando e encarando-a, como se estivesse furioso.

— Tenho certeza, sim, mas...

— Mas o quê, Sra. Patterson?

Malcolm lhe avisara que ela nunca tinha certeza, jamais teria suficiente coragem para lutar por si mesma ou ter as próprias convicções.

— Não sei como foi parar lá.

Malcolm dissera, injustamente, que não se podia confiar nas emoções dela.

— Delauney deixou-o lá, é claro. De que outro modo o pijama poderia ter ido parar lá, e o ursinho do garoto? Não acredita que Charles Delauney seqüestrou seu filho?

Houve uma longa pausa, enquanto ela tornava a pensar sobre isso. Fizera a si própria essa mesma pergunta mil vezes nos últimos dois meses e meio, e achava que sim, por causa das provas, mas às vezes não tinha certeza, quando se permitia pensar em Charles como uma pessoa. E todos diziam que ele ainda insistia em ser inocente. Mas as provas... as provas... O pijama... O ursinho...

— Acredito, sim. — Ela parecia sofrer ao dizer isso.

— Mas não tem certeza? — Ele pronunciava cada palavra

como se elas o ferissem. — Há alguma outra pessoa que a senhora acha que poderia ter seqüestrado o seu filho?

Ela sacudiu a cabeça. Tinha a sensação de estar encolhendo enquanto escutava.

— Não sei. Acho que ninguém sabe, senão o teríamos encontrado.

William Palmer pareceu chocado.

— Não quer justiça, Sra. Patterson? Não quer ver castigado o homem que levou seu filho? É o que o seu marido quer. Não é o que a senhora quer?

Ele falava como se fosse impatriótico da parte dela não querer ver Charles executado. Mas na verdade aquilo não era mesmo o que ela queria.

— Só quero que o meu filho volte para casa.

— Aceita a possibilidade de que ele o tenha matado?

Ela fechou os olhos ao admitir, depois tornou a abri-los, perguntando-se como sobreviveria ao julgamento. Os últimos dois meses e meio tinham sido um pesadelo. Os jornalistas os tocaiavam dia e noite, e quase todos os dias havia fotos deles, ou de Teddy, ou de Charles, nas primeiras páginas. Ela já não podia sequer escutar o rádio sem ouvir histórias sobre ela própria, ou Charles, ou Malcolm, a maioria mentirosas, e muitas delas cheias de escândalos imaginários. Ela era vista dançando em toda parte, Malcolm estava se divorciando dela, Charles tinha fugido, Teddy tinha sido visto. Era infindável e totalmente falso, e terrível. E William Palmer era parte do pesadelo.

— A senhora compreende que esse homem pode ter matado o seu filho, no entanto não tem certeza de que ele é o culpado. Correto?

— Sim! — explodiu ela finalmente. — Sim, é isso mesmo. Não... — tornou a mudar de idéia. — Acho que foi ele.

Palmer parecia muito contrafeito quando ela se voltou, ergueu-se e atravessou a sala, lutando com os próprios sentimentos.

— Não tenho certeza absoluta de que Charles Delauney seqüestrou e possivelmente até matou meu filho. Mas creio que é possível, por causa do pijama e do ursinho.

Ele deu um sorriso contrafeito.

— Este é o meu trabalho, não é? Por que não tem um pouco de confiança em mim, Sra. Patterson, e se deixa convencer? Seu marido acredita que o Sr. Delauney é culpado, sabe disso.

Estava tentando tranqüilizá-la. Mas ela já sabia o que Malcolm pensava, e por quê. Ele também achava que a culpa era dela, e isso também não era verdade...

— Ele não o conhece tão bem quanto eu.

— Creio que não. Mas o Sr. Delauney surrou-a quando a senhora estava grávida, não foi?

Durante um longo momento ela não respondeu; ficou olhando para o jardim e desejando que seu filho estivesse ali.

— Mais ou menos. Não tenho certeza se a palavra é esta. Ele me bateu... Mas estava fora de si, de dor...

— E com isso não matou também o filho que a senhora estava esperando?

— Não sei. Mas não é por isso que ele está sendo julgado.

— Não, mas por ter talvez matado o seu filho. E, se pôde fazer uma vez, é possível que fizesse de novo.

— Isto é ridículo. Os dois casos são inteiramente diferentes.

— Está defendendo Charles Delauney, Sra. Patterson? Vai defendê-lo no julgamento?

Era isso que ele queria saber. Queria saber onde estava pisando antes que ela estragasse a sua acusação, e estava bastante preocupado.

— Este não é o meu trabalho, Sr. Palmer. Não estou aqui para defender ninguém. Só me preocupo com meu filho.

— E eu me preocupo com a justiça.

— Então a justiça será feita.

Ela olhou para ele com convicção. Quando a deixou, ele se sentia bastante infeliz. Patterson tinha razão, ela era imprevisível, emocional, não era de confiança. Ele estava começando a achar que afinal o motorista tinha razão. Talvez ela ainda estivesse apaixonada por Charles Delauney. Talvez estivessem tendo um caso. Talvez houvesse mais coisas por baixo do pano. Mas seus investigadores nada tinham conseguido encontrar contra ela. A pior coisa que se podia dizer era que gastava demais com roupas, mas Patterson parecia não se importar com isso.

Quando Palmer partiu, naquela tarde, John Taylor chegou logo depois. Visitá-la tornara-se parte de sua rotina diária. Gostava de conversar com ela, ou às vezes ficavam apenas sentados em silêncio, tomando uma xícara de café. Ele gostava de ficar ali, perto dela. Às vezes passava horas na casa, fingindo verificar o trabalho de seus homens, só para poder estar por ali quando ela descesse. Era como ser criança de novo: eles sorriam um para o outro, ou trocavam um olhar, ou ela lhe levava um sanduíche e ele estendia a mão depressa para tocar nela. Adorava o perfume dela e a maciez de sua pele, e, se tivesse muita sorte, se não houvesse alguém por perto, podia até ter a chance de beijá-la. Estava morto de vontade de sair com ela, darem longos passeios na primavera, ou levá-la ao cinema e comerem pipoca. Mas não podiam ir a parte alguma; no momento em que ela abrisse a porta da rua, seria transformada em carne fresca para os tubarões. Tinham que ficar dentro de casa, escondendo-se, e conversar. Ele ficava intrigado por ver Malcolm tão poucas vezes quando ia lá. O homem nunca estava em casa, mas isso era ótimo para John Taylor.

— Como vão as coisas? — cochichou ele, enquanto despia o sobretudo. Vira Bill Palmer partir num táxi. — Palmer está tratando bem você?

— Acho que ele está decepcionado porque não quero ver Charles eletrocutado. Ou pelo menos não estou entusiasmada com isso.

— Também me preocupo com isso — disse John, tocando em seu braço enquanto se encaminhavam para a biblioteca. — Que é que posso dizer para convencê-la?

— Mostre-me uma prova... Mostre-me o meu filho...

— Gostaria de poder fazer isso. Mas está realmente convencida de que ele é inocente?

— Não — ela admitiu. — O problema é que também não estou mil por cento convencida de que ele é culpado. — Ela às vezes sofria agonias por causa disso, e ficava feliz por não fazer parte do júri.

— Depois que achamos o pijama, o caso está encerrado, e você sabe disso.

Mas ele sabia também que ela não queria acreditar que seu filho estava morto, e não encontrá-lo sugeria isso, como todos sabiam. Talvez negar a culpa de Charles significasse acreditar que Teddy ainda estava vivo. Talvez ela não tivesse condições de acreditar na verdade. E John perguntava-se às vezes se algum dia o encontrariam. Ele detestara encontrar o filho de Lindbergh, detestara contar-lhes, detestara o que aquilo fizera a eles. Ele próprio tendo filhos, era terrível até pensar nisso. E talvez Marielle tivesse agora que enfrentar isso também. Tudo que ele poderia esperar é que a morte tivesse sido rápida e indolor.

— O julgamento vai ser horrível, não vai, John? — perguntou ela, enquanto tomavam o café que Haverford lhes levara.

Até mesmo o velho mordomo criara afeto por ele. Ele era bom para Marielle, e era reconfortante tê-lo por perto. Sua presença na casa fazia com que todos se sentissem mais seguros. E apenas um par de policiais suspeitava que seu interesse por Marielle era algo mais que o trabalho. Mas eram suficientemente espertos para manterem a boca fechada. Até então o segredo deles estava seguro, mas os sentimentos pareciam crescer. Ainda estavam tentando viver um dia de cada vez, concentrando-se em Teddy e no julgamento, mas ambos sabiam que chegaria o momento em que teriam que enfrentar um ao outro e o seu futuro. Mas por enquanto nenhum dos dois tomara qualquer decisão. Em vez disso, continuavam a focalizar sua atenção no julgamento que tinham pela frente.

— Para ser honesto, acho que vai ser duro. Acho que vão desenterrar muitas histórias que poderiam ser bastante dolorosas — disse John em voz baixa.

— Mal posso esperar... — fez ela.

Marielle sabia o que ele estava querendo dizer, e sabia também que Malcolm tratava-a como criminosa desde a prisão de Charles Delauney. Era como se ele acreditasse que ela estava mancomunada com ele, ou que, de alguma forma, o tivesse provocado a ponto de levá-lo a isso. Era impossível aproximar-se dele outra vez, ou tentar alcançá-lo; ele a tinha deixado à deriva num mar de solidão e terror.

— Ouviu mais alguma notícia de Bea Ritter?

Tratava-se da corajosa ruiva que tomara a si a causa de Charles e estava deixando todos loucos. Montara uma campanha na imprensa para defendê-lo. Telefonava para John Taylor quase todos os dias, e para o advogado dele, os investigadores, o promotor federal. Marielle sabia que Bea lhe telefonara várias vezes, mas ela não mais atendia. Nada tinha a dizer-lhe, e falar com ela deixava-a nervosa.

— Acho que ela ligou ontem. — E então, de repente, olhou para John e sorriu. — Será que ela está apaixonada por ele?

Era na verdade uma garota muito bonita, e tinha mais ou menos a idade de Marielle, mas tinha energia suficiente para dez homens, e John achava-a cansativa.

— Também já me perguntei sobre isso, para falar a verdade. Mas, sabe, há muitas desmioladas que ficam malucas por caras como ele, acusados de algum crime realmente muito feio; elas ficam obcecadas em provar a inocência do acusado. Ela pode ser uma dessas, ou então apenas uma repórter abelhuda.

— Ela parece gostar mesmo dele. Sempre que conversamos, ela pareceu decidida a me convencer.

— Eu sei. — John sacudiu a cabeça. — Isso é muito bom para ele. Ele vai precisar de toda ajuda que conseguir, e um pouco de apoio da imprensa não vai ser ruim. Espero que não seja ruim também para nós, Marielle. — Olhou-a gravemente enquanto se levantava. — Tome cuidado para não cooperar sem querer com a defesa. Não importa o que você acredita ou não acredita, não queira ajudá-los.

Ela teve vontade de perguntar por que, mas já sabia a resposta. O que queriam era a verdade sobre o que acontecera a Teddy.

Ele partiu logo em seguida, e ela se viu novamente sozinha. Voltou para o quarto de Teddy, para tocar nas coisas dele, dobrar de novo algumas de suas roupas e arrumar de outro modo os ursinhos. Não conseguia ficar longe do quarto dele. Mas o pobre Malcolm já não suportava sequer entrar lá.

Foi no dia seguinte que Tom Armour, o advogado de defesa, chegou, pouco depois do meio-dia. Ele telefonara de manhã pedindo para vê-la. Ela então ligara para John e perguntara se seria conveniente concordar, e ele lhe dissera com franqueza que achava insensato, mas não era ilegal. Ela, porém, estava curiosa a respeito do advogado e queria ter uma idéia do que teria que enfrentar no tribunal.

Malcolm tinha ido a Boston por alguns dias, portanto ela estava sozinha quando conversou com ele. Usava um vestido preto — parecia ser a única cor que ela usava ultimamente, como se já estivesse usando uma espécie de luto. Ele usava um terno azul-escuro, e os cabelos louros pareciam ter sido ainda mais claros em sua infância; tinha olhos castanhos que a princípio pareciam delicados. Mas o tom que usou ao falar com ela não era delicado; era educado e firme, e ele não fazia rodeios. E seus olhos pareciam perfurar os dela, procurando respostas.

Haverford levou-o à biblioteca, e, depois das gentilezas convencionais, ele olhou-a nos olhos e fez uma pergunta muito objetiva.

— Gostaria de ter alguma idéia, antes do julgamento, do que a senhora vai dizer sobre o meu cliente.

A princípio ele não queria aceitar o caso, pois julgava que Charles era um menino mimado. Mas passara a gostar dele, e agora, que aceitara o cliente, toda a sua lealdade era de Charles Delauney.

— Que é que quer dizer exatamente, Sr. Armour? — perguntou ela.

Sabia, pelos jornais, que ele estudara em Harvard, tinha quase quarenta anos e era o sócio mais moço de uma firma muito importante. Charles contratara o melhor, e tinha todo direito a isso. Mas havia em Tom Armour qualquer coisa de tranqüilo e convincente que transcendia a sua reputação. Ele era bonitão, mas isso não era algo que Marielle fosse notar. Ela ficou mais impressionada pela inteligência no rosto dele e pelo seu ar de determinação.

— O Sr. Delauney deu-me uma idéia do que aconteceu... há muitos anos. Acho que nós dois sabemos do que estou falando. — Ele se referia à morte de André, e ela apreciou o fato de ele não dizer diretamente. — Ele admite que se comportou abominavelmente, e que sua conduta poderia agora ser mal interpretada. A senhora é a única pessoa que pode testemunhar sobre o que ele fez exatamente, e por quê. Como a senhora vê isso?

— Acho que ele ficou louco de dor. Eu também. Nós dois fizemos coisas estúpidas. Foi há muito tempo.

Ela parecia triste ao pensar naquilo, e ele a observava. Era uma mulher bonita, mas tinha os olhos mais tristes que ele já vira, e ela o intrigava. Desde o início ele achara evidente que Charles Delauney ainda a amava, e perguntava-se até que ponto seu sentimento era correspondido, mas Delauney insistira ardentemente que não houvera envolvimento algum antes do seqüestro do menino. Na realidade, ela se recusara a vê-lo, por causa de Malcolm. Tom Armour ficara um pouco impressionado com isso, mas seria preciso muito mais para impressioná-lo de verdade.

— Acha que meu cliente é um homem perigoso?

Tratava-se de uma pergunta complicada, e ela pensou durante longo tempo.

— Não. Acho que ele é bobo. Impetuoso. Às vezes até estúpido. — Sorriu, mas Tom Armour não retribuiu o sorriso. — Mas não creio que seja perigoso.

— Acha que ele seqüestrou o seu filho?

Ela hesitou durante muito tempo, tentando ser honesta.

— Não sei — disse finalmente.

Olhou-o dentro dos olhos e gostou do que viu. Parecia um homem honesto, alguém em quem se podia confiar. Sabia que teria gostado dele se o conhecesse em outras circunstâncias. E achou que Charles tinha muita sorte de tê-lo como advogado.

— Não sei — repetiu. — Acho que sim. A prova estava lá. Mas

quando penso nele, como ele era... como o conheci... Não vejo como ele poderia ter feito isso.

— Acha que, se ele levou seu filho, iria fazer-lhe mal?

— Não sei... — Ela pensou um pouco, depois tornou a olhar para ele. — Não consigo me permitir acreditar nisso

Se acreditasse, isso a destruiria.

— Por que, em sua opinião, ele teria levado o menino? Por vingança pelo filho que perderam? Por ódio da senhora por não querer encontrar-se com ele? Por que ele ainda a ama?

— Não tenho certeza. — Ela própria desejava ter essas respostas.

— Acha que alguém poderia estar tentando incriminá-lo?

Era no que Charles insistia desde o início. E Tom Armour finalmente passara a acreditar nisso.

— Possivelmente. Mas quem? E como ele poderia estar com as coisas de Teddy se não tivesse Teddy também?

A defesa também pensara nisso, e havia perguntas difíceis a responder, a não ser que as pessoas que tinham levado a criança tivessem incriminado Charles, mas isso era hipotético. E como o conheciam? Era o ponto mais fraco da defesa. Mas o mais forte era que a própria mãe da criança não estava inteiramente convencida de que Charles Delauney pudesse fazer isso. Armour tinha a sensação de que ela podia ser convencida de qualquer das duas coisas, o que era perigoso para Charles.

Ele fez mais algumas perguntas, tomou algumas notas e agradeceu, enquanto fechava a pasta. Quando ela se levantou, olhou para ele e decidiu que tinha que ser franca.

— Hoje disseram-me que eu não deveria conversar com o senhor. Que isso seria insensato, mas não ilegal — disse, citando John e sabendo que tanto Malcolm quanto o promotor federal teriam ficado lívidos.

— Então por que o fez? — ele quis saber.

Sentia-se fascinado por aquela mulher — não por sua aparência, mas por seu jeito quieto, sua paz interior. Ela não parecia ser uma mulher que alguma vez tivesse estado num sanatório mental ou sofrido um colapso nervoso. Talvez tivesse apenas desistido e resolvido morrer, como Charles explicara. Mas agora estava de volta à vida definitivamente, e sob aquela superfície fria havia muito fogo, e um cérebro aguçado. Ele gostara de conversar com ela.

— Sr. Armour, tudo que quero é a verdade. É isso que eu quero. Mais até do que justiça. Se Teddy está morto, quero ficar sabendo disso... E, sim, quero saber quem o matou, e por quê... Mas se ele está vivo, eu quero que o encontrem... Só quero saber onde ele está, para que ele possa voltar para casa.

Tom Armour concordou. Ele compreendia. E por motivos pessoais também queria isso.

— Espero que possamos descobrir, Sra. Patterson... Por ele, tanto quanto pela senhora... e pelo Sr. Delauney

— Obrigada.

Haverford acompanhou-o até a porta, e Marielle ficou a observá-lo descer a escada. Ele parecia um homem que controlava tudo aquilo que tocava. E ela teve inveja de sua autoconfiança. Mas sentia algo mais, sob o ar confiante. Algo cálido, forte e muito carinhoso. E ela voltou para a biblioteca pensando, novamente, na sorte de Charles em tê-lo como advogado.

10

O julgamento teve início num dia escuro e nublado de março, com uma chuva gélida e um vento cortante que penetrava até os ossos. Os jurados, o público e a imprensa enchiam o recinto. Naquela mesma semana, Hitler invadira Praga e anunciara ao mundo que a Tchecoslováquia agora era sua, mas ninguém, nem mesmo Malcolm, estava mais preocupado do que de costume com as notícias mundiais; todos só conseguiam pensar em *Os Estados Unidos* versus *Charles Delauney*.

O julgamento teria lugar no Tribunal Distrital Federal, e exatamente à uma hora da tarde Malcolm e Marielle chegaram na limusine Pierce-Arrow, levados por dois policiais e acompanhados por quatro agentes do FBI, entre eles John Taylor.

Ele se sentia feliz em poder estar ali para ajudar Marielle. Ela sentia a sua presença perto de si, e isso lhe dava coragem. Malcolm não lhe dirigira uma única palavra desde que deixaram a casa. Suas acusações silenciosas nos últimos meses estavam começando a desgastá-la. Ela tinha a fisionomia cinzenta como o seu vestido. Saltaram do carro, e Malcolm ajudou-a em silêncio a subir os degraus do tribunal. Ela usava um casaco cinza-claro e um chapéu combinando, e o vento quase o derrubou, justamente quando a imprensa caiu sobre eles como uma onda, e os homens do FBI tiveram que lutar para abrir caminho. Quando entraram no recinto do tribunal, Marielle teve de novo a consciência de como aquilo tudo ia ser doloroso e inútil. No final do julgamento eles não devolveriam Teddy; para que servia então? Teddy estava desaparecido, e, depois de três meses, as esperanças de que ele voltasse com vida estavam quase apagadas. O julgamento seria apenas um exercício de acusação.

Os Patterson ocuparam seus lugares na primeira fila, atrás do promotor federal. John Taylor sentou-se ao lado de Marielle e um de seus assistentes sentou-se junto a Malcolm. Havia mais dois agentes do FBI logo atrás deles, e dois policiais fardados a cada lado e logo à frente, de modo que eles estavam muito bem protegidos. Brigitte, que já estava esperando por eles no tribunal, enviou a Marielle um olhar carinhoso e cumprimentou Malcolm com um gesto de cabeça. Momentos depois, o meirinho apareceu e ordenou que todos se levantassem. O juiz entrou, com suas vestes negras, e percorreu o recinto com o olhar. Era um homem alto, de feições severas e cabeleira branca, não muito diferente da de Malcolm. Aliás, os dois eram conhecidos; o juiz tinha a reputação de ser rígido, e Malcolm não fizera objeções quanto à sua escolha.

O juiz Abraham Morrison sentou-se e tornou a olhar em volta, com expressão feroz. O silêncio prolongou-se, e as pessoas começaram a mexer-se nas cadeiras, sob sua observação — principalmente os jornalistas, depois os jurados, os Patterson, o réu e os advogados.

— Meu nome é Abraham Morrison. — Suas palavras ecoaram com sonoridade. — E não vou tolerar bagunça neste tribunal. Quem não se comportar vai ser expulso tão depressa que vai ficar tonto. Qualquer desrespeito ao tribunal será punido com a prisão. O jornalista que se exceder terá sua entrada proibida neste tribunal indefinidamente. Qualquer tentativa de coagir, influenciar ou até mesmo conversar com um jurado será sujeita a um processo. Todos neste recinto entenderam bem isso? — Algumas pessoas assentiram, e ouviu-se um murmúrio. — Estamos aqui por uma questão muito séria. Um crime punido com a morte. A vida de um homem está em jogo, e a vida de uma criança pode ter sido tirada. Não são coisas que considero sem importância. — Então olhou diretamente para a parte da imprensa. — E se vocês incomodarem qualquer pessoa aqui dentro, sejam jurados, o réu, ou as testemunhas — lançou aos Patterson um olhar significativo —, serão jogados por aquela porta afora. Estão todos entendendo quais são as regras aqui? — Houve um longo silêncio; todos estavam intimidados. — Estão? — trovejou novamente, e houve um coro de "Sim, senhor". — Ótimo. Então talvez possamos começar. Não vou tolerar que transformem meu tribunal num circo. Vamos deixar isso bem claro desde o início.

As pessoas novamente concordaram; o juiz colocou os óculos e examinou cuidadosamente alguns documentos. Marielle então olhou para o lugar do réu e viu que Charles estava mais magro e mais pálido, e suas têmporas pareciam mais grisalhas do que na última vez em que o vira. Ele estava usando um terno azul-escuro, camisa branca e gravata escura, e parecia mais respeitável do que muita gente no recinto, mas essa não era a questão. Tom Armour também parecia extremamente sério, num terno listrado e colete. E parecia mais jovem do que quando ela o conhecera, em sua casa. Ela nunca contara a Malcolm sobre o encontro.

O juiz Morrison tornou a percorrer o recinto com o olhar.

— Acho que todos sabemos por que estamos aqui hoje. Este é um caso de seqüestro. O seqüestro de Theodore Whitman Patterson, um menino de quatro anos. Os pais dele estão aqui hoje.

Fez um gesto vago na direção de Marielle e Malcolm, e ela sentiu o coração bater com força. Era difícil acreditar que, depois de três meses de assédio constante dos jornalistas, houvesse alguém que não soubesse quem eles eram, mas parecia que o juiz Morrison queria apresentá-los. Ele exigia muito decoro e respeito no tribunal, mas gostava também de um toque pessoal. Prosseguiu:

— O réu é um homem chamado Charles Delauney. E a hipótese, senhoras e senhores, que são jurados em potencial, é que o Sr. Delauney é inocente até que se prove sua culpa. O ônus da prova é da promotoria. O promotor, Sr. William Palmer — fez um gesto em direção ao citado — precisa convencê-los, sem que reste qualquer dúvida, de que o Sr. Delauney é culpado. Então será responsabilidade do Sr. Armour — indicou Tom — convencê-los de que ele não é culpado. Se o Sr. Palmer não fizer uma acusação convincente, se vocês não estiverem convencidos, se não acreditam sem qualquer dúvida que o Sr. Delauney seqüestrou aquela criança, então devem absolvê-lo. Devem prestar atenção cuidadosamente e levar a sério a sua responsabilidade. E vou logo avisando que vou colocar o júri em isolamento. Vocês serão hospedados num hotel à custa do governo durante este julgamento. E não poderão falar com qualquer pessoa a não ser os outros jurados. Não poderão telefonar para seus filhos, conversar com seus maridos, visitar um amigo ou ir ao cinema. Terão que ficar com os outros jurados no hotel até terem cumprido o seu dever, sem preconceito ou distração. Os jornalistas vão dificultar isso para vocês; os jornais e o rádio são muito tentadores, e confundem muito. Mas vocês precisam manter-se longe disso até tudo terminar. E se para algum de vocês esse isolamento representar um problema sério, por questões de saúde ou de responsabilidade familiar, é favor declarar isso quando seu nome for chamado. Vamos precisar de doze jurados e dois suplentes. Senhoras e senhores, muito obrigado pela sua ajuda.

Ele então voltou-se para o meirinho e mandou-o chamar os nomes dos jurados em potencial.

A primeira mulher estava tão assustada que quase tropeçou a caminho de seu lugar, e Marielle, ao observá-la, viu que ela tremia.

O segundo jurado também era mulher, uma senhora negra que de tão idosa e entrevada, teve dificuldades de chegar até o seu lugar. Depois foram dois homens, ambos de meia-idade, e um homem de uns quarenta anos a quem faltava uma perna, uma jovem chinesa com os cabelos presos em tranças inacreditavelmente longas, um jovem negro de bela aparência, duas mocinhas bonitinhas e uma mulher de meia-idade que encarava Malcolm e Marielle sem cessar mais dois homens e, como suplentes, duas mulheres de aparência comum.

Assim que todos se sentaram, o juiz Morrison apresentou o promotor do Governo dos Estados Unidos, William Palmer. Este levantou-se, olhou em volta e depois voltou-se novamente para sorrir para os membros do júri.

— Olá. Meu nome é William Palmer. Sou o promotor do Governo dos Estados Unidos neste processo, e estou aqui para representar o Povo. Vou representar *vocês* neste processo, e preciso de sua ajuda para condenar este homem — fez um gesto em direção a Charles —, que acreditamos ter seqüestrado um menino de quatro anos, Teddy Patterson, doze dias antes do Natal. — Como se a data tornasse tudo pior, e na realidade mesmo, para os pais. — Se algum de vocês conhece este homem, ou a mim, ou o advogado da defesa, Sr. Armour, ou o juiz, ou qualquer pessoa ligada a nós, deve declarar isso agora, para não prejudicar o processo, e será dispensado. Basta declarar o fato ao juiz quando ele o chamar para perguntar seu nome e ocupação.

Sentou-se abruptamente, e Tom Armour levantou-se e apresentou-se, e Marielle viu de imediato que ele tinha muito mais jeito para conquistar a simpatia do júri. Não se dirigiu a eles com ar superior, como Bill Palmer tinha feito, e seus modos eram suaves, e não ásperos como os do promotor federal. Ele explicou que o caso contra o Sr. Delauney era puramente circunstancial, e havia dois objetos que ligavam seu cliente ao caso, mas não havia prova alguma de que ele tivesse realmente seqüestrado a criança ou tivesse tido alguma coisa a ver com aquilo. Marielle viu que vários jurados concordavam enquanto ele falava. Ele tornou a sentar-se, depois de agradecer-lhes a ajuda, com um sorriso que fez as duas mocinhas soltarem risinhos; o juiz olhou para elas, franziu o sobrolho e rugiu:

— Gostaria de lembrar, senhoras, que isto não é um acontecimento social, tampouco um assunto divertido. — Olhou para os outros jurados. — Agora, alguém aqui tem problemas de saúde que possa incapacitá-lo para o isolamento?

A senhora negra ergueu a mão, e Morrison contemplou-a com um sorriso carinhoso.

— Sim? Seu nome, por favor, senhora?

— Ruby Freeman.

— Sim, Sra. Freeman?

— São as minhas pernas. Tenho muita artrite. Me doem o tempo todo — explicou ela, olhando-o com melancolia.

— Percebo — ele concordou, solidário.

— Certas noites não posso nem me mexer. E a minha filha... ela cuida de mim... Eu ajudo a tomar conta do neném enquanto ela trabalha. — A mulher começou a chorar. — Se eu não ficar em casa... ela não pode trabalhar... não teremos comida... O marido dela foi morto na fábrica onde trabalhava...

A saga de desespero parecia não ter fim.

— Compreendemos. Talvez sua filha pudesse encontrar outra pessoa para ajudá-la por um tempo curto. Mas, Sra. Freeman, acha que a sua dor é tanta que poderia prejudicar sua atuação no julgamento?

— Acho que sim, meritíssimo. Ninguém sabe como artrite dói, até ter também. Estou com 82 anos e tenho artrite há vinte, já quase morri por isso.

— Sinto muito ouvir isso. E a senhora está liberada. Obrigado por ter vindo aqui hoje — disse ele gentilmente.

Ninguém mais ergueu a mão, de modo que ele continuou. Mas a primeira jurada estava tão nervosa que pediu para ser liberada também. Disse que tinha pedras nos rins e que seu inglês não era tão bom, e o marido estava muito doente, precisando dela. Ela e o marido eram cidadãos americanos, mas ambos eram alemães. E antes que ela pudesse contar mais alguma coisa, o juiz Morrison liberou-a. A chinesinha de tranças não falava inglês, e também foi dispensada. As duas mocinhas riram durante quase todo o tempo, e o juiz tornou a admoestá-las. Então Bill Palmer ergueu-se e começou a interrogar os jurados, e depois dele foi a vez de Tom, e logo os jurados eram quase todos dispensados.

Os dois homens de meia-idade eram empresários, e permaneceram no júri. Ambos eram casados e tinham netos com a mesma idade de Teddy. O homem perneta disse que tinha 42 anos, perdera a perna na Grande Guerra e agora vendia seguros para a Travelers Insurance. O rapaz negro trabalhava no correio durante o dia e tocava trombone à noite no Small's Paradise; disse que por isso não tinha tempo para casar-se, e todos riram. As duas mocinhas foram dispensadas porque o juiz disse que elas não sabiam se comportar. Ambas tinham 22 anos, nenhuma delas era casada e pareciam pensar que era tudo uma brincadeira, e sua remoção serviu como advertência aos outros. A mulher de meia-idade que não parava de encarar Marielle era secretária e jamais se casara. Morava em Queens, e era impossível adivinhar se ela simpatizava ou não com Charles. Tudo que ela fazia era encarar os Patterson, e em dado momento o juiz foi obrigado a pedir-lhe que prestasse atenção no julgamento. Como resultado, no final a defesa pediu sua dispensa, assim como a dos dois homens depois dela. Ambos os lados mantiveram as duas mulheres suplentes. O que fazia oito lugares vazios, e foram precisos quatro dias para preenchê-los.

No final, formara-se um júri interessante e heterogêneo. Os dois homens de meia-idade com netos ainda permaneciam, embora Marielle tivesse achado que Tom ia querer livrar-se deles, imaginando que eles seriam simpáticos à acusação. Aquilo tinha se tornado para os advogados um fascinante jogo de adivinhação. Se o julgamento fosse sobre outra coisa qualquer, poderia até deixá-la intrigada. Tanto o veterano perneta quanto o jovem músico negro foram mantidos. E o último homem, de origem chinesa, era professor de economia na Universidade de Columbia. O resto dos jurados, assim como as duas suplentes, eram mulheres.

A mais jovem delas era mais velha que Marielle, e tinha três filhos, todos muito mais velhos que Teddy. Havia uma mulher que durante trinta anos fora freira e renunciara aos votos para poder voltar para casa e cuidar da mãe moribunda. E quando a mãe morreu ela decidiu não voltar para o convento, mas não se casou. Havia duas mulheres que eram amigas e estavam no mesmo júri por coincidência; ambas eram professoras na mesma escola, e nenhuma das duas era casada. Havia também três mulheres de aparência comum, casadas, sem filhos, que eram secretárias ou funcionárias de grandes companhias. Uma trabalhara para um advogado por um curto tempo, mas disse não ter conhecimento especial de leis, e nenhum dos advogados se opôs.

Era, para todos os propósitos, um júri de pares de Charles, um grupo de pessoas supostamente normais, decentes e justas.

Era sexta-feira, pouco antes do meio-dia, e o juiz ordenou que os jurados fossem para casa, resolvessem seus problemas e aproveitassem o último fim de semana, porque a partir da segunda-feira eles ficariam isolados. Ordenou que não lessem as notícias dos jornais sobre o caso, nem escutassem rádio durante o fim de semana.

Então o tribunal entrou em recesso até a manhã de segunda-feira, e Marielle ficou surpresa ao perceber como estava exausta simplesmente pelos cinco dias de escolha dos jurados. Parecera um processo interminável, escutando as histórias das pessoas e observando os advogados decidirem se mantinham ou dispensavam cada uma delas. Quando ela e Malcolm se levantaram, Charles estava sendo levado embora para mais um fim de semana na cadeia, e Tom Armour passou por ela sem qualquer sinal de tê-la reconhecido.

Os agentes do FBI levaram-nos para casa, e Bill Palmer veio ver Malcolm na mesma tarde. Passaram longo tempo na biblioteca, mas não convidaram Marielle, que tomou café na sala de estar com John Taylor. Ele não tinha novidade alguma a relatar, mas pelo menos era um alívio conversar com uma pessoa simpática depois daquela semana difícil. Cada vez que Marielle se afastara um centímetro da sala do tribunal, Bea Ritter saltara sobre ela e implorara para vê-la. Ela telefonou à tarde, e Marielle não atendeu; estava esgotada demais para falar com ela e escutar seus rogos em favor de Charles. E Marielle não queria ajudá-la.

— É uma grande garota — comentou Taylor. — Deve ser louca por ele.

— Algumas pessoas se sentem assim por ele. — Marielle sorriu. Não tinha segredos para aquele homem. — Já me senti assim. Mas na época eu tinha dezoito anos.

— E agora? — John Taylor pareceu preocupado, mas não com o julgamento, ao ver Marielle sorrir.

— Agora sou bem mais sabida.

Mas isso não significava que ela queria a pena de morte para ele, se ele não a merecesse. Ela ainda estava tendo dificuldades com isso, e o FBI não conseguira qualquer progresso no esclarecimento do caso. No início da semana tinha sido visto, em Connecticut, um menino que supostamente se parecia com Teddy. Mas, assim como todas as outras pistas, essa também mostrou ser falsa.

— Você parece cansada — falou Taylor baixinho, enquanto ela lhe servia uma segunda xícara de café.

— Foi uma semana difícil.

— Não tão difícil quanto vai ser a próxima semana, e a outra depois dela.

Ele sabia o que estava por vir, conhecia as pessoas envolvidas. O promotor federal era um durão, e queria ganhar o caso. Sabia que o mundo inteiro, até mesmo o presidente Roosevelt, estava prestando atenção, e não ia deixar a defesa vencer, não importava o custo. E Armour também era durão, mas de um modo mais limpo, mais atuante; ele ia direto às tripas e destruía a pessoa. E as coisas que seriam alardeadas não iam ser bonitas.

— Você está preparada para isso? — perguntou.

Preocupava-se com ela; por mais resistente que ela fosse, era também frágil, e ele odiava vê-la passar por esse tipo de sofrimento. Lembrava-se de como tinha sido quando ela lhe contara sobre André. Mas ela estava agüentando bastante bem, considerando-se que estava sem Teddy havia três meses. Ele agora tentava prepará-la:

— Não importa o que acontecer, não deixe que eles a assustem... Não deixe que façam você se sentir culpada. — Ele sabia que era esse o fantasma que a atormentava havia anos. — Você sabe que não é culpada — insistiu, tentando tranqüilizá-la.

— Gostaria que Malcolm também pensasse assim. Ele ainda me culpa por tudo: por eu ter trazido Charles de volta à nossa vida e por isso ter nos custado Teddy.

— Você não queria isso, tanto quanto ele — afirmou John.

Considerava Malcolm um grande tolo, e sua opinião não melhorou ao vê-lo atravessar o vestíbulo com Bill Palmer. John estava conversando com um de seus homens e Malcolm chamou-o com um estalar de dedos, como a um cão, o que não agradou ao agente do FBI.

— O promotor federal vai precisar da sua ajuda, Sr. Taylor — informou. Tinha pouco respeito pelo policial; afinal, ele não conseguira encontrar Teddy. — Precisamos de algumas informações.

— Sobre Delauney?

Palmer confirmou.

— Por que não vamos conversar em algum lugar? — sugeriu o promotor.

Mas Taylor não gostou do que ouviu então: o promotor queria que ele ajudasse a desenterrar fatos sobre Marielle e Charles que ele sabia que a magoariam.

Era uma campanha de difamação, uma coisa feia sobre o passado, que nada tinha a ver com Teddy, e Taylor objetou.

— Que é que isso tem a ver com o caso?

— Pelo amor de Deus, cara, é para demonstrar o caráter dele. Não me venha com escrúpulos. O que importa é ganhar.

— Ganhar o quê? A condenação de um homem inocente, ou a prisão da pessoa que realmente cometeu o crime? Se ele é o culpado, você não precisa dessa droga, Palmer.

— Se você não conseguir isso para mim, outra pessoa conseguirá.

— Então é esse o propósito do julgamento? Agarrá-lo a qualquer custo? E quanto a ela? Que é que vai fazer a ela com isso?

A questão era a morte de André em Genebra e a estada dela no sanatório, e Taylor sabia, tanto quanto Patterson, que se Charles era culpado eles não iam precisar disso.

— A Sra. Patterson não é problema meu, Taylor. E o próprio marido dela quer assim. Escute, se não for útil para nós, não vamos usar as informações.

— Quanta bondade! — Taylor exclamou sarcasticamente, pensando consigo mesmo que gostava mais das táticas de Tom Armour. Este era muito mais limpo.

E Taylor tampouco conseguia acreditar que Patterson estivesse disposto a sacrificá-la só para pegar Delauney. Mas Malcolm estava convencido de que Delauney tinha seqüestrado e matado o seu filho, e estava disposto a qualquer coisa para que ele fosse condenado.

Enquanto se dedicava a dar vários telefonemas, Taylor disse a si mesmo que, de certa maneira, ninguém podia culpar Malcolm. Se ele mesmo conseguisse as informações, poderia pelo menos calcular as jogadas de Patterson e avisar Marielle do que viria. Mas o que não sabia era que Malcolm também estava dando telefonemas, e estava atrás de coisas grandes.

O fim de semana passou depressa demais para ela. Na manhã de segunda-feira estavam de volta ao tribunal, e o julgamento começou de verdade.

11

Na semana seguinte, as frases de abertura dos dois advogados pareciam muito secas, comparadas aos comentários mais simpáticos feitos anteriormente ao júri. Mas algumas das coisas feias que os dois disseram foram também muito eficazes.

Em sua primeira fala, o promotor federal asseverou aos jurados e a toda a assistência que muito provavelmente estavam lidando ali com um seqüestrador, talvez até mesmo o assassino de uma criança, um homem que no passado atacara mulheres e matara homens sem piscar um olho. Segundo o promotor, tratava-se de um mentiroso um comunista, uma ameaça a todos os americanos. Afirmou que o pequeno Teddy Patterson tinha sido arrancado da casa de seus pais no meio da noite, na escuridão, e as pessoas que cuidavam dele tinham sido cloroformizadas, amarradas e amordaçadas, podendo facilmente ter morrido também, e a criança tinha desaparecido sem deixar pistas, para nunca mais ser vista, e provavelmente estava morta, enterrada em alguma vala num campo, separada para sempre daqueles que a amavam.

Marielle agarrava-se à cadeira enquanto ouvia essas palavras e ele pareceu falar durante horas sobre o homem mau que Charles sempre fora, no homem bom que Teddy teria se tornado e como todos tinham sido roubados porque aquela criança morrera, e sem qualquer motivo. E se isso era verdade, se a criança não fosse mais voltar, então Marielle tinha que concordar com ele. Mas ainda era doloroso demais acreditar que seu filho tinha desaparecido para sempre.

A peroração de Tom Armour foi somente um pouquinho mais tranqüilizadora. Ele declarou que Charles Delauney era um homem decente, honesto e de certa forma profundamente perturbado, que perdera seu próprio filho nove anos antes, e até uma filha não nascida, toda a sua família, e, sabendo de como o sofrimento tinha sido grande, ele jamais magoaria qualquer criança ou tomaria os filhos de alguém. Desde então ele lutara honestamente na Guerra Mundial e na luta na Espanha. Não era um comunista; era um homem que acreditava na liberdade. Educado, inteligente, decente, porém de coração partido por causa de seus sonhos juvenis liquidados, ele certamente errara em seu comportamento, ou até mesmo em suas palavras, mas não era um homem que seqüestrasse o filho de alguém. E a defesa ia provar que ele não tinha feito isso. Armour lembrou a todos que, além disso, o Sr. Delauney estava sendo julgado por seqüestro, não por assassinato. E ele tinha certeza de que, se os jurados prestassem atenção nas evidências, certamente o absolveriam. Enquanto falava com eles, Tom Armour caminhava lentamente diante do júri, olhando cada um dos jurados nos olhos, falando diretamente a eles, não de maneira condescendente, mas como iguais, como amigos, certificando-se de que o compreendiam e acreditavam nele. Ele fazia isso muito bem, e era fascinante observá-lo. Ele explicou-lhes também que do princípio ao fim o promotor federal apresentaria seu lado primeiro e Tom iria interrogar as testemunhas de acusação, naturalmente, mas só apresentaria a sua defesa depois que a acusação tivesse completado a sua parte. E tornou a lembrar que competia à acusação provar, sem qualquer dúvida, que Charles Delauney tinha seqüestrado o menino, e se a acusação não conseguisse convencê-los disso, gostassem ou não de Charles como homem, tinham que absolvê-lo. Mas Tom assegurou-lhes que quando tivesse terminado a sua defesa eles compreenderiam que o réu tinha sido acusado injustamente.

Houve um longo silêncio depois que ambos falaram; o juiz Morrison instruiu o promotor federal a chamar sua primeira testemunha e Marielle ficou atônita ao ouvir o próprio nome. Não tinha idéia de que ele pretendia chamá-la como sua primeira testemunha. Ela franziu o sobrolho ao passar por John, e ele tentou fazer uma expressão tranqüilizadora, mas estava preocupado com o que Palmer estava prestes a fazer. Sabia que as coisas que ele próprio tinha descoberto com seus telefonemas não eram muito prejudiciais, mas não tinha idéia do que Palmer e Malcolm tinham desenterrado sem a sua ajuda.

Ela tomou lugar no banco das testemunhas e ajeitou a saia do vestido preto que usava. Cruzou nervosamente as pernas enquanto olhava para a assistência, depois tornou a descruzá-las. Durante todo o tempo Bill Palmer andava de um lado para o outro, observando-a, olhando para ela como se houvesse nela algo estranho, como se suspeitasse dela, e mais de uma vez olhou para ela e para o réu, como se houvesse algo sobre os dois que ele não entendia. Era como se estivesse tentando insinuar ao júri alguma coisa degradante. E aquilo estava deixando Marielle muito nervosa.

Ela olhou de relance para o juiz, depois para Malcolm, que desviou o olhar, e para John, que parecia muito sério; ela esperou a primeira pergunta de Palmer.

— Por favor, diga o seu nome.

— Marielle Patterson.

— O nome inteiro, por favor.

— Marielle Johnson Patterson. Marielle Anne Johnson Patterson.

Ela sorriu, mas ele não sorriu de volta.

— É só isso?

— É, sim, senhor.

Duas mulheres do júri sorriram, e Marielle sentiu-se um pouco melhor. Mas suas mãos tremiam horrivelmente, e ela manteve-as no colo, onde ninguém poderia vê-las.

— Já teve outro sobrenome, Sra. Patterson?

Então ela entendeu aonde ele estava querendo chegar.

— Sim.

Por que ele estava fazendo isso? Em que ajudaria? Ela não conseguia compreender.

— Quer, por favor, dizer-nos qual é esse sobrenome?

A voz dele ressoou ao dizer essas palavras, como se quisesse assustá-la, e ela não conseguia enxergar os olhos de Malcolm.

— Delauney — disse em voz baixa.

— Poderia falar um pouco mais alto, por favor, para que os jurados a ouçam?

Ela enrubesceu e falou em voz alta, para que todos escutassem:

— Delauney.

Charles olhava para ela com expresão solidária. De repente sentia pena dela. Mais ainda do que John Taylor, porque suspeitava do que estava por vir. Palmer era mais esperto do que pensavam. Ia desacreditá-la desde o início, de modo que nada que ela dissesse mais tarde valeria grande coisa. Ele não ia arriscar que ela questionasse em público a culpa de Charles, enfraquecendo o caso dele diante do júri.

— Tem alguma relação com o réu?

— Fui casada com ele.

— Quando foi isso?

— Em 1926, em Paris. Eu tinha dezoito anos.

— E que tipo de casamento foi? — Ele fingia-se amigo dela, chegando até a sorrir. Mas ela agora sabia que ele ia destruí-la. — Foi uma cerimônia imponente? Ou foi modesta?

— Nós fugimos.

— Entendo... — Ele pareceu constrangido, como se ela tivesse feito alguma coisa errada e ele tivesse pena dela. — E por quanto tempo ficaram casados?

— Por cinco anos. Até 1931.

— E como foi que o casamento terminou? Em divórcio?

— Sim, isso mesmo. — Uma película de transpiração cobria-lhe a testa, e ela rezou para não desmaiar ou vomitar.

— Importa-se de nos dizer por que, Sra. Delauney... desculpe-me, Sra. Patterson...

Ele fingira equivocar-se, mas ela sabia que ele fizera aquilo de propósito, só para enfatizar que ela fora casada com Charles; ela na verdade importava-se de dizer por que, mas sabia que não tinha escolha.

— ...Importa-se de nos contar o motivo do divórcio? — ele continuou.

— Eu... Nós... Nós perdemos nosso filho. E nenhum dos dois se recuperou do choque.

Disse isso em voz baixa e calma, e John Taylor orgulhou-se dela, assim como Charles. Ambos sentiam o coração partir-se ao meio ao contemplá-la, mas ela não sabia disso. Prosseguiu:

— Acho que se pode dizer que isso destruiu o casamento.

— Esta é a única razão pela qual a senhora se divorciou do Sr. Delauney?

— É, sim. Antes disso éramos felizes.

— Entendo. — Ele tornou a assentir solidariamente, e ela começou a odiá-lo. — E onde estava quando conseguiu o divórcio?

Ela interpretou mal a pergunta, mas Taylor não.

— Na Suíça.

— Estava lá por alguma razão especial?

Então ela entendeu. Ele estava tentando desacreditá-la completamente. Mas não conseguiria. Ela sabia que, se a perda de três filhos não a matara ainda, nada mais o faria. Nem aquele homem, nem aquele tribunal, nem todo aquele cerimonial. De cabeça erguida, encarou-o diretamente:

— Sim. Eu estava numa clínica lá.

— Estava doente?

Ela não iria dar-lhe nada além do necessário. E ele sabia exatamente o que queria, e por que, mas ela também sabia.

— Tive um colapso nervoso quando o nosso filho morreu.

— Houve alguma razão particular para isso? A morte dele foi extraordinariamente traumática? Uma longa doença... um mal terrível?

Os olhos dela encheram-se de lágrimas ao ouvi-lo, mas ela não se rendeu ao pranto. Enxugou as lágrimas e falou com os lábios trêmulos, enquanto todos no recinto aguardavam.

— Ele morreu afogado.

Era isso. Isso era tudo que ela tinha a dizer. Era o que dizia a certidão de óbito. André Charles Delauney, de dois anos e cinco meses de idade, morto por afogamento.

— E a senhora foi responsável por esse... *acidente*...

Ele enfatizou a palavra, quase como se ela o tivesse planejado, e Charles pôs-se a cochichar freneticamente com Tom Armour, que levantou-se de imediato.

— Objeção, meritíssimo. O promotor está influenciando a testemunha e insinuando que a culpa foi dela. Isso não nos cabe decidir aqui. A Sra. Patterson não está sendo julgada, e sim o meu cliente.

O juiz Morrison franziu o sobrolho para ambos os homens surpreso com a bondade de Tom Armour.

— Objeção aceita. Um pouco menos de entusiasmo, por favor, senhor promotor.

— Sinto muito, meritíssimo. Vou reformular a pergunta. A senhora se sentiu responsável pela morte da criança?

Isso era ainda pior, porque agora eles jamais saberiam se era mesmo culpa dela ou não, e não havia como consertar.

— Senti, sim.

— E por isso teve o colapso nervoso?

— Creio que sim.

— A senhora esteve num sanatório para doentes mentais?

— Sim.

A voz dela estava ficando mais fraca, e Charles sentiu-se nauseado, assim como John Taylor. Malcolm Patterson olhava diretamente para a frente com uma expressão inescrutável.

— A senhora estava, na verdade, mentalmente doente, certo?

— Creio que sim. Eu estava muito perturbada.

— Durante muito tempo?

— Sim.

— Quanto tempo ficou lá?

— Dois anos.

— Mais de dois anos?

— Um pouco mais.

Mas Tom Armour estava de pé outra vez.

— Quero tornar a lembrar ao tribunal que a Sra. Patterson não está sendo julgada.

— Objeção aceita. Sr. Palmer, aonde iremos chegar com isso? Vamos levar seis meses, se formos julgar todas as testemunhas.

— Se o senhor esperar mais um instante, meritíssimo, vou demonstrar.

— Está certo, promotor. Apresse-se.

— Sim, senhor. — Ele voltou-se para a testemunha. — A senhora esteve num sanatório para doentes mentais por mais de dois anos, correto?

— Correto.

Palmer assentiu para ela, e pela primeira vez mostrou-se quase feliz com ela.

— Durante esse período a senhora alguma vez tentou o suicídio?

Por um momento ela pareceu sentir-se mal enquanto ele lhe fazia essa pergunta.

— Sim.

— Mais de uma vez?

— Sim.

— Quantas vezes?

Ela pensou por um momento, e sem querer olhou de relance para o pulso esquerdo, mas já não dava para ver as cicatrizes, graças a um cirurgião plástico muito competente.

— Sete ou oito vezes.

Desta vez ela ficou de olhos baixos, pois não era algo de que se orgulhasse. E poderia ter dito a ele que não se lembrava.

— Porque se sentia responsável pela morte de seu filho?

— Sim — ela quase gritou.

— E o Sr. Delauney, onde estava ele durante todo esse tempo?

— Não sei. Passei vários anos sem vê-lo.

— Ele ficou tão perturbado quanto a senhora?

Tom Armour objetou novamente, mas nem ele poderia salvá-la.

— O senhor está pedindo à testemunha para adivinhar o estado de espírito do meu cliente. Por que não guardar para depois?

— Objeção aceita. Promotor, tome cuidado, por favor.

Morrison estava começando a parecer irritado e Palmer tornou a pedir desculpas, mas via-se que não estava arrependido.

— O Sr. Delauney estava com a senhora quando o menino afogou-se?

— Não. Eu estava sozinha com ele.

Charles estava esquiando.

— E ele a culpou pela morte do garoto?

— Objeção! — gritou Tom. — O senhor está novamente fazendo adivinhações a respeito do estado de espírito do meu cliente.

— Objeção negada, Sr. Armour — entoou o juiz. — Isso pode ser importante.

— Repetindo, Sra. Patterson — Desta vez ele acertou o nome dela. — O réu culpou-a pela morte da criança?

— Na ocasião eu acreditava que sim... Estávamos ambos muito perturbados.

— Ele ficou muito zangado?

— Sim.

— Até que ponto? Ele bateu na senhora?

Ela hesitou, e ele insistiu:

— Bateu?

— Eu...

— Sra. Patterson, a senhora está sob juramento. Por favor, responda à pergunta. Ele bateu na senhora?

— Acho que ele me deu um tapa.

— Meritíssimo. — William Palmer estendeu um telegrama ao juiz, depois entregou-o para Tom inspecioná-lo. — Este telegrama é do administrador do hospital Sainte Vierge, em Genebra, e afirma, segundo foi registrado, que a Sra. Marielle Delauney foi "surrada", eles usam a palavra "*battue*", que é traduzida por "surrada", pelo marido nas dependências do hospital na ocasião da morte do filho. Ela sofreu várias lesões e mais tarde, na mesma noite, um aborto.

Houve um murmúrio no recinto, e então Palmer tornou a encará-la, enquanto ela empalidecia.

— A senhora diria que essa informação é correta, Sra. Patterson?

— Sim. — Ela não poderia dizer mais. Mal conseguia falar.

— O Sr. Delauney surrou-a em qualquer outra ocasião?

— Não, nunca.

— E a senhora já tinha sofrido de doença mental antes do incidente da morte do seu fiho?

— Não.

— A senhora diria que está totalmente recuperada agora?

— Sim.

Houve uma breve pausa, enquanto Palmer consultava algumas anotações e depois prosseguia:

— Sra. Patterson, a senhora sofre de severas enxaquecas?

— Sim.

— E quando começaram?

— Durante... depois... Durante a minha estada na Suíça.

— E a senhora as sente desde então?

— Sim.

— Teve enxaqueca recentemente?

— Sim.

— Quando foi a última vez?

Ela quase sorriu, mas não conseguiu.

— Neste fim de semana.

— Quantas vezes sofreu disso no último mês?

— Talvez umas quatro ou cinco por semana.

— Tudo isso? — Ele parecia penalizado. — E antes do seqüestro do seu filho? Quantas?

— Talvez duas ou três por semana.

— A senhora tem algum outro problema recorrente, oriundo do seu passado, Sra. Patterson? É extraordinariamente tímida ou introvertida, às vezes tem medo das pessoas? Tem medo da responsabilidade... medo de levar a culpa?

Tom Armour tornou a pôr-se de pé, numa tentativa de impedir o que estava se tornando uma chacina.

— Meu colega não é psiquiatra. Se ele acha que precisa de um, deveria convocar um especialista como testemunha.

— Meritíssimo. — Bill Palmer novamente aproximou-se da mesa do juiz, e depois acenou para Tom Armour com outra folha de papel. — Este telegrama é do médico da Sra. Patterson na Clinique Verbeuf em Villars, confirmando que ela foi mesmo mantida lá.

— Objeção! — Tom agora parecia furioso, e ela nem mesmo era sua cliente. — A Sra. Patterson não estava numa prisão!

— Concedida. Sr. Palmer, por favor controle a sua linguagem.

— Sinto muito, meritíssimo. Ela ficou hospitalizada lá por dois anos e dois meses, por colapso nervoso e depressão grave. Aparentemente tentou repetidas vezes o suicídio e sofria de severas enxaquecas. Este foi o diagnóstico oficial. O Dr. Verbeuf acrescenta que sabe que as enxaquecas persistem e que, em ocasiões de grande tensão como esta, sua saúde mental poderia ser considerada extremamente frágil.

Sem querer, o bom médico a tinha matado. Não importava o que ela dissesse agora, pensariam que ela estava perturbada e era uma testemunha não confiável. Mas Palmer ainda não terminara. Depois que o telegrama do Dr. Verbeuf foi aceito como Instrumento de Prova B, ele continuou com o interrogatório.

— A senhora teve um caso com o réu depois do divórcio?

— Não.

— A senhora o viu nos últimos meses, ou melhor, antes do seqüestro do seu filho?

— Sim, encontrei-o por acaso na igreja no aniversário da morte do nosso filho. E no dia seguinte, no parque.

— Seu filho estava com a senhora em alguma dessas ocasiões?

— Sim. Na segunda.

— E qual foi a reação do Sr. Delauney? Ele ficou feliz ao conhecer seu filho?

— Não. — Ela baixou os olhos para não ter que olhar para ele. — Ele ficou contrariado.

— Diria que ele ficou zangado?

Ela hesitou, depois confirmou.

— Sim.

— Ele a ameaçou de algum modo?

— Sim, mas não sei se estava falando a sério.

— E quando o seu filho foi seqüestrado, Sra. Patterson? — Ele a estava fazendo parecer no mínimo extremamente estúpida.

— No dia seguinte.

— Acredita que exista uma ligação entre as ameaças do Sr. Delauney e o desaparecimento de seu filho?

— Não sei.

Ele então tornou a mudar de tática.

— A senhora beijou o Sr. Delauney depois do divórcio, Sra. Patterson?

Ela hesitou um instante, depois assentiu.

— Por favor, responda à pergunta — ele insistiu.

— Sim.

— E quando foi isso?

— Quando o encontrei na igreja. Eu não o via havia mais de sete anos, e ele me beijou.

— Foi uma beijoca na bochecha ou um beijo nos lábios, como no cinema?

A assistência fremiu, mas Marielle sequer sorriu. E John Taylor compreendeu que Palmer andara conversando com o motorista e suas histórias idiotas sobre um "namorado".

— Foi um beijo nos lábios.

— E a senhora visitou-o na cadeia?

— Sim. Uma vez.

— Sra. Patterson, ainda está apaixonada pelo Sr. Delauney?

Daí em diante, qualquer coisa que ela dissesse sobre ele seria inútil. Ela tornou a hesitar, depois sacudiu a cabeça.

— Creio que não.

— Crê que ele tenha seqüestrado o seu filho?

— Não sei. Talvez. Não tenho certeza.

— E a senhora se sente de qualquer maneira responsável por esse seqüestro?

— Não tenho certeza...

Sua voz falhou quando disse essas palavras, e todos no recinto lembraram-se do que o médico suíço dissera: sua saúde mental poderia ser extremamente frágil sob tensão. Palmer fizera com ela, exatamente o que queria fazer; ele a desacreditara completamente. Ela parecia confusa, insegura sobre a culpa de Delauney, ou a sua própria, uma mulher que várias vezes tentara cometer suicídio, sofria de enxaquecas e provavelmente era responsável pelo afogamento de seu primeiro filho. Se a defesa quisesse usá-la agora, ela não seria útil, e Palmer sabia disso. Era exatamente o que se propusera fazer, mas tinha arrasado com ela, e John Taylor sabia exatamente quem o tinha ajudado: Malcolm. E o próprio Taylor sentia-se culpado por cada telefonema que dera. Mas os seus tinham sido inofensivos.

— Obrigado, Sra. Patterson — disse Bill Palmer, friamente, e depois voltou-se para Tom Armour. — A testemunha é sua.

— A defesa gostaria de chamar a Sra. Patterson mais tarde, meritíssimo.

Ele queria dar tempo para todos esfriarem, especialmente Marielle, que parecia ter morrido enquanto descia do banco das testemunhas, e o juiz declarou um recesso para o almoço até as duas horas daquela tarde. Mas ao tentar deixar o recinto com Malcolm e a escolta do FBI, ela foi atacada pela imprensa na porta do tribunal. Charles procurara o seu olhar quando ela saía, mas ela estava por demais arrasada para sequer olhar para ele, e os repórteres tentaram fisicamente arrancar-lhe a roupa, gritando perguntas, enquanto ela fugia.

— Fale-nos do hospital... os suicídios... seu filhinho... Conte-nos tudo... Vamos, Marielle, nos dê uma chance!

As vozes ainda ecoavam em seus ouvidos enquanto se afastavam de carro, e John Taylor, completamente imóvel, tinha os olhos fixos na janela. Só Malcolm ousou falar com ela num sussurro, e ela espantou-se com o que ele disse.

— Aquilo foi nojento.

Ela o encarou, sem saber o que ele queria dizer, certa de que ele estava falando do modo como Palmer a tratara, mas pela expressão dele ela percebeu que ele se referia ao que ouvira sobre ela. Ele não disse mais uma só palavra, e as lágrimas desciam pelo rosto de Marielle enquanto iam para casa. Uma vez na biblioteca, a sós com ele, ela lhe perguntou o que ele quisera dizer, mas ele apenas olhou para ela com desdém.

— Marielle, como pôde?

— Como pude o quê? Dizer a verdade? Que escolha eu tinha? De qualquer maneira, ele já sabia de tudo. Você ouviu as cartas dos dois médicos.

— Meu Deus... Os suicídios... as enxaquecas... Dois anos num sanatório de doentes mentais...

— Contei tudo isso a você em dezembro.

E ela tinha mesmo contado, logo depois que Teddy desaparecera. Aliás, na manhã seguinte.

— Naquela ocasião não soou como agora.

Ele parecia genuinamente perturbado, e de repente ela se sentiu profundamente embaraçada. Encarou o homem que pensara conhecer e depois correu para o seu quarto no segundo andar e trancou a porta. Momentos depois, porém, viu um pedaço de papel deslizar por baixo da porta. Tudo que dizia era: "Ligue para o seu médico."

A princípio achou que era uma brincadeira cruel de alguém, e depois reconheceu a caligrafia de John Taylor e se perguntou por que ele queria que ela chamasse o seu médico. Depois entendeu. Em algum lugar bem dentro de si ela entendeu. Correu para o seu livro de endereços, pegou o telefone e pediu à telefonista para ligar para o número dele. Eram nove horas da manhã em Villars, mas ela sabia que ele estava lá dia e noite, pois morava lá. Ele estava em casa, naturalmente, e espantou-se ao ouvir a voz dela.

— Que é que está acontecendo aí?

Ela contou-lhe sobre o seqüestro, mas imaginou que ele soubesse, e ele lhe disse que já tinha respondido muitas perguntas. Ela não lhe disse que ele a arruinara com seu telegrama; sabia que ele ia ficar muito aborrecido ao ver suas palavras deturpadas. Certa ocasião aquele homem salvara a sua vida.

— Você está bem? — perguntou ele, profundamente preocupado com ela.

— Acho que sim.

— *Les migraines?*

— Melhoram, às vezes. Agora não. Está difícil, com Teddy desaparecido e... Malcolm... meu marido... Tive que lhe contar sobre Charles, e André... e a clínica. Ele nunca quis que eu lhe contasse coisa alguma antes de nos casarmos.

— Mas ele sabia. — O Doutor Verbeuf parecia surpreso que ela não soubesse disso. — Ele me telefonou antes de vocês se casarem, em... hum... quando foi isso? 1932? Isso mesmo. Foi no ano em que você foi embora. Você partiu em fevereiro, e ele deve ter ligado em outubro.

Eles tinham se casado três meses depois, em janeiro, no dia do Ano-Novo.

— Ele lhe telefonou? — Ela estava atônita. — Mas por quê?

— Queria saber se podia fazer alguma coisa por você... Para as enxaquecas... para fazer sua vida um pouco mais feliz... Eu lhe disse que você devia ter muitos filhos. — Mas ele estava triste por ela, agora que a tragédia novamente a encontrara. Ela era uma boa moça e não tivera muita sorte. — Alguma notícia da criança?

— Ainda não.

— Avise-me.

— Está bem.

Ela perguntou-se se ele sabia o propósito a que servira o seu telegrama, e ao desligar perguntou-se sobre os motivos de Malcolm. Ele soubera durante todos esses anos, e no entanto mostrara-se chocado quando ela lhe contara, e permitira até que Bill Palmer usasse essa informação.

Mas não havia tempo para perguntar-lhe coisa alguma enquanto voltavam às pressas para o tribunal, antes das duas. E não disse coisa alguma a John Taylor durante toda a tarde. Estava mergulhada em seus próprios pensamentos, e tinha perguntas demais.

Naquela tarde, o promotor federal colocou Patrick Reilly no banco das testemunhas, e ele descreveu o que vira na catedral de Saint Patrick, e a expressão no rosto de Delauney no parque, na tarde seguinte. Disse que vira Charles, furioso, agarrá-la e sacudi-la.

E pareceram passar-se horas até que ela pudesse confrontar Malcolm. Naquela tarde eles outra vez fizeram em silêncio o trajeto para casa; finalmente ficaram a sós, e ela encontrou-o em seu quarto de vestir. Ele estava se vestindo para um jantar tranqüilo no clube. Disse que precisava sair e clarear a mente por uma noite.

— Você mentiu para mim.

— Sobre o quê? — Ele voltou-se, com evidente desinteresse.

— Você me deixou contar toda a história depois que Teddy desapareceu. E você sabia. Sabia de tudo... sobre André... sobre Charles... sobre a clínica. Por que não me contou?

— Pensou realmente que eu me casaria com você sem saber de onde tinha vindo?

Ele olhou para ela com desprezo. Naquele dia ela fizera papel de tola no banco das testemunhas, e também fizera dele um tolo... Beijando Charles Delauney na igreja! Enojante!

— Você mentiu para mim.

— E você arriscou o meu filho. Você trouxe aquele patife para a nossa vida, e por sua causa ele o levou. — Parecia que ele não se importava com o que tinham dito sobre o seu estado mental frágil, pois ela lhe custara tudo que ele amava. — E não é de sua conta o que eu sabia sobre você. Isso é problema meu.

— Como pôde contar a Bill Palmer?

— Se ele não a desacreditasse, você poderia apoiar aquele

idiota com quem foi casada... aquele safado... aquele assassino... Mas você, mesmo com seu coração em chagas, ainda não tem certeza se ele é culpado.

— Então você fez isso comigo? Para que eu não pudesse ajudá-lo? — Ela não mais o compreendia, e perguntava-se se realmente o conhecia.

— Se ele for para a cadeira elétrica pela morte de Teddy, vai ser bom demais para ele.

— Então essa coisa toda é só isso? Um jogo de vingança entre vocês dois? Ele leva Teddy e você o mata? Que é que está errado com todos vocês? — Ela de repente sentia-se nauseada ao olhar para ele.

— Saia do meu quarto, Marielle. Não tenho nada a lhe dizer esta noite.

Ela o encarou, incrédula. Ele a tinha arruinado propositalmente, para destruir Charles.

— Não sei mais quem você é.

— Isso já não tem importância.

— Que é que você está me dizendo? — Ela estava gritando, mas tinha sido um dia horrível e ela não conseguia mais suportar.

— Acho que você me entendeu.

— Está tudo acabado, não é? — Se é que alguma coisa tinha existido. Que é que eles tinham em comum, exceto Teddy?

— Acabou no dia em que Delauney levou meu filho daqui. Agora você pode voltar para ele quando tudo terminar, e vocês dois podem chorar pelo que fizeram. Vou lhe dizer uma coisa: nunca vou perdoá-la.

E ela sabia que ele falava a sério.

— Quer que eu vá embora agora, Malcolm? — Ela estava pronta para isso. Iria para um hotel naquela mesma noite, se ele quisesse.

— Está tão ansiosa por mais escândalos? Podia pelo menos ter a decência de esperar até os jornais nos largarem, depois do julgamento.

Ela concordou e em seguida voltou para seu quarto. Nada mais a surpreenderia agora. Ela estava casada com um desconhecido, um homem que a odiava pela perda de seu filho. Outro. A vida fora cruel com ela. E o que quer que acontecesse depois, encontrassem Teddy ou não, ela sabia que o casamento estava acabado.

12

Na manhã seguinte, Marielle fez seu desjejum — apenas uma xícara de chá e uma torrada — no quarto, enquanto folheava o jornal. Estava tudo ali: todo o horror da véspera, a humilhação e a destruição que ela sofrera nas mãos de William Palmer. O primeiro artigo dizia que ela tinha passado anos num sanatório para doentes mentais e que tivera que sair carregada do banco das testemunhas, aos gritos. Era injusto o que estavam fazendo, e ela ainda não conseguia acreditar que Malcolm os tivesse ajudado a fazer isso. E então chegou à última página e viu o artigo escrito por Bea Ritter. A princípio não se dispôs a lê-lo, mas seus olhos percorreram a página, estacando em certo trecho, e ela começou a ler desde o início. Enquanto lia, seus olhos encheram-se de lágrimas.

"Aristocrata, elegante, digna, Marielle Patterson ocupou ontem o banco das testemunhas, e jamais perdeu sua compostura ou sua dignidade enquanto a promotoria a atacava durante várias horas, numa tentativa de desacreditá-la inteiramente. Uma tentativa que não foi bem-sucedida, para a admiração de todos que a viram. Ela suportou a dor de relatar as circunstâncias das mortes dos dois filhos anteriores num trágico acidente há quase dez anos, comovendo a todos. Depois, explicou seu divórcio de Charles Delauney. O relato da sua experiência num sanatório na Suíça não foi ouvido com compaixão ou solidariedade, mas com escárnio, e foi usado para desacreditá-la como testemunha..."

Embaixo havia o nome de Bea Ritter.

Marielle então enxugou os olhos no guardanapo e levantou-se para colocar o chapéu. As palavras de Bea Ritter tinham sido bondosas, mas não mudavam o fato de que seu marido e o promotor federal tinham combinado prejudicá-la para que ela não pudesse ajudar Charles Delauney. De qualquer maneira, ela não tivera a menor intenção de ajudá-lo. Mas sua incerteza quanto à culpa dele evidentemente deixara-os preocupados.

Quando ela desceu, John Taylor e os outros homens já estavam esperando no carro. Ela usava outro conjunto de vestido e chapéu pretos, e um casaco escuro de pele de castor. Nada foi dito no carro a caminho do centro da cidade. Ela não disse uma única palavra a Malcolm ou a John, e Malcolm passou todo o trajeto olhando pela janela. Nem mesmo John teve condições de dizer-lhe muita coisa. Quando se sentaram, ele tocou de leve a mão dela, mas não ousou deixar transparecer o seu sentimento. Tudo que queria era oferecer-lhe apoio, mas era difícil fazê-lo na sala do tribunal.

O juiz Morrison tornou a lembrar a todos que era necessário um comportamento correto. E com um olhar eloqüente para os repórteres ele lembrou que era irresponsabilidade publicar coisas que não tinham acontecido. Ele ficou irritado ao ler a notícia de que Marielle saíra carregada do recinto do tribunal.

Em seguida, teve prosseguimento a chacina da véspera. Bill Palmer aparentemente decidira que o depoimento de Marielle não era suficiente e colocou outras pessoas no banco das testemunhas para desacreditá-la, sem qualquer piedade pela mãe da criança; depois disso, apenas a voz de Malcolm seria ouvida, e Malcolm nem por um instante duvidava da culpa de Delauney.

Patrick Reilly, o motorista, tornou a ocupar o banco das testemunhas; depois Edith, e até mesmo a Srta. Griffin. Juntos, com a ajuda de Bill Palmer, pintaram o retrato de uma mulher nervosa, histérica e desequilibrada, incapaz de tomar conta da própria casa ou de seu filho, incapaz de ter alguma serventia para o marido.

— Diria que a Sra. Patterson é uma pessoa responsável? — Bill perguntou à governanta.

Tom Armour pela milésima vez pôs-se de pé num salto e fez uma objeção.

— Esta mulher não é uma especialista. E a competência da Sra. Patterson não está sendo julgada aqui. Senhor promotor, chame um psiquiatra, se quiser esse tipo de testemunho, não uma criada, droga!

— Vou acusá-lo de desrespeito se não moderar sua linguagem, Sr. Armour! — rugiu o juiz.

— Desculpe-me.

— Objeção negada.

E o massacre prosseguiu, sem ninguém para apoiá-la. John Taylor e Charles Delauney sabiam que nada daquilo era verdade, mas não tinham condições de dizer uma palavra bondosa, nada podiam fazer. Até mesmo o marido voltara-se contra ela.

— Diria que ela era uma boa mãe? — William Palmer perguntou finalmente à Srta. Griffin.

A mulherzinha hesitou apenas um instante, mas foi o suficiente para magoar Marielle profundamente.

— Na verdade, não.

Houve murmúrios na assistência, e por um instante Marielle quase desmaiou. Pareceu cair para a frente, e John Taylor puxou-a para trás com mão firme antes que os jornalistas percebessem.

— Gostaria de nos dizer por que não?

— Ela era doente demais para qualquer coisa, e nervosa demais. As crianças precisam de estabilidade, de pessoas fortes. Como o Sr. Patterson.

Ela parecia orgulhosa de si mesma, e Marielle perguntou-se novamente o que teria feito para que essas pessoas a odiassem.

Thomas Armour tornou a levantar-se, com ar cansado.

— Meritíssimo, este não é um julgamento de custódia. A capacidade da Sra. Patterson como mãe não vem ao caso aqui. Este é um caso de seqüestro, e ainda não ouvi uma única menção ao meu cliente. Aliás, estas pessoas sequer o conhecem.

Elas mal conheciam Marielle também, mas Palmer queria, antes de passar para outras coisas, ter certeza de que Marielle estava totalmente destruída. Queria que ela ficasse desacreditada sem que restasse uma única dúvida, para que, se fosse chamada pela defesa, seu testemunho fosse inútil. Quem daria ouvidos a uma mulher que passara anos internada num hospício e a quem os próprios criados sequer consideravam uma boa mãe? Palmer estava fazendo um trabalho perfeito, e nessa tarde ele o completou.

Malcolm Patterson ocupou o banco das testemunhas logo depois do almoço, como testemunha de acusação.

— Conhecia o passado de sua esposa, Sr. Patterson?

— Não. — Os frios olhos azuis de Malcolm olhavam diretamente para William Palmer, e nem por um instante ele olhou para Marielle.

— Não tinha idéia de que ela estivera num hospício, correto?

— Sim, correto, senão eu não teria me casado com ela.

Marielle sabia que era mentira. A única coisa que não sabia era por que Malcolm queria destruí-la. Ela estava sentada ereta na cadeira, olhando para um ponto acima dele na parede, e pensando em momentos mais felizes com o pequeno Teddy. Sentia-se agora inteiramente incapaz de defender-se ou de denunciar a mentira de Malcolm. E essa era a intenção dele.

— Sabia que ela tinha sido casada com Charles Delauney?

— Não sabia, não. Ela nunca me contou. Eu sabia que tinha havido um breve namoro juvenil. Ouvi dizer que ela tivera um romance em Paris, mas nada mais que isso. Ela escondeu o casamento de mim.

William Palmer assentiu, apiedado daquele que tinha sido tão enganado por aquela mulher.

— Sabe alguma coisa do Sr. Delauney?

— Só a reputação. O pai dele o manteve fora do país durante muitos anos.

— Protesto! — exclamou Tom, novamente de pé. — Teríamos que chamar o Sr. Delauney pai para nos dizer isso, e não há qualquer evidência de que a família do meu cliente queria que ele ficasse fora do país. Aliás, pelo contrário, queriam que ele voltasse para casa.

— Protesto concedido. Mexericos. Pode continuar, Sr. Palmer.

— O senhor conhece pessoalmente o Sr. Delauney?

— Só daqui deste tribunal.

— Ele alguma vez procurou, ameaçou ou perturbou o senhor ou algum membro da sua família?

— Protesto!

— Negado.

Malcolm continuou:

— Ele ameaçou minha mulher e meu filho. Disse a ela que ia seqüestrá-lo se ela não voltasse para ele.

— E quando foi isso?

Malcolm baixou a cabeça por um instante, antes de responder, e depois olhou para a assistência.

— Um dia antes do meu filho ser seqüestrado.

— Viu seu filho depois desse dia?

Malcolm sacudiu a cabeça, incapaz de falar.

— Por favor, fale alto, para os registros, senhor. — Palmer falou com toda a gentileza que deveria ter usado com Marielle e não usara.

— Sinto muito... Não... Não vi.

— E quanto tempo faz?

— Quase três meses. Meu filhinho foi levado no dia 11 de dezembro... Logo depois do seu quarto aniversário.

— Houve algum pedido de resgate?

— Só um, e era um trote. O dinheiro nunca foi recolhido.

A insinuação era óbvia: Delauney não tinha pedido resgate porque o que queria era vingar-se, e de qualquer maneira não precisava do dinheiro.

— Acredita que seu filho ainda esteja vivo?

Ele tornou a sacudir a cabeça, mas dessa vez forçou-se a falar.

— Não. Acho que, se estivesse, já teria sido devolvido. O FBI procurou-o por todo o país. Se ele ainda estivesse vivo, teriam encontrado.

— Acredita que o Sr. Delauney é o seqüestrador?

— Acredito que ele contratou pessoas para roubar meu filho e provavelmente matá-lo.

— Que foi que o convenceu disso?

— Encontraram o pijama de Teddy... de meu filho... na casa dele... E um ursinho que o garoto adorava... Ele estava usando aquele pijama quando desapareceu.

Contra a própria vontade, Malcolm começou a chorar, e podia-se sentir a comiseração da assistência para com ele. O promotor esperou polidamente enquanto ele recuperava o controle. E Brigitte enxugou os olhos com um lencinho de renda.

— Acredita que sua esposa ainda esteja apaixonada por Charles Delauney?

Ele pretendia dizer "envolvida com Charles Delauney", mas seus investigadores não conseguiram descobrir qualquer vestígio de que eles fossem amantes, e ele resolveu, por segurança, não usar qualquer coisa que pudesse ser desmentida.

— Acredito, sim. Pelo que meu motorista disse, dois dias antes do seqüestro eles se encontraram numa igreja e ela o beijou muitas vezes. Imagino que tenha estado sempre apaixonada por ele, durante todo o tempo em que estava casada comigo. Talvez por isso tenha ficado tão doente.

Ele fez com que ela parecesse uma inválida, e não uma mulher jovem de vida trágica que sofria de enxaquecas, uma mulher que passara por uma enorme tragédia e conseguira sobreviver.

— Acha que é culpa de sua esposa que seu filho tenha sido seqüestrado?

Ele fez a pergunta como se esperasse um veredicto, e Malcolm demorou algum tempo para responder — suficiente para que a resposta soasse mesmo como um veredicto.

— Acho que é culpa dela que Charles Delauney o tenha seqüestrado. É culpa dela que ele a considere responsável pela morte do próprio filho, e queira vingar-se no meu. É culpa dela por trazer esse homem para a nossa vida. — Ele olhou em volta do recinto, e para ela, mas ela não olhou para ele.

— Sr. Patterson, embora ache que até certo ponto a Sra. Patterson é responsável por... essa tragédia, poderia imaginar-se vingando-se dela? Castigando-a, ou ferindo alguém que ela ama? Ferindo-a?

Ele já tinha feito isso, como Marielle sabia muito bem. Com tudo que ele fizera nos últimos dias, o modo como se comportara desde que Teddy desaparecera, e o que acabava de declarar. Já era ruim demais perder seu filho, mas aquele ataque por parte do marido poderia tê-la destruído, Mas naquele momento ela ainda lutava para que isso não acontecesse. Palmer continuou:

— O senhor poderia imaginar-se vingando-se dela, ou de qualquer pessoa?

Malcolm disse uma só palavra, sentado ali, parecendo Deus, e sua voz ressoou na sala:

— Nunca.

— Obrigado, Sr. Patterson. — Ele voltou-se para Tom. — Sr. Armour, a testemunha é sua.

Tom levantou-se e durante um tempo interminável não disse uma só palavra, depois começou a caminhar lentamente em círculo. Passou diante dos jurados e sorriu para alguns deles, quase como para acalmá-los. E então, finalmente, foi deter-se diante de Malcolm, mas já não sorria.

— Boa tarde, Sr. Patterson.

— Boa tarde, Sr. Armour.

Malcolm parecia extraordinariamente solene, mas Tom Armour parecia extremamente relaxado, enquanto o mundo o observava. Era uma tática intrigante.

— O senhor diria — Ele parecia arrancar as palavras — que o seu casamento com a Sra. Patterson tem sido feliz?

— Sim, eu diria que sim.

— Apesar da doença dela... da instabilidade... das enxaquecas?

Por um instante Malcolm ficou sem saber o que dizer, mas recuperou-se rapidamente.

— Essas coisas decerto dificultavam, mas acho que tenho sido feliz.

— Muito feliz?

— Muito feliz. — Malcolm parecia contrariado, pois não conseguia entender aonde o advogado de defesa queria chegar.

— Já tinha sido casado antes?

Malcolm resmungou e ergueu o queixo.

— Sim. Duas vezes. Todos sabem disso.

— A Sra. Patterson sabe?

— Naturalmente.

— O senhor diria que isso prejudicou de alguma forma o seu casamento atual?

— Claro que não.

— O senhor teria ficado contrafeito se soubesse que a Sra. Patterson tinha sido casada anteriormente?

Dessa vez ele hesitou.

— Provavelmente não. Mas teria preferido que ela tivesse sido honesta comigo.

— Naturalmente — concordou Tom. — Sr. Patterson, teve outros filhos?

— Não. Theodore é... era... meu único filho.

— O senhor diz "era"; não acredita que ele esteja vivo? — Tom parecia surpreso, como se aquilo fosse espantoso.

— Não... Não acredito que ele esteja vivo. Acho que o Sr. Delauney o matou.

Ele disse isso para provocar Tom, mas não funcionou.

— Compreendo. Mas, se ele estiver morto... o que todos nós aqui esperamos que não seja o caso... Se ele estiver morto... Como o senhor descreveria esse acontecimento na sua vida?

— Desculpe-me, não compreendi.

Tom Armour aproximou-e e encarou-o nos olhos.

— Se o seu filho estiver mesmo morto, Sr. Patterson, como o senhor vai se sentir? Que é que isso vai causar no senhor? — Seu tom de voz era implacável.

Mas sem hesitar Malcolm devolveu o olhar de Tom e respondeu:

— Isso vai acabar comigo... A minha vida jamais será a mesma.

— Sr. Patterson, o senhor diria que isso o destruiria?

Malcolm baixou a cabeça e assentiu, antes de tornar a olhar para Tom.

— Claro que sim... É o meu único filho...

Tom assentiu e depois aproximou-se um pouco mais.

— Isso iria destruí-lo, não iria? Então por que o senhor acha tão chocante que a Sra. Patterson quase tenha sido destruída pela morte de seus filhos? Imaginava que com ela fosse diferente?

— Não, eu...

Por um instante ele pareceu constrangido, e John Taylor apertou os lábios, mas Marielle forçava-se a não ouvir. Malcolm prosseguiu:

— Imagino que deve ter sido muito difícil.

— Ela tinha 21 anos... estava grávida de cinco meses... Seu filhinho morre... Seu pai morre meses depois... Sua mãe comete suicídio seis meses depois disso... Seu marido voltou-se contra ela, arrasado com o próprio sofrimento pela morte do filho. Que é que o senhor faria, Sr. Patterson? Como se sentiria? Conseguiria agüentar?

— Eu... Eu...

Ele não conseguiu responder, e o júri pareceu interessar-se pelo que Tom estava dizendo.

— A Sra. Patterson está aqui neste tribunal hoje?

— Sim... É claro...

— Poderia apontá-la para mim?

William Palmer pôs-se de pé, pronto para fazer uma objeção.

— Meritíssimo, esta charada é necessária?

— Tenha paciência, promotor. Sr. Armour, continue, mas sem muita história. Temos muitas testemunhas a ouvir, e nossos amigos do júri não querem ficar para sempre num hotel à custa dos contribuintes.

Ouviram-se risinhos na assistência, e Tom Armour sorriu. Comparado com o que Marielle tinha visto dele antes, o advogado de defesa parecia surpreendentemente simpático. Mas essa aparência era enganosa; dentro dele havia um fulcro de tensão incrivelmente bem controlada.

— Sr. Patterson, por favor aponte-nos a sua esposa.

Malcolm obedeceu.

— Ela está aqui hoje, e o dia de ontem decerto não foi fácil para ela. Deve ter sido muito difícil falar sobre a morte de seus filhos e o seqüestro do seu filho, Sr. Patterson, o tempo que passou na clínica na Suíça, o casamento com o Sr. Delauney. Mas ela está aqui. Parece-me sã e controlada.

Marielle, sentada ao lado de John Taylor, parecia calma. Malcolm estava furioso, mas tentava esconder isso. Tom Armour continuou:

— Concorda comigo, senhor? Ela parece bastante normal para mim, e provavelmente para todos aqui. O senhor diria que ela está agüentando, apesar de tudo?

— Imagino que sim — ele acedeu, de má vontade.

— O senhor diria que os problemas que ela teve já passaram?

— Não sei — respondeu ele. — Não sou médico.

— Há quanto tempo estão casados?

— Há mais de seis anos.

— Durante esse tempo ela esteve em algum hospital para doentes mentais?

— Não.

— O senhor diria que alguma vez ela fez alguma coisa que colocasse o seu filho em perigo?

— Sim! — ele quase gritou.

Tom dessa vez pareceu espantado, e resolveu esclarecer logo aquilo tudo, antes que a prejudicasse ainda mais. Mas a resposta de Malcolm o surpreendera.

— Que foi que ela fez que colocou seu filho em perigo?

— Ela se relacionou com Charles Delauney. Chegou até a

levar o menino para o parque e o expôs a esse homem. E então ele levou Teddy!

Ele estava gritando, com o braço erguido, e Tom ficou aliviado.

— A Sra. Patterson afirma que o encontro não foi planejado, que ela encontrou o Sr. Delauney por acaso.

— Não acredito nela.

— Ela já lhe mentiu antes?

— Já, sim, sobre o seu desequilíbrio mental e seu casamento com Delauney.

Tom sabia que aquilo era mentira, mas decidiu não desmenti-lo naquele momento.

— Se isso é verdade, Sr. Patterson, ela lhe mentiu em alguma outra ocasião?

— Não sei.

— Está certo; além daquele encontro no parque, ela fez qualquer outra coisa que colocasse o menino em perigo? Levou-o a algum lugar perigoso... Deixou-o sozinho em algum lugar... Até mesmo na banheira?

— Não sei.

— O senhor se lembraria se ela arriscasse a segurança do seu filho?

— Claro que sim! — exclamou Malcolm.

Ele aos poucos se enterrava, e John Taylor estava adorando.

— Acredita que sua esposa lhe era fiel, senhor?

— Não sei.

— Alguma vez teve razão para suspeitar da fidelidade dela?

— Na verdade, não. — Ele deu de ombros, como se isso não tivesse importância.

— O senhor viaja muito, não é?

— Tenho que viajar. A negócios.

— Naturalmente. E o que faz a Sra. Patterson quando o senhor viaja?

— Ela fica em casa — esbravejou ele. — Com dor de cabeça.

Algumas pessoas da assistência riram, mas os jurados ficaram sérios. Estavam tentando acompanhar tudo que ele estava dizendo.

— Ela alguma vez viaja com o senhor?

— Raramente.

— Por quê? O senhor prefere que ela não vá?

— Não. Ela é que prefere ficar em casa com o nosso filho.

— Entendo.

O quadro da mãe relapsa desfazia-se lentamente nas mãos de Tom, e John Taylor ficou feliz por ela, apesar de ser, como agente do FBI, parte da acusação.

— E o senhor viaja sozinho?

— Naturalmente.

— Ninguém o acompanha?

— Claro que não. — Ele pareceu ofendido com essa impertinência.

— Nem mesmo uma secretária?

— Claro que levo uma secretária. Não posso fazer todo o trabalho sozinho.

— Entendo. Leva sempre a mesma, ou varia?

— Às vezes levo as duas.

— Quando leva apenas uma, há alguma preferência?

— Muitas vezes levo a Srta. Sanders. Ela está comigo há muitos anos.

Seu modo de falar insinuava que ela tinha cem anos de idade, mas Tom Armour tinha feito o seu dever de casa e sabia a verdade.

— Há quanto tempo ela trabalha para o senhor?

— Há seis anos e meio.

— Está envolvido com ela, Sr. Patterson?

— Claro que não! — rugiu ele. — Não me envolvo com minhas secretárias.

— E quem era a sua última secretária antes da Srta. Sanders?

Malcolm estava perdido, e sabia disso.

— A minha esposa.

— A Sra. Patterson era sua secretária?

Tom Armour arregalou os olhos de surpresa, como se não soubesse, e o juiz pareceu achar graça.

— Por poucos meses, até nos casarmos.

— Foi assim que a conheceu?

— Acho que sim, embora eu conhecesse vagamente o pai dela.

— Conhece também o pai da Srta. Sanders, Sr. Patterson?

— Claro que não. — Lançou a Tom Armour um olhar desdenhoso. — Ele é padeiro em Frankfurt.

— Entendo. E onde é que mora a Srta. Sanders?

— Não tenho a menor idéia.

Até Marielle estava intrigada agora.

— Nunca esteve na casa dela?

— Talvez algumas vezes... Para reuniões de trabalho...

— E não se lembra onde ela mora?

— Está bem, está bem. Eu me lembro. Na rua 54, esquina com a Park Avenue.

— Bem situado. O apartamento é bom?

— Agradável.

— Grande?

— Normal.

— Ele tem oito cômodos, com uma sala de jantar, um escritório para o senhor, dois quartos de dormir, dois quartos de vestir, dois banheiros, uma grande sala de estar e um terraço?

— Provavelmente. Não sei.

Mas Malcolm tinha o rosto rubro, para espanto de Marielle.

— Sr. Patterson, o senhor paga o aluguel do apartamento da Srta. Sanders?

Marielle o encarava, incrédula. Tola que era, nunca suspeitara. Brigitte sempre fora tão simpática com ela, tão bondosa, e tão generosa com Teddy. E agora, finalmente, Marielle compreendia, e bem no fundo sentia raiva. Brigitte e Malcolm a tinham feito de tola, e ela realmente tinha sido uma tola.

— Não pago o apartamento da Srta. Sanders — Malcolm afirmou com seriedade.

— Qual é o salário da Srta. Sanders?

— Quarenta dólares por semana.

— É razoável. Mas não muito adequado para pagar um apartamento que custa 600 dólares por mês. Como acha que ela paga o aluguel, Sr. Patterson?

— Isso não é da minha conta.

— O senhor mencionou que o pai dela é padeiro.

— Meritíssimo, aonde isso tudo vai chegar? — perguntou William Palmer, pondo-se de pé com aparente tédio.

Tom Armour, já sem achar graça, respondeu:

— Isso tudo vai chegar a mostrar que, apesar da memória fraca do Sr. Patterson, seus extratos bancários, seus cheques e seus arquivos mostram que ele paga o apartamento.

Os investigadores de Tom tinham trabalhado bem.

— E daí?

— Seamus O'Flannerty, porteiro de lá, virá ao banco de testemunhas para nos contar que o Sr. Patterson vai lá todos os dias depois do escritório, e freqüentemente passa a noite lá. Quando viajam, muitas vezes ficam no mesmo quarto. A Srta. Sanders vai para o escritório usando um casaco de *mink*, e neste Natal, duas semanas depois do seqüestro de seu filho, ele deu a Brigitte Sanders um colar de diamantes Cartier. Está claro, meritíssimo, que o Sr Patterson está mentindo.

— Protesto negado, Sr. Palmer — disse o juiz em tom contrafeito, cônscio de quem Malcolm era. — Gostaria de lembrar novamente, Sr. Patterson, que o senhor está sob juramento. Talvez o Sr. Armour queira reformular a pergunta.

— Certamente, meritíssimo. — Tom teria prazer em obedecer. — Sr. Patterson, permita-me perguntar outra vez: o senhor está ou não está tendo um caso com Brigitte Sanders?

Por um instante o silêncio foi total. Antes que Malcolm pudesse responder, porém, o promotor pôs-se de pé.

— Isso é irrelevante, meritíssimo.

— Não penso assim — afirmou Tom Armour. — A promotoria desacreditou totalmente a Sra. Patterson como testemunha e insinuou que ela estava tendo um caso com o meu cliente, o que não é verdade. O meu cliente passou os últimos dezoito anos fora do país, até logo antes do seqüestro. Mas o promotor presume que como um amante rejeitado ou marido ferido o Sr. Delauney procuraria vingar-se. Se realmente o Sr. Patterson está tendo um longo caso com a Srta. Sanders, é igualmente provável que ela procure vingar-se.

— Vingar-se de um colar de diamantes? — perguntou Palmer, e dessa vez toda a assistência riu.

— Responda à pergunta, Sr. Patterson — ordenou o juiz, contrafeito. — O senhor está tendo um caso com a Srta. Sanders?

— Talvez esteja — disse Malcolm baixinho.

— Por favor, fale um pouco mais alto — Tom pediu educadamente.

— Sim, sim... Estou... Mas ela não seqüestrou o meu filho.

Brigitte estava pálida, e Marielle a contemplava.

— Como é que sabe disso? — perguntou Tom Armour a Malcolm.

— Ela não faria uma coisa dessas. — Ele parecia ofendido.

— Nem o meu cliente. Pretende casar-se com a Srta. Sanders?

— Claro que não.

— O senhor dá casacos de pele e colares de diamantes a todas as suas secretárias?

— Claro que não.

— Ela quer se casar com o senhor?

— Não tenho a menor idéia. Isso nunca foi ventilado.

— Obrigado, Sr. Patterson. Pode descer agora.

Mas Bill Palmer ainda queria fazer uma pergunta.

— Sr. Patterson, a Srta. Sanders alguma vez o ameaçou ou a seu filho, ou ameaçou tirá-lo do senhor?

— Claro que não. — Malcolm parecia horrorizado. — Ela é uma moça muito boa e educada. — E tinha pernas fabulosas, e algumas habilidades com as quais Marielle jamais sonhara.

— Muito obrigado. Mais nenhuma pergunta.

Malcolm voltou para seu lugar parecendo feliz. Um instante depois, Brigitte deixou o tribunal. Ela foi atacada pela imprensa assim que saiu, e seu vestido estava rasgado quando finalmente conseguiu entrar num táxi, chorando.

Depois disso, a promotoria chamou uma série de especialistas que estabeleceram o fato de que o ursinho e o pijama eram mesmo de Teddy. E a última testemunha do dia foi um homem que disse que tinha estudado com Charles Delauney e que Charles uma vez o ameaçara, quando ambos tinham quatorze anos. A testemunha, um jovem e nervoso advogado de Boston que tinha se oferecido para depor como forma de poder ajudar, disse que sempre achara que Charles era meio doido. Tom Armour objetou, e a objeção foi aceita, e o júri começava a mostrar-se entediado.

Tinha sido um longo dia, que finalmente acabou; todos ficaram felizes em deixar o recinto. Na saída, John e Marielle trocaram um longo olhar, e Malcolm não disse uma só palavra no trajeto para casa. Ao chegar, foi diretamente para a biblioteca, fechou a porta e fez vários telefonemas. E saiu meia hora depois, batendo a porta da rua, sem uma palavra a Marielle, enquanto John Taylor e um punhado de agentes do FBI fingiam não ver. Todos sabiam o que tinha acontecido aquele dia no tribunal.

John foi vê-la depois que Malcolm saiu; ficaram conversando calmamente.

— Ficou surpresa? — perguntou ele em tom delicado, referindo-se a Brigitte.

Marielle sentia-se como um balão sem ar. Tinha sido outra tarde exaustiva e, de certa forma, triste.

— Fiquei, sim. Acho que sou muito estúpida, mas sempre gostei dela. É uma boa moça, e sempre foi muito simpática com Teddy.

Ela parecia pensativa, lembrando-se de todos os presentinhos, as coisas que Brigitte confeccionara, as balas, os brinquedos, os casaquinhos de tricô... De certo modo, Marielle sentia que tinha sido uma completa idiota. Perguntou-se há quanto tempo o caso vinha durando. Imaginava que provavelmente desde o início, e recordou aqueles seis anos e meio, sentindo-se ainda mais tola. Como tinha sido estúpida, e como eles tinham sido hipócritas!

— Ela certamente tentou fazer amizade com Teddy para impressionar seu marido.

— Talvez — disse Marielle em tom triste. — Acho que isso não tem importância.

Ele tinha que satisfazer suas necessidades em algum lugar, pois não dormiam juntos havia anos, e Marielle sabia que ele era uma pessoa com muita energia física. Mas ela nunca pensara em Brigitte. Certa vez isso lhe passara pela mente, num dia em que a jovem alemã mostrava-se especialmente bonita, e a princípio ela sentira certo ciúme quando eles começaram a viajar juntos, mas depois disso nunca mais pensara no assunto. E agora ficava sabendo que ele ia ao apartamento dela todos os dias depois do trabalho, com freqüência passava a noite lá e até pagava o apartamento! Ele mais parecia casado com Brigitte do que com ela, ou pelo menos assim achava Marielle; ela mesma já não tinha qualquer laço com ele: nem de afinidade, nem de carinho, de lealdade ou fidelidade... Nem mesmo Teddy.

Enquanto ela meditava sobre isso tudo, John observava-a em silêncio, pensando na própria esposa e no que iria acontecer quando o julgamento terminasse. Sabia, melhor do que ninguém, que não poderiam continuar assim para sempre. Mas, apesar dos seus sentimentos, ele e Marielle evitavam falar sobre o futuro. Havia coisas demais acontecendo agora em suas vidas para que pensassem em qualquer outra coisa senão o julgamento e encontrar Teddy.

John odiava deixá-la, à noite, e adorava as horas que passavam juntos.

— Quase sinto pena de Malcolm. Deve ser difícil para ele sentir-se desmascarado — disse ela mais tarde, ao acompanhá-lo à porta.

— Não tão difícil para ele quanto foi para você ontem.

Como podia ela sentir pena de Malcolm? Era uma mulher espantosa.

— Ele mentiu quase o tempo todo — continuou.

Mas tinha sido pego no fim. O que Malcolm não admitira era que sempre soubera sobre Charles e sobre a permanência dela na clínica. Mas o júri não sabia disso. Sabia apenas que ele era um farsante e talvez um mentiroso.

— Merece o que recebeu. Merece coisa pior, pelo que fez a você. Não precisavam ter feito aquilo — insistiu John.

— Precisavam, sim. Agora não terão que se preocupar que eu me mostre favorável a Charles e enfraqueça a acusação. Agora o meu depoimento não terá credibilidade.

Ela gostaria de não ter que depor. Era tudo muito doloroso.

— Ainda tem pena dele, Marielle?

Ela não tinha certeza. Há muito tempo.

— Não sei. Não sei o que pensar... As evidências estão todas aí, no entanto pensei que o conhecesse melhor, mesmo depois de todos esses anos. Não importa o que ele disse, não acreditei quando ele falou aquelas coisas no parque... Mas depois Teddy sumiu... Não sei o que pensar.

Ela não agüentava mais pensar naquilo, na cama vazia que ainda estava quente quando ela a tocara. Já havia três meses que ela não via seu filhinho, não o abraçava... O filhinho cuja mãe disseram que era fraca e instável demais para cuidar dele.

— Se ele fosse inocente... Se encontrássemos Teddy... — Ele ainda esperava isso, mas duvidava. Muito tempo tinha passado. Estava começando a parecer com o caso de Lindbergh. — ...Você voltaria para Charles?

Durante vários dias ele teve vontade de lhe perguntar isso. Queria ter certeza, porque no fundo do coração sabia que ela ainda amava Charles.

— Não sei — respondeu ela francamente. — Acho que não. Não poderia. Há sofrimento demais entre nós. Pense no que sentiríamos quando olhássemos um para o outro de manhã. Se ele for inocente, e Teddy voltar para casa... Charles nunca me perdoará...

Ela ergueu os olhos para John, que se sentiu irritado.

— Nem tudo que acontece de errado no mundo é culpa sua. Não foi você quem fez aquelas ameaças no parque, foi ele. Ele é o idiota que ou cometeu o crime ou se colocou em maus lençóis por dizer o que bem quis. Pelo que me consta, tudo que você fez foi ir ao parque com o seu filho. A culpa não foi sua, ora! Assim como o seqüestro de Teddy também não foi... e o afogamento do outro garoto também não foi... Pare de acreditar em todas as asneiras que esses idiotas lhe empurram!

Ela sorriu para ele. Amava-o por acreditar nela, protegê-la, preocupar-se com ela e tentar encontrar Teddy. Mas perguntava-se que mais eles teriam depois que tudo aquilo terminasse. Provavelmente muito pouco. Seriam amigos, mas tinham se conhecido numa época que para ela seria eternamente dolorosa.

Mas ele agora estava preocupado com outra coisa, depois de ouvir os depoimentos dos últimos dias no tribunal. Sabia o que Patterson tinha escondido na manga. Estava começando a suspeitar que, se encontrassem o menino, Patterson ia pedir o divórcio e a custódia do filho, acusando-a de não ser boa mãe. Esse era o propósito de toda aquela conversa sobre desequilíbrio mental e o testemunho de babás e criadas. John Taylor já via aonde Malcolm queria chegar, mas não quis assustá-la. E talvez isso nunca acontecesse. Talvez nunca encontrassem Teddy.

— Cuide-se — sussurrou enquanto descia os degraus do pórtico, desejando tê-la beijado.

Marielle, voltando para seu quarto, calculou corretamente que Malcolm estava com Brigitte.

Naquela noite ele não se deu ao trabalho de voltar para casa ou telefonar. O fingimento tinha terminado. Ela se perguntou onde os dois estariam se escondendo dos repórteres ansiosos por uma boa história. Perguntou-se também quantas vezes os telefonemas dele tinham vindo do apartamento de Brigitte. Era espantoso como ela conhecia pouco o marido! Imaginara-o tão respeitável, tão bom, tão gentil com ela, e em vez disso ele vinha montando uma trama contra ela durante anos, sempre soubera sobre o hospital e Charles, e durante anos enganara-a com Brigitte. Não era um belo quadro. Ela ainda estava pensando nisso, deitada no escuro, quando o telefone tocou. Quase deixou de atender, achando que era ele. Mas sempre havia a possibilidade de que fosse a respeito de Teddy. Sabia que a polícia que ainda estava na casa ia atender, mas mesmo assim ela quis escutar. Espantou-se ao ouvir Bea Ritter pedir para falar com Marielle e o policial recusar.

— Está bem, Jack, já atendi. Alô?

— Sra. Patterson?

— Sim.

— Aqui é Bea Ritter. — Até sua voz parecia nervosa e cheia de energia. Ela era uma mulherzinha excitada, cheia de vida, e perseguindo uma grande história.

Marielle agradeceu-lhe pelo artigo decente a respeito de seu desempenho no tribunal, e a ruivinha pareceu embaraçada.

— Fizeram o trabalho completo. Fiquei nauseada só de ouvir.

— Pelo menos não saí carregada, como disseram os outros jornais.

— São um bando de idiotas. Se as coisas não acontecem do jeito que eles querem, eles inventam. Eu não faço isso. — Houve então uma pausa. Ela não tivera muita esperança de conseguir falar com Marielle, e agora as duas conversavam como velhas amigas, mas ela estava assustada e o assunto era importante. — Desculpe-me por ligar tão tarde... Não tinha certeza de como chegar à senhora... Sra. Patterson, podemos conversar um pouco?

— Por quê?

— Preciso falar com a senhora. Não pode ser pelo telefone. Mas é urgente.

— Tem a ver com meu filho? — Alguma pista... uma chance... uma esperança... Ela sentiu seu coração parar.

— Não diretamente. Tem a ver com Charles Delauney.

— Por favor, não me peça isso. Por favor... Você viu o que fizeram comigo ontem... Não posso ajudá-lo.

— Por favor... Apenas ouça... Quero ajudar a encontrar o seqüestrador do seu filho, e não é Charles. Acredito nisso.

— Ele sabe que você está me telefonando?

A jornalista enrubesceu e sacudiu a cabeça.

— Ele mal me conhece. Fui vê-lo algumas vezes, mas ele está terrivelmente perturbado. Mas acho que é inocente, e quero ajudá-lo.

— Eu quero encontrar o meu filho. É só o que eu quero — disse Marielle com tristeza.

— Eu sei... Eu também... A senhora merece isso... Por favor me receba... Por poucos minutos.

— Quando?

Qualquer encontro delas causaria furor na imprensa, provavelmente um escândalo. E já tinham escândalos suficientes, com a revelação do caso de Malcolm com Brigitte.

— Eu poderia ir até aí agora? Quero dizer... Eu sei... é um grande incômodo. — Ela estava apavorada, mas tinha que ver Marielle.

— Eu... Eu acho que não...

— Por favor... — A jovem estava quase chorando.

Marielle cedeu:

— Está bem Venha.

— Agora?

— Sim. Pode estar aqui em meia hora?

Bea teria prazer em chegar em meio minuto.

Quando ela chegou, Marielle estava vestida, esperando no andar térreo. Ao entrar, a repórter parecia quase assustada. Tinha 28 anos de idade, e seus modos impertinentes pareciam ter desaparecido; ela estava quase infantil. Era uma moça baixinha, muito menor do que Marielle, e estava usando calças compridas, um suéter grosso e capa de chuva.

— Obrigada por me receber — disse, em voz tímida.

Marielle levou-a para a biblioteca e fechou a porta. Estava usando calças pretas e um suéter preto de *cashmere*. Os cabelos estavam puxados para trás e ela não usava maquilagem; havia nela algo muito limpo e puro, exatamente aquilo pelo qual John Taylor se apaixonara.

— Não sei o que você espera de mim — disse em voz baixa, enquanto se sentavam. — Já lhe disse por telefone que não posso ajudá-la.

— Não quero a sua ajuda — admitiu Bea Ritter, contemplando-a.

Durante semanas ela quisera conversar novamente com aquela mulher, e agora ali estava, e parecia estranho as duas sentadas como duas amigas, duas mulheres que queriam a mesma coisa por motivos diferentes: Bea queria que o menino fosse encontrado para inocentar Charles, e Marielle só queria seu filho de volta.

— Queria conversar com a senhora, saber o que pensa., Assim, não para os jornais... Ou no tribunal... Não acha que foi ele, acha?

— Ontem fui franca no tribunal — respondeu Marielle com um suspiro, perguntando-se por que teria permitido que a outra viesse. Era uma pessoa tão cheia de energia que quase deixava Marielle nervosa, mas ela achava que devia isso à outra. Mas que utilidade teria repassar tudo de novo com ela? — Não é para o jornal?

Bea sacudiu a cabeça, e Marielle acreditou nela.

— Não. É para mim. Tenho que saber. Porque também acho que não foi ele. — Ela falava como se Marielle acreditasse na mesma coisa, pois sentia que era assim, por mais que a outra o negasse.

— Por quê?

— Talvez eu seja louca, mas acredito nele. Confio nele. Admiro todas as coisas que ele defende. Acho que ele é um idiota, fez coisas estúpidas, e nunca deveria ter dito o que disse à senhora naquele dia no parque, mas se pretendesse levar a criança não teria dito aquilo.

— Também pensava assim... Até terem encontrado o pijama do bebê... — Era estranho, mas ela ainda pensava nele assim, "o bebê", mesmo aos quatro anos... O bebê que ela talvez nunca mais visse. De repente teve que reprimir as lágrimas. — Como foi parar lá, se ele não o seqüestrou?

— Sra.. Patterson... Marielle... Posso chamá-la assim?

Eram duas vidas diferentes, dois mundos diferentes, mas por um breve instante eram amigas, com um só propósito: encontrar o menino. Marielle assentiu. Bea continuou:

— Ele jura que o pijama e o urso foram plantados. Acha que alguém foi pago para colocá-los lá... Talvez alguém daqui, da sua própria casa.

— Mas era o pijama que ele estava usando. Eu vi. A gola era bordada com trens, era o mesmo pijama que ele estava usando na noite em que o levaram.

— Ele tem outro pijama como aquele?

Marielle sacudiu a cabeça.

— Igualzinho, não.

A jovem repórter sacudiu a cabeça com expressão de desespero. Queria desesperadamente ajudar Charles, e Marielle teve vontade de lhe fazer uma pergunta.

— Por que se importa tanto? É a história, ou o homem?

Encarou-a, e os olhos de Bea não se desviaram.

— É o homem — respondeu. Depois, com voz mais suave, prosseguiu: — Você ainda o ama, não é?

Marielle hesitou longo tempo, perguntando-se até que ponto poderia confiar nela, mas confiava, sem saber por quê. E sabia que não se decepcionaria.

— Sempre amei. Acho que sempre amarei. Mas ele agora faz parte do passado. — Aos poucos, Marielle estava chegando a compreender isso.

— Charles disse a mesma coisa, quando falei com ele. Ele também a ama. Acho que está menos louco agora. Acho que isso tudo o fez cair em si.

— Um pouco tarde — comentou Marielle, com um sorriso triste.

— Ele acha que o menino está vivo em algum lugar — disse Bea, querendo dar-lhe esperanças, se não respostas.

— Gostaria que isso fosse verdade. O FBI acha que está demorando demais. Estão com medo de...

Ela não conseguiu dizer as palavras, e seus olhos encheram-se de lágrimas. Era tudo inútil. Para que serviria o julgamento? O que quer que fizessem com Charles, isso não traria seu bebê de volta.

— Não acredito nisso. — Bea Ritter não se moveu, mas estendeu a mão e segurou os dedos de Marielle — E vou fazer tudo que puder para ajudar a encontrá-los. Tudo que a imprensa conseguir, todas as pistas que eu descobrir serão investigadas por mim.

Ela explicou: tinha algumas ligações estranhas no submundo local, devido a uma série de artigos que fizera e que o chefão tinha adorado. Ela fizera dele um herói a seu modo, e ele lhe prometera ajuda sempre que ela quisesse. Depois de conversar com Charles, ela tivera a idéia de procurá-lo.

— O que é que você queria de mim? — perguntou Marielle, cansada. Gostava da moça, mas já era tarde, e tudo parecia sem esperanças. — Por que veio aqui?

— Queria olhá-la nos olhos e ver por mim mesma aquilo em que você acredita. Acho que você não sabe... Mas também não tem certeza de que foi ele.

— É verdade.

— Está certo. Talvez em seu lugar eu sentisse a mesma coisa. Ele deve ter-lhe feito coisas muito ruins quando...

Ambas sabiam que ela aludia à ocasião em que o filho deles morrera.

— Ele estava louco — disse Marielle com um sorriso triste. — Talvez ainda esteja.

— Um pouquinho. — Bea sorriu. — Tinha que ser louco, para lutar na Espanha.

Mas ela o admirava por isso, e amava as coisas que ele escrevia. Ele mostrara alguns trechos a ela. Certo dia eles conversaram horas na prisão, e ele chorara quando lhe dissera que era inocente. E ela acreditou. Ela então prometera ajudá-lo, e sabia que Marielle era uma peça importante. Não importava o que fizessem a ela, ela era alguém que poderia ajudá-lo.

— Sinto muito pelo seu marido — disse a jornalista.

— Eu também. Os jornais de amanhã não vão estar muito bonitos.

— Não vão, não. — Bea já tinha visto alguns rascunhos. — Mas isso traz um pouco mais de simpatia para você. Eles realmente a crucificaram no outro dia. Fiquei revoltada, por isso escrevi aquele artigo.

Ela era uma espécie de Robin Hood, sempre defendendo os

oprimidos, os agredidos, os pobres, os derrotados. Ela e Charles pareciam ter muita coisa em comum.

— Por que Charles? — Marielle perguntou baixinho. — Por que ele? Por que você se importa tanto?

— Não quero vê-lo morto sem motivo. Nunca acreditei inteiramente que Bruno Hauptmann era culpado. Sei que havia provas, mas muita coisa era circunstancial. A maior parte era histeria criada pela imprensa. Foi meu primeiro trabalho, eu tinha 21 anos, e sempre achei que poderia ter feito alguma coisa, mas não fiz. Talvez desta vez eu possa fazer. Ou pelo menos morrer tentando.

Marielle não ousava perguntar-lhe mais que isso, mas havia algo mais nos olhos da jovem, e depois de um longo momento ela decidiu perguntar.

— Você está apaixonada por ele?

Não havia ciúme, nem sentimento de posse. Era apenas uma pergunta. E Bea Ritter olhou para ela durante longo tempo antes de responder.

— Não tenho certeza. Não quero estar. Isso não é importante.

Mas era a razão pela qual ela se importava tanto, e Marielle sabia disso. Sorriu para ela.

— Ele sabe disso, ou é tão estúpido quanto costumava ser?

Às vezes ele era burro, quando queria. E naturalmente agora estava envolvido com algo muito mais importante. Mas Bea riu com ela.

— Acho que talvez ele seja tão estúpido quanto costumava ser, mas talvez esteja um pouco ocupado demais. — Ele estava lutando por sua vida. Então Bea pareceu preocupada de repente. — Você voltaria para ele algum dia?

Mas Marielle sacudiu a cabeça sem hesitar. Tinha havido muita dor e muito sofrimento, muito tempo tinha passado. Ela o amava, e sabia que sempre o amaria, mas ele estava perdido para ela. Marielle achava que a ruivinha seria perfeita para ele, se essa ocasião chegasse, e ele fosse inocentado. Ele lhe devia muito, mas, segundo Bea, ele próprio não sabia disso.

— Que é que vai fazer agora, Bea?

— Não sei... Vou cobrar algumas dívidas antigas... Falar com alguns velhos amigos... Vou procurar alguns detetives particulares que conheço... — E talvez conversar com Tom Armour, se precisasse de dinheiro. Talvez ele se dispusesse a pagar por algumas pistas ou favores especiais. Ela estava disposta a fazer qualquer coisa, procurar qualquer pessoa, ir a qualquer lugar, subornar quem quer que fosse necessário. — Talvez não descubra coisa alguma, mas pelo menos teremos tentado... e talvez isso nos leve a Teddy.

— Você vai me avisar se souber de alguma coisa, não vai?

— No mesmo minuto.

As duas se levantaram e Marielle acompanhou-a até a porta. Sabia que nunca seriam amigas, mas gostava dela. Era uma moça incomum, e muito esperta. Charles tinha mais sorte do que imaginava, por tê-la encontrado.

Bea Ritter saiu para a noite; quando Marielle tornou a subir, era bem mais de meia-noite. Depois de apagar a luz, ficou deitada em sua cama, pensando em Malcolm, provavelmente num apartamento na avenida Park... E seu filhinho, por quem ela rezou para que estivesse dormindo numa cama em algum lugar, com pessoas desconhecidas.

13

O julgamento prosseguiu por várias semanas, enquanto Hitler ocupava Memel, no Báltico. Pelo menos em Nova York, o julgamento parecia ter expulsado das primeiras páginas dos jornais as notícias mundiais. Mas Inglaterra e França anunciaram que estavam prontas para apoiar a Polônia. E no final de março, para grande tristeza de Charles, a Guerra Civil espanhola terminou finalmente, quando Madri foi tomada pelo general Franco. Havia então mais de um milhão de mortos, e em três anos toda uma população tinha sido destruída. Era uma tragédia para Charles, como, ele sabia, era também para seus amigos na Espanha. O combate tinha cessado, a guerra estava perdida. Mas Charles tinha agora sua própria guerra a enfrentar: a batalha da própria sobrevivência.

Marielle não tornou a falar com Bea Ritter depois daquela visita noturna, mas continuava a ler seus artigos no jornal, e comovia-se com suas opiniões solidárias.

Previsivelmente, durante várias semanas os jornais fizeram grande estardalhaço a respeito de Malcolm e Brigitte, mas Marielle, apesar das perguntas constantes, permaneceu alheia e não fez qualquer comentário. Ela e Malcolm mal se falavam, e ela só vira Brigitte uma vez desde então. A jovem encobrira seu sentimento de culpa com um olhar orgulhoso para Marielle, como se tentasse provar que era a vencedora. Marielle interpretou isso como uma tola tentativa de defesa, e não lhe invejou a posição constrangedora. Sentia-se traída pelas mentiras dos dois e pela falsa bondade de Brigitte, mas já não sentia raiva ou sequer ciúme. Ele já não lhe pertencia há muito tempo, mas ela ficou profundamente ferida pela mentira prolongada de Malcolm. Sua única tentativa de discutir o assunto com ele tinha sido cortada, e Malcolm, fingindo sentir-se "ultrajado", declarou que, depois do comportamento dela com Charles, não lhe devia explicação alguma. Isso apenas vinha confirmar sua culpa. Mas o fato já tinha sido provado.

Ela declarou friamente que, se ele continuasse a ficar no apartamento com a jovem, os repórteres continuariam a persegui-los. Depois disso, percebeu que ele não ficava mais no apartamento de Brigitte, e sim em casa. Mas mesmo assim eles mal se viam.

A tensão entre eles era insuportável, como também era o julgamento, durante o qual uma série de especialistas, detetives e pessoas irrelevantes depuseram, endossando a culpa de Charles e sendo derrubados, um a um, por Tom Armour.

Passaram-se três semanas inteiras antes que a defesa tivesse a sua oportunidade. E Tom Armour chamou Marielle como sua primeira testemunha. A princípio ele abordou o mesmo assunto cuidadosamente, reconstruindo-a onde Bill Palmer a tinha destruído. E o quadro que começou a emergir em suas mãos era bem diferente do que fora pintado por Malcolm e Bill Palmer. Em lugar de uma inválida mentalmente desequilibrada, a quem não se podia confiar o próprio filho, ele mostrou com mais clareza o que realmente acontecera, como ela tinha sido arrasada pela morte do filho e a perda da menininha que esperava, e depois a perda do marido. Tom Armour admitiu abertamente que Charles ficara bastante perturbado e tratara-a muito mal; o advogado explicou que ambos estavam dilacerados de dor, e não havia uma só pessoa naquele tribunal que não tivesse lágrimas nos olhos quando ele pediu que ela descrevesse o modo como tateara à procura de André sob o gelo do lago Genebra. Ela explicou como conseguira salvar as duas meninas, mas não o próprio filho, porque ele deslizara para baixo do gelo, e estava cinzento e sem vida quando o encontrou. Ela teve que interromper várias vezes o relato dessa cena e do hospital naquela noite e, depois, quando perdeu o bebê. Num único golpe cruel eles tinham perdido sua família, e Charles, ainda mais do que ela, mostrara-se incapaz de suportar. Então ela entrara em colapso, e durante muitos meses quis apenas morrer e ficar com seus filhinhos.

— Sente-se assim agora? — Tom perguntou em voz baixa, enquanto vários jurados assoavam o nariz.

— Não — respondeu em tom melancólico.

— Acredita que Teddy ainda está vivo?

Ela sentiu os olhos encherem-se de lágrimas, mas respondeu:

— Não sei... Espero que esteja... Quero isso tanto... — Então olhou para os repórteres, depois para a assistência. — Se algum de vocês sabe onde ele está... Por favor, por favor, traga-o para casa... Faremos qualquer coisa... mas não o machuquem...

Um fotógrafo correra para perto dela, e o clarão do *flash* explodiu enquanto ela falava; o juiz ordenou que o meirinho retirasse o fotógrafo do recinto.

— E se alguém fizer isso de novo, será preso, entenderam? — rugiu o juiz Morrison.

Enquanto isso, Marielle recuperava o controle de si mesma. O juiz pediu-lhe desculpas, e ela se preparou para a pergunta seguinte de Tom Armour.

— Acredita que Charles seqüestrou o seu filho?

Era uma pergunta perigosa, mas ele queria que o mundo soubesse o que ela pensava, pois ele achava que ela não estava convencida da culpa de Charles.

— Não tenho certeza.

— Acha que ele faria uma coisa dessas? A senhora o conhece melhor do que qualquer pessoa aqui. Ele a amou, e a magoou, e chorou junto com a senhora... e até mesmo a espancou. Provavelmente fez coisas ainda piores, que ninguém aqui sabe.

O próprio Charles admitira isso a Tom, e no entanto o que Marielle tinha dito a Tom sobre Charles fez com que Tom soubesse que Marielle não acreditava que ele fosse culpado.

— Sabendo o que a senhora sabe sobre ele, Sra. Patterson, acredita que ele levou Teddy?

Ela hesitou durante uma eternidade, e finalmente sacudiu a cabeça e escondeu o rosto nas mãos. Tom Armour esperou.

— Sra. Patterson, a senhora ainda está apaixonada por este homem?

Ela olhou com tristeza para Charles. Que coisas horríveis tinham acontecido a eles! Quanto sofrimento tinham compartilhado! No entanto, muito tempo antes, eles tinham sido tão felizes...

— Não — disse em voz baixa. — Eu o amo. Provavelmente sempre o amarei. Ele foi o pai de meus filhos. Eu o amava muito quando era jovem... Mas agora... Tenho apenas pena dele, e, se ele fez essa coisa horrível, então espero que devolva meu filho são e salvo. Mas não estou mais apaixonada por ele. Nós causamos um ao outro muito sofrimento, durante muito tempo.

Tom Armour assentiu, respeitando-a mais do que ela sabia. Era uma mulher fantástica; agüentara o interrogatório, expusera suas entranhas, sua vida, sua alma, perdera dois filhos pelas mãos do destino e agora mais um, e ainda estava de pé. Ele a admirava mais do que a qualquer outra pessoa que já conhecera, mas nada em seu rosto mostrava isso, enquanto ele continuava com suas perguntas.

— A senhora teve um caso com o Sr. Delauney depois de seu casamento com o Sr. Patterson?

— Não — disse ela calmamente.

— Teve algum caso com alguém? Alguma vez foi infiel ao seu marido?

Ele a encarava nos olhos, e o olhar dela, ao encontrar o dele, não vacilou.

— Não. — Era verdade. Ela tinha beijado John Taylor, mas só isso, e a essa altura seu casamento estava acabado.

— Obrigado, Sra. Patterson, pode voltar ao seu lugar. Não tenho mais perguntas.

Ajudou-a a descer do banco das testemunhas e ela voltou ao seu lugar, sentindo-se exaurida, mas não experimentava a sensação de derrota que sentira quando tinha sido interrogada por Bill Palmer.

Em seguida Tom chamou Haverford, o mordomo. Este descreveu-a como uma pessoa decente, justa e inteligente, uma mulher de integridade, uma verdadeira fidalga. Disse isso tudo com orgulho, o que a comoveu. Disse também que ela era maravilhosa com o filho e que ele, Haverford, sempre achara chocante a maneira como ela era maltratada pelos criados do Sr. Patterson. Era como se todos achassem que nada deviam a ela, e sim ao Sr. Patterson. O próprio Haverford achava que o Sr. Patterson jamais a apoiara. Ele agia como se ela não fosse a dona da casa, mas uma simples hóspede, e assim ela era considerada. Ele disse que a Srta. Griffin tinha sido abominável com ela, a governanta ainda pior, e que Edith roubava suas roupas, e todos, inclusive o Sr. Patterson, sabiam disso. Disse que os criados a ridicularizavam na cozinha.

— Está dizendo que não havia respeito pela Sra. Patterson em sua própria casa? — insistiu Tom Armour, para ter certeza de que o júri estava compreendendo.

— Sim, senhor — respondeu Haverford, muito digno num terno escuro feito sob encomenda para ele em Londres.

— Diria que foi o próprio comportamento dela que levou a essa situação, Sr. Haverford? Ela é, como foi insinuado neste julgamento, uma mulher fraca e desequilibrada, sem qualquer mérito?

O velho mordomo endireitou-se visivelmente, imaginando que Tom o compreendera mal.

— O que eu disse, senhor, é que ela é uma das melhores pessoas que já conheci. É sensata, boa, justa, decente, delicada e, depois de tudo que sofreu, não entendo como alguém possa qualificá-la de fraca.

A Srta. Griffin é que desde o seqüestro vinha sofrendo de vertigens e desmaios, tendo que tomar calmantes receitados por seu médico.

— O senhor nos daria sua opinião quanto à razão pela qual

ninguém na casa dos Patterson a respeitava? Havia alguma razão lógica?

Haverford assentiu, ansioso para dizer ao júri.

— O Sr. Patterson nos informou desde o início que... — Tentou lembrar as palavras exatas, mas não conseguiu — ...ela não era muito normal; bem, não foi exatamente isso. Mas ele nos disse que ela era muito frágil e muito nervosa. E insinuou que as ordens dela deveriam ser ouvidas polidamente, mas basicamente ignoradas. Disse que ela não sabia cuidar de uma casa, e mais tarde, de crianças. Isso mostrou a todos nós qual era a posição dela para o Sr. Malcolm.

Mostrou também a Marielle, que estava escutando. Mas ela ainda não compreendia por que ele agira assim. Desde o início, ele fizera dela um objeto de desprezo e ridículo. Talvez quisesse apenas manter o controle de tudo, e nunca houvera para ela um lugar verdadeiro na casa dele, a não ser como mãe de Teddy, e mesmo nessa condição eles dificilmente permitiam que ela fosse útil.

— O senhor tinha conhecimento do caso do Sr. Patterson com a Srta. Sanders? — Tom perguntou.

— Tinha, sim, ou pelo menos suspeitava — respondeu Haverford com ar de rígida desaprovação.

— Alguma vez o senhor mencionou suas suspeitas à Sra. Patterson?

— É claro que não, senhor.

— Obrigado, Sr. Haverford.

Tom ofereceu sua testemunha à promotoria, mas Bill Palmer preferiu não lhe fazer pergunta alguma. Ele não considerava o mordomo importante. Mas Marielle tinha ficado comovida com o depoimento dele, assim como o júri.

Ela se sentia de certa forma vingada pelo que ele dissera. Mas por outro lado era constrangedor ouvir aquilo tudo explicitado, e também era reconfortante saber que o que sentira era real, e não sua imaginação. O que ainda não entendia era o motivo por que Malcolm a sabotara com todas as pessoas. Tinha que haver uma razão. Ou seria porque ele já estava apaixonado por Brigitte desde o início? Estaria tentando livrar-se de Marielle? Será que tinha esperança de que ela fugisse, ou desistisse e partisse, deixando Teddy com ele? Ela preferia morrer. Mas por que humilhá-la, mentir-lhe, enganá-la? Por que dar-se ao trabalho de casar-se com ela? Teria sido tudo uma mentira, desde o princípio? Mas ao lembrar-se dos primeiros dias, tão felizes, ela não conseguia acreditar que fosse assim.

A testemunha seguinte chamada por Tom foi Brigitte Sanders. E houve um frêmito no recinto quando ela foi até a frente. Era uma linda jovem, não se podia negar isso, e havia nela um ar de sexualidade, mais do que Marielle percebera até então. Talvez fosse porque agora ela nada tinha a esconder; seu segredo estava exposto e Brigitte parecia, de certa forma, ter orgulho disso. Usava um leve vestido negro, e Marielle percebeu que parecia caro. Os cabelos estavam perfeitamente penteados em coque, e ela usava batom e esmalte de unhas da costumeira cor vermelha brilhante. Todos concordavam que ela era muito vistosa. Olhando para ela, Marielle sentia-se como uma pata choca; não percebia como Brigitte se mostrava fria e calculista, como, aos olhos de todos, ela parecia calejada em comparação com Marielle. Tom Armour achava-a insuportavelmente alemã. E havia um tom insolente na voz dela ao responder às perguntas dele. Era um tom que Marielle jamais a vira usar antes, o que a fez perguntar-se se Brigitte estaria se sentindo na defensiva, agora que seu segredo estava exposto e ela tinha sido denunciada ao mundo inteiro como amante de Malcolm.

A jovem alemã admitiu que Malcolm passava a maioria de seus serões com ela, às vezes a noite inteira, e disse também que ele nunca fora feliz com a esposa, casara-se com ela apenas para ter filhos. O que ela disse espantou Marielle, que se perguntou se seria verdade. Então era isso?

— Mas nem isso ela conseguia fazer direito — disse Brigitte com desprezo.

Tinham desaparecido o carinho, a preocupação, a bondade que ela sempre demonstrara para com Marielle e Teddy. Ela estava disposta a revelar tudo, e Malcolm parecia observá-la com nervosismo.

— Gostaria de explicar esse comentário, Srta. Sanders? — Tom perguntou.

— Ela levou um tempo enorme para engravidar.

Tom Armour absteve-se de sugerir que talvez o Sr. Patterson estivesse passando noites demais no apartamento dela. A jovem continuou:

— Aliás, ele estava tão cansado de esperar que já estava pensando em divorciar-se, bem na época em que ela engravidou.

Ouviu-se um murmúrio na assistência, e Marielle baixou os olhos, enquanto o juiz pedia silêncio batendo seu martelo. Marielle, sentada ao lado de John Taylor, sentiu-se enrubescer. Ele não se moveu nem disse coisa alguma, mas sentiu pena dela, sabendo como ela era reservada e discreta. Aquilo não podia ser fácil para ela.

— Nessa época a senhorita já estava envolvida com o Sr. Patterson?

Por um longo tempo Brigitte nada disse, e ele insistiu:

— Devo repetir a pergunta? Posso lembrar que a senhorita está sob juramento?

— Estava, sim — disse ela, com menos petulância.

— Quando foi que o caso começou?

Marielle, agora curiosa, prendeu a respiração enquanto esperava a resposta.

— Dois meses depois que eles se casaram. Em fevereiro.

Marielle achou que sabia quando tinha sido: na primeira viagem de negócios que ele fez sem ela. Ele não tinha esperado muito! Desde então ele se mostrara particularmente frio. Ela pensara por algum tempo que se tratava de decepção porque ela não engravidava, mas ele já estava sob o encanto de Brigitte, e aparentemente continuara assim.

— Não lhe desagradava que ele estivesse casado com ela, e não com a senhorita?

— Não, eu... — Ela parecia um pouco desconcertada. — Sabia

que ele queria um filho, e ele... Malcolm... o Sr. Patterson... sempre foi muito generoso comigo.

Era o que Tom ouvira dizer. Não insistiu com ela a respeito da razão por que Malcolm queria um filho de Marielle e não de Brigitte. Em vez disso, perguntou-lhe se Malcolm tinha prometido casar-se com ela se se divorciasse de Marielle, e ela desconversou dizendo que nunca tinham discutido isso, o que Tom achava muito pouco provável. Quando ela olhou de relance para Malcolm, tornou-se óbvio que estava mentindo.

Ela explicou que eles viajavam juntos para todos os lugares, particularmente para a Alemanha, onde o Sr. Patterson tinha muitos negócios; afirmou que não se sentia embaraçada em ser amante dele. Mas disse isso com ar de desafio, e Tom Armour não tinha muita certeza se devia acreditar.

Ela disse também que gostava muito do menino, e que Malcolm o adorava e quase morrera quando o menino foi seqüestrado. Disse também que raramente vira Marielle com a criança.

— Ela estava sempre de cama com enxaqueca — declarou, no mesmo tom antipático e desrespeitoso que a criadagem usava quando falava sobre Marielle. Nenhum deles, exceto Haverford, se referira a ela com bondade.

Brigitte deixou o banco das testemunhas mostrando as pernas, e balançou os quadris ao passar por Malcolm, que desviou o olhar e fingiu não perceber.

Depois disso, e por quase uma semana, o julgamento voltou ao normal. Outros especialistas e policiais foram chamados. Nenhuma impressão digital fora encontrada na cena do crime, nenhuma evidência que pudesse ser ligada a Charles, apenas o pijama e o brinquedo encontrados na casa dele, e Tom Armour insistia que esses objetos poderiam facilmente ter sido plantados lá. Ninguém na casa dos Delauney vira o garoto, e o álibi de Charles para a noite do seqüestro era indestrutível. Era difícil provar sua culpa e finalmente, no final da quarta semana do julgamento, ele foi chamado para depor. Não havia um só ruído no tribunal enquanto ele se dirigia ao banco das testemunhas.

Charles parecia magro e sério ao fazer solenemente o juramento de dizer apenas a verdade, lançando um olhar nervoso para o júri. Tom Armour já tinha ensaiado tudo com ele, tentando adverti-lo de todas as armadilhas possíveis.

Tom perguntou-lhe onde ele estivera nos últimos dezoito anos. Ele explicou que morara muitos anos na França, e nos últimos anos na Espanha, enquanto lutava contra Franco.

— O senhor lutou também na Primeira Guerra Mundial, Sr Delauney?

Charles confirmou. Parecia muito belo e muito pálido, e subitamente muito mais velho do que quando Marielle o encontrara na catedral. Para ele, aqueles quatro meses desde que fora preso tinham sido torturantes. E para aumentar seus problemas o advogado acabara de lhe contar que o pai estava enfraquecendo rapidamente.

— Quantos anos tinha quando se alistou como voluntário?

— Tinha quinze anos.

Tom assentiu com aprovação.

— E foi ferido servindo seu país?

— Sim, em Saint-Mihiel. Depois disso, voltei para cá para estudar durante três anos. Mas voltei para a Europa em 1921. Fui para Oxford, depois para a Itália durante algum tempo, depois mudei-me para Paris.

— Foi lá que conheceu sua esposa, a atual Sra. Patterson?

— Isso mesmo.

Charles olhou para ela e sorriu; ela parecia muito preocupada. Já não tinha certeza do que queria que acontecesse. Queria justiça para ele, e queria seu filhinho, e não sabia se algum dos dois alcançaria o que desejava. Charles continuou:

— Conheci-a em 1926. Ela tinha dezoito anos, e nós nos casamos no final daquele verão.

— O senhor a amava, Sr. Delauney? — Tom olhou para ele como se fosse uma pergunta importante. — O senhor amava a sua esposa?

— Sim... Eu a amava muito... Ela era tão jovem... Era maravilhosa... Como um espírito lindo e iluminado. Tudo para ela era novo e excitante... — Seus pensamentos vagaram por um momento; depois ele olhou para Tom com ar de desculpas e falou, em voz bem baixa: — Nós éramos muito felizes.

— E tiveram um filho?

Charles assentiu.

— Um menininho... André... Estávamos casados havia quase um ano quando ele nasceu. Era muito especial.

Marielle pensou consigo mesma: todas as crianças são especiais. Teddy também... Todas.

— O senhor diria que ambos eram extremamente agarrados ao menino?

— Sim.

— Mais do que o normal?

— Talvez. Nós três estávamos juntos o tempo todo. Viajávamos bastante, e eu trabalhava em casa, escrevendo. Marielle era uma mãe maravilhosa. Cuidava de nós sozinha.

— Sem uma babá? — interrompeu Tom.

— Ela não queria ninguém para ajudá-la.

Marielle sorriu a essa lembrança. A vida era muito mais simples naquela época, sem pessoas como a Srta. Griffin.

— Então os três eram muito ligados; diria que eram extremamente ligados?

— Acho que se pode dizer que sim.

— Acha que isso tornou ainda mais traumatizante o choque de perder o menino?

— Suponho que sim. E nós dois éramos muito jovens... Ficamos desesperados. Eu a culpava, e ela me culpava... E nada disso fez diferença.

— Ela o culpava?

— Na verdade, não... Eu estava me referindo ao aborto... Mas a verdade era que Marielle culpava a si mesma e eu fui muito duro com ela. — Sua voz embargou-se; mesmo depois de tanto tempo, ele estava cheio de culpa, e encarou-a nos olhos. — Eu estava errado. Depois descobri isso. Mas aí ela estava fora do meu alcance... E não queria me ver. E os médicos achavam... achavam que ela ficaria mais perturbada se eu a visitasse.

Tom queria pegar o touro a unha para que não houvesse segredos para o júri.

— O senhor bateu nela na noite da morte do seu filho, Sr. Delauney?

A voz de Tom era terrível, e Charles assentiu com ar infeliz.

— Bati, sim. Eu estava louco... Acabara de ver o corpo do meu filho... e não conseguia acreditar que ela tivesse deixado aquilo acontecer... Eu queria destruir alguma coisa... Queria morrer... Dei-lhe uns tapas com força...

Essa lembrança iria persegui-lo para sempre.

— E por causa disso ela perdeu a criança?

— Não. — Ele sacudiu a cabeça e lançou a ela um olhar angustiado. — O médico disse que o bebê já estava morto quando ela chegou ao hospital. A exposição à água gelada tinha matado o feto. Mas não contaram a ela.

Marielle engoliu um soluço ao ouvir essas palavras; ela não sabia que o bebê já estava morto, sabia apenas que o perdera naquela noite, em meio a todo o horror.

— Então o senhor considerou-a responsável pela morte das duas crianças? — Tom Armour prosseguiu, impiedoso.

Bea Ritter franziu o sobrolho, mas sabia que para salvá-lo seria preciso que tudo fosse esclarecido, como uma ferida que tinha que ser extirpada e limpa para que o paciente fosse salvo.

— Sim — sussurrou Charles. — Sim... Mas eu estava errado. Não foi culpa dela. Mas quando percebi isso já era tarde demais.

— O senhor a teria matado naquela noite, se pudesse?

— Não! — Charles pareceu horrorizado. — Nunca quis magoá-la. Preferia magoar a mim mesmo.

— Precisou ser arrancado de cima dela, quando bateu nela, ou parou por vontade própria?

— Eu mesmo parei, e deixei-a lá, saí e me embebedei a noite inteira. Quando voltei de manhã, para pedir perdão, ela estava sendo operada. Tinha perdido o bebê. E depois disso nunca se recuperou.

Eu não tornei a vê-la realmente, ou a conversar com ela, falar com ela sensatamente.

Enquanto ele falava, as lágrimas escorriam pelo seu rosto e pelo de Marielle.

— Compareceu ao enterro do seu filho?

— Sim.

— Sua esposa também?

Ele sacudiu a cabeça, incapaz de falar.

— Não. Ela estava doente demais. Ainda estava no hospital em Genebra.

Muito diferente da Clinique Verbeuf em Villars, da qual todos a essa altura tinham ouvido falar.

— O senhor já quis ter outros filhos? — Tom perguntou.

Charles sacudiu a cabeça com ar decidido.

— Não. Não tenho vontade de ter outros filhos. É uma das razões pelas quais não me casei de novo. Acho que já tive o meu filho, e ele nos foi tirado. Dediquei minha vida a outras coisas, a escrever sobre as coisas que me pareciam importantes, a lutar pelas causas nas quais acreditava, porque tenho menos a perder do que outros homens, e ninguém vai chorar por mim se eu morrer. Levei minha vida livremente. Com mulher e filhos eu não poderia fazer isso.

— Tem inveja das pessoas que têm família?

— Não — disse ele em tom calmo. — Nunca tive. Fiz minhas escolhas e vivo segundo elas.

— Alguma vez quis voltar para a sua esposa?

— Sim — admitiu em voz baixa. — Antes que ela saísse do hospital eu lhe pedi para voltar para mim, e ela não quis. Disse que sempre se sentiria responsável pelo que tinha acontecido e não acreditava que eu não mais a culpasse.

— Nessa época o senhor estava apaixonado por ela?

— Estava, sim. — Ele não tinha vergonha de confessar.

— Em sua opinião, ela ainda estava apaixonada pelo senhor?

— Creio que sim.

— Ainda está apaixonado por ela hoje?

— Estou, sim — disse ele em tom calmo. — Acho que sempre estarei. Mas compreendo que nossas vidas tomaram rumos diferentes. Nem sequer acho que nós combinaríamos hoje em dia. — Ele sorriu carinhosamente para ela. — Ela não me parece o tipo de mulher que ficaria feliz acampada numa encosta de morro, enquanto o marido luta nas trincheiras.

Houve alguns sorrisos na assistência. Poucas mulheres gostariam de uma vida assim, exceto uma, que o teria seguido no mesmo instante a qualquer encosta de morro que ele escolhesse.

— Quanto tempo fazia que o senhor não a via, quando a encontrou na catedral de Saint Patrick?

— Quase sete anos.

— E ficou muito comovido quando a viu?

— Muito. Era o aniversário da morte do nosso filho, e vê-la significou muito para mim.

— Ela ficou feliz ao vê-lo?

— Creio que sim.

— Ela o fez supor que gostaria de vê-lo novamente?

— Não — declarou ele, sacudindo a cabeça com firmeza. — Ela disse que não poderia, por causa do marido. — Era um grande contraste com o depoimento de Malcolm sobre seu ninho de amor com Brigitte. — Ela foi muito firme.

— E o senhor ficou zangado?

— Não. Fiquei triste. Eu só conseguia pensar no passado e no que tínhamos tido juntos, portanto queria vê-la.

— Ela lhe falou do filho?

— Não, e fiquei chocado quando o conheci, no dia seguinte. Eu estava com uma ressaca terrível, ainda meio bêbado, e fiquei furioso porque ela não tinha me falado do menino na véspera. Era um belo menino, e eu disse que ela não o merecia, e mais um monte de coisas estúpidas. Acho que estava falando mais a respeito de mim mesmo, dentro da minha bebedeira. De qualquer maneira, eu me comportei muito mal.

— O senhor a ameaçou?

— Provavelmente — disse ele com franqueza.

— Falava sério?

— Não.

— O senhor telefonou-lhe e repetiu as ameaças, ou tinha lhe telefonado antes?

— Não.

— Alguma vez em sua vida o senhor ameaçou fisicamente alguém e depois cumpriu a ameaça?

— Nunca.

— E dessa vez foi diferente? O senhor cumpriu aquela ameaça, Sr. Delauney? — A voz de Tom ficava cada vez mais alta e mais forte.

— Não cumpri, não. Nunca faria mal a ela ou ao menino.

— O senhor levou Theodore Whitman Patterson, o filho dos Patterson, da casa dele, na noite de 11 de dezembro do ano passado, ou contratou alguém para isso?

— Não, senhor.

— Sabe onde o menino está?

— Não... Sinto muito, mas não sei... Gostaria de saber...

— O pijama e um brinquedo dele foram encontrados na sua casa uma semana depois?

— Sim.

— Tem idéia de como foram parar lá?

— Não.

— Como acha que essas coisas foram parar na sua casa, Sr. Delauney?

— Não sei. Acho que devem ter sido plantadas.

— Por que, em sua opinião, alguém faria isso?

— Para que eu pagasse pelo crime que cometeram. É a única razão que me ocorre.

— Tem idéia de quem pode ter sido?

— Não.

— O senhor tem algum inimigo? Alguém jurou destruí-lo?

— Não... Talvez o general Franco...

Algumas pessoas sorriram.

— O senhor é comunista, Sr. Delauney?

— Não — ele sorriu. — Sou republicano. Ou era. Agora acho que sou neutro.

— Pertence ao Partido Comunista?

— Não.

— Tem alguma queixa contra a Sra. Delauney, agora Sra. Patterson, por tê-lo deixado? Ou contra o Sr. Patterson por ser marido dela?

Charles olhou para Malcolm e teve vontade de cuspir ele, mas controlou-se e declarou:

— Pelo que ouvi neste tribunal, ele não a merece. Mas não tenho raiva dele ou de Marielle. Ela sofreu bastante na vida. Merece alguém melhor do que nós dois, e merece ter seu filho de volta.

Ela sentiu lágrimas nos olhos ao escutar essas palavras. Ele era um homem decente, sempre fora. Agora, ouvindo-o, ela não acreditava que ele fosse capaz de roubar Teddy. E Tom Armour rezava para que o júri pensassse como ela.

— O senhor é culpado do crime de que é acusado, Sr. Delauney? Pense cuidadosamente, e lembre-se de que está sob juramento. Está de alguma forma envolvido no seqüestro da criança em questão?

Charles olhou para ele com solenidade e sacudiu a cabeça lentamente.

— Juro que nada tive a ver com isso — afirmou.

Tom Armour voltou-se então para o promotor.

— A testemunha é sua, Sr. Palmer.

O promotor tentou fazer picadinho dele, obrigá-lo a dizer que mentira, fazer com que ele fizesse uma figura ainda pior por ter batido em Marielle depois da morte do filho. Mas agora estava tudo revelado, já não havia segredos, e ele agarrou-se à sua história. Continuou dizendo que nada tinha a ver com o seqüestro e não tinha idéia de como o pijama fora parar no seu porão. Nenhuma outra evidência da presença do menino tinha sido encontrada lá: nem pele, nem unhas, nem cabelos, nenhuma outra roupa, nenhum sinal de que ele estivera perto de Charles.

Seu depoimento demorou dois dias exaustivos, e no final o

mistério ainda não fora resolvido, mas Charles continuou firme até o fim: não era culpado. A única questão era: ele teria convencido o júri?

Nesse dia Malcolm deixou o tribunal separado dela, e a caminho de casa Marielle parou numa igreja. Queria rezar para um desfecho feliz, fosse qual fosse, e por seu filhinho. A Páscoa chegara e se fora, outras crianças tinham procurado ovinhos de chocolate, e em casa o quarto de Teddy ainda estava vazio. Partia-lhe o coração ir até lá, no entanto, todos os dias ela encontrava um motivo para isso: guardar alguma coisa, procurar algo, dobrar alguma peça de roupa. A Srta. Griffin partira há muito tempo, ainda estava com a irmã em New Jersey, e a governanta contara a Marielle recentemente que a inglesa ia trabalhar com uma família em Palm Beach, tomando conta de um bebezinho. Sorte dela, pensou Marielle. Sorte de ter outro bebê de quem tomar conta. Mas para Marielle não havia outro bebê, e tudo o que ela queria era o pequeno Teddy. Seu coração doía quando ela pensava nos cabelos sedosos, na pele firme, nos lábios doces que a beijavam, e ele agora desaparecera... provavelmente para sempre. Ela estava tentando aceitar isso, a cada dia, mas pensar nele tornava pouco importante até mesmo a traição de Malcolm.

Ficou longo tempo ajoelhada diante do altar da Igreja de Saint Vincent Ferrer, e finalmente John Taylor veio ajoelhar-se ao seu lado. Ele estivera no tribunal com ela todos os dias, no entanto pouco podia fazer, e pouca coisa tinham descoberto. Não havia novidades no caso desde que encontraram o pijama e o ursinho na casa de Charles.

No dia seguinte, teriam lugar as alegações finais do julgamento, e ele se sentia inteiramente inútil. Achava que Delauney tinha se saído bem no banco das testemunhas naqueles dois dias, ele próprio passara a ter algumas dúvidas, mas ainda achava que Charles era culpado.

Colocou a mão de leve no braço de Marielle. Ela estava mais magra e pálida, mas raramente experimentava suas horríveis enxaquecas.

— Está pronta para ir para casa?

Ela suspirou e concordou. Às vezes tinha vontade de ficar ali para sempre, ajoelhada, rogando-lhe que trouxesse Teddy de volta. Há meses ela só pedia a mesma coisa.

Manteve-se silenciosa no caminho para casa. Os repórteres ainda sitiavam sua porta, mas Taylor sempre conseguia enganá-los e levá-la pela porta dos fundos. Era estranho pensar que o julgamento estava prestes a terminar. A polícia ia continuar com eles durante algum tempo, e o FBI decerto faria algumas visitas, mas não havia pista alguma, nenhum telefonema, nem mesmo dos malucos que costumavam telefonar de madrugada. Não havia mais razão para ele permanecer lá. Estava tudo acabado. Agora só restava ver o que o júri faria com Delauney. Ele se perguntou se isso também a preocupava. Sabia que ela ainda gostava dele, provavelmente mais do que admitia.

— Quer ficar sozinha? — perguntou em voz baixa.

Ela ergueu os olhos para ele com gratidão e assentiu. No final, ela ficaria sem ninguém. Ela e Malcolm estavam terminados, Teddy tinha sumido... e se executassem Charles não haveria pessoa alguma no mundo que a amasse. Ela ficava sem fôlego ao pensar nisso de vez em quando, e Taylor sabia que ela estava passando por um tempo difícil. Tocou delicadamente no braço dela, e depois na face

— Agüente firme... Não é tão ruim quanto parece às vezes.

Mas ambos sabiam que era muito ruim. Ele a observou subir devagar a escada, de cabeça baixa, e de repente começou a ficar preocupado; e se ela fizesse a loucura que tentara fazer anos antes? Perguntou-se se deveria ficar, ou segui-la até o andar superior, mas um dos policiais informou que Malcolm estava lá, de modo que Taylor apenas lhe pediu para ficar de olho nela e voltou para seu escritório.

Depois de despedir-se de John, Marielle subiu para o quarto de Teddy. Sentou-se na cadeira de balanço e fechou os olhos. Estava escurecendo lá fora, e havia algumas estrelas no céu que ela via através das cortinas do quarto. Pensou nos versinhos infantis que recitavam, nas canções que ela cantara na última noite em que o colocara na cama, e as lágrimas começaram a escorrer por seu rosto; então ouviu um barulho, voltou-se e deparou com o marido.

— Que é que você está fazendo aqui? — perguntou ele em tom frio.

— Venho aqui para ficar mais perto de Teddy.

— Não vai adiantar — disse ele maldosamente. — Teddy está morto, graças ao seu ex-marido.

— Por que você é tão cruel? — ela desta vez ousou perguntar. — E como pode ter tanta certeza de que ele está morto? Como sabe que ele não vai voltar logo para nós?

Malcolm encarou-a com frieza. Sua máscara caíra desde que o julgamento começara. Ele perdera seu disfarce, e já não se importava com isso. Pretendia divorciar-se dela.

— Se ele voltar, Marielle, não vai ser para "nós" ou para você. Você não tem capacidade para cuidar dele.

Era exatamente o que Tom Armour previra. Ele tinha trabalhado no caso Vanderbilt, e sabia como esses casos eram montados. E era isso que ela estava vendo Malcolm fazer. O depoimento da babá, da criada, o telegrama do hospital de doenças mentais, tudo mostrando que ela era incapaz, para o caso de o menino reaparecer.

— Quem é você para decidir isso? — perguntou ela com tristeza. — E por que me odeia tanto?

— Não odeio você. Apenas a desprezo. Você é fraca... e trouxe aquele comunista para nossa vida, para roubar e matar o nosso filho...

— Você sabe que não é verdade.

Ela não se moveu da cadeira de balanço quando ele se aproximou. Os olhos dele faiscavam, mas os dela também.

— Você é uma idiota, Marielle. Uma idiota mentirosa. Como pode esperar que alguém a respeite?

— E Brigitte? — perguntou ela em tom calmo. — Ela é melhor que eu?

Aquela afronta ainda lhe doía. Ela agora percebia também que ele a sabotara durante todos aqueles anos. Mas por quê? Por que a odiava? Teria feito isso para si próprio ou por Brigitte?

— Brigitte nada tem a ver com isso. Nós nunca devíamos ter nos casado.

— Então, por que nos casamos?

Ela já não entendia coisa alguma a respeito dele.

— Talvez, se eu tivesse conhecido Brigitte antes... Mas conheci você primeiro, e queria desesperadamente ter filhos.

Depois de dois casamentos estéreis, Marielle parecera ser a resposta às suas orações. Ela era jovem e indefesa. Ele achava bom o fato de ela ser sozinha no mundo. Estava sob o jugo dele, e ele gostava disso. Na realidade, sequer dera importância ao passado dela no sanatório; aquilo só serviria para deixá-la ainda mais dependente.

— Quer dizer que era só isso? Era só para ter um filho?

— Talvez.

Ela tinha sido usada. Só isso. Um instrumento para dar-lhe um filho. Mas havia mais coisas, ela sabia, e ele também, embora não o admitisse. Bem no início, por um breve tempo, ela tivera certeza de que ele a amava. E então... surgira Brigitte. Agora ela compreendia.

— E o que vai fazer agora? Vai casar-se com Brigitte e ter mais filhos?

Ele não lhe disse que Brigitte não podia ter filhos e que a paixão deles era genuína.

— O que eu vou fazer não é da sua conta, Marielle.

— Vou me mudar assim que o julgamento terminar — disse ela calmamente.

Mas ia levar as coisas de Teddy. Tinha que levá-las consigo... Caso ele voltasse para casa... Pela primeira vez em muitos anos ela começou a sentir a mesma confusão que sentia na clínica em Villars, a mesma dor estranha em algum lugar na sua cabeça, tornando impossível pensar ou decidir qualquer coisa... Tudo que conseguia pensar agora era em Teddy.

— Para onde você vai se mudar?

Os olhos dele pareciam enxergar a sua energia.

— Não faz diferença. Darei meu endereço ao FBI para que possam me encontrar, caso... quando o encontrarem.

Ele olhou para ela com desdém. Percebia que ela estava enlouquecendo outra vez. E nunca lhe ocorrera que ele próprio provocara isso.

— Não vão encontrá-lo, Marielle. Nunca. Não compreende isso?

— Vou ficar num hotel — disse ela, ignorando a pergunta dele e desviando o olhar.

Malcolm já combinara com o advogado a quantia que ia dar a ela. Ia comprá-la, e ela provavelmente acabaria num hospício. Depois que ele partisse, e Charles fosse executado, e ela compreendesse que jamais tornaria a ver o filho, isso provavelmente a mataria.

— De qualquer maneira, vou sair de viagem. Você vai poder se organizar.

— Para onde vai? — A voz dela era fraca, como se lhe custasse falar, e suas mãos tremiam.

— Não é da sua conta.

De repente, ouvindo-o, ela sentiu o pânico crescer dentro de si. Quem iria tomar cuidar dela quando ele partisse... Quem iria ajudá-la a tomar conta de Teddy? Mas de súbito compreendeu que não precisaria de pessoa alguma. Precisava apenas de tempo para recuperar-se de tudo o que acontecera. Percebia o que estava se passando consigo, e lutou com todas as suas forças para dominar seus demônios. Fez um esforço sobre-humano para levantar-se em silêncio e desceu para seu quarto. Ele podia fazer o que quisesse, mas não poderia apagar as lembranças da criança que ela amava, ou quanto ela o amava. E sabendo disso ela entendeu de repente que poderia sobreviver.

Nessa noite John Taylor telefonou. Estava preocupado com ela. Sabia o dano que o julgamento lhe causava.

— Você está bem? — quis saber.

— Sim. Foi duro hoje.

E Malcolm tinha sido mais duro ainda. Ela estava exausta, mas também feliz por poder conversar com ele.

— Vai ficar pior nos próximos dias. As alegações finais e o veredicto vão ser terríveis. Você vai ter que ficar calma, Marielle — E ele estaria lá com ela.

— Eu sei... Eu estou bem... John, não há notícia dele? Quero dizer, de Teddy?

— Não — disse ele baixinho. — Nenhuma notícia.

Sabia que ela estava começando a aceitar isso. Depois de quatro meses, não havia mais esperança, e ele sabia disso.

— Se alguma coisa acontecer, eu vou lhe avisar — prometeu.

— Sei que sim.

— Marielle... — Ele sabia que o telefone estava com escuta, mas gostaria de poder dizer-lhe que a amava muito.

— Eu sei... Está tudo bem.

A voz dela era fraca e triste, e ele ansiou por ela, por abraçá-la. Ela, na solidão de seu quarto, sentiu duas lágrimas descerem por seu rosto: lágrimas de exaustão, tanto quanto de dor.

— Fique forte por mais alguns dias. Talvez possamos passar algum tempo juntos quando tudo acabar. — Ele sabia que ela precisava afastar-se. Tinha medo de que ela entrasse em colapso novamente, como estivera perto de acontecer aquela noite. — Então até amanhã — disse em tom carinhoso.

— Boa noite — ela sussurrou, e desligou.

Enquanto Marielle adormecia, naquela noite, Bea Ritter pensava em telefonar para Tom Armour.

14

Tom Armour estivera redigindo suas alegações finais desde que chegara a casa no final da tarde, e finalmente concluiu que estava exatamente como ele queria. Espreguiçou-se, bocejou, releu tudo mais uma vez e finalmente resolveu fazer um sanduíche. Seu apartamento parecia estar cheio de ninhos de ratos, e ao abrir a geladeira lembrou-se de que ela estava vazia. Estava a contemplá-la, faminto, quando o telefone tocou. Hesitou em atender. Com certeza eram os malditos repórteres novamente, mas podia ser também alguma coisa importante.

— Sim? — falou distraidamente, ao atender. Estava tentando decidir se valeria a pena sair para comer ou se seria melhor ir para a cama dormir, para estar descansado de manhã. Descansado, mas faminto. Nesse dia ele também não almoçara, e seu estômago roncava enquanto ele segurava o fone e se perguntava quem estaria ligando àquela hora. A única mulher interessante em sua vida tinha anunciado, pouco antes do Natal, que ia se casar com outro. Alegava que ele era casado com a profissão e ela estava cansada de ouvi-lo falar de trabalho. Mas aos 36 anos ele conseguira estabelecer-se como um dos mais proeminentes criminalistas da cidade.

— O Sr. Armour está? — perguntou uma voz feminina que ele não reconheceu, mas que soava muito agradável.

— Quem pensa que é, a esta hora? O mordomo? — E então

ele se perguntou de repente se seria um trote ligado a Charles Delauney. Defendê-lo tinha sido interessante, mas desde o início do caso ele recebera sua cota de trotes telefônicos e cartas ameaçadoras perguntando como ele podia defender aquele monstro etc. — Quem é? — perguntou, franzindo a testa. Havia semanas, meses, que ninguém telefonava para sua casa, muito menos uma mulher de voz atraente.

— É Beatrice Ritter. É você, Tom?

— O próprio.

Sabia quem era, e gostava dela. Tinha gostado dela quando ela o procurara e implorara que ele aceitasse defender Charles. E ele gostara dos artigos que ela escrevera sobre Marielle, sobre Charles e o julgamento. Era óbvio que ela estava do seu lado.

— Preciso falar com você. — Ela parecia ansiosa.

— Pode falar. Estou ouvindo. — Com a barriga roncando, a geladeira vazia e nada a fazer até o dia seguinte.

— Podemos nos encontrar em algum lugar?

Ele consultou o relógio e fez uma careta. Era um homem atraente, estava parado na cozinha de camisa, calças e suspensórios, e todo o seu alimento nas últimas quatorze horas tinha sido litros de café preto.

— São quase onze horas. Não pode esperar até amanhã de manhã?

— Não pode, não. — Ela parecia desesperada.

— Alguma coisa errada?

— Tenho que falar com você.

— Você matou alguém?

— Estou falando a sério... Por favor... Confie em mim. O assunto não pode esperar até amanhã.

— Imagino que seja algo relacionado com o meu cliente.

Ela se tornara a defensora de Charles, por motivos que Tom não entendia muito bem, mas ele estava disposto a aproveitar-se disso, se fosse útil ao seu cliente.

— Sim, completamente.

— E não pode esperar?

— Acho que não. — Ela parecia muito ansiosa.

— Está disposta a vir ao meu apartamento?

A maioria das moças não estava disposta a visitar um homem àquela hora da noite, mas ela não era esse tipo de moça. Era uma repórter. Estava acostumada a fazer coisas que nenhum homem ou mulher em sã consciência faria, e ele admirava a maneira corajosa como ela fazia as coisa. Era uma moça de porte pequeno e coragem enorme. E ele gostava dela. Um dia poderiam até ser amigos, mas não naquele momento.

— Eu irei, sim — disse. — Só espero que você não more em Nova Jersey.

— Que tal a rua 59, entre Lexington e a Terceira?

— Ótimo. Moro na 47. Vou pegar um táxi, e em cinco minutos estarei aí.

— Pode me fazer um favor?

— Claro.

— Pode me comprar um sanduíche de rosbife? Não comi coisa alguma desde o café da manhã.

— Mostarda ou maionese?

— Ambas. Qualquer coisa. Comerei até o saco de papel. Estou faminto.

— Já, já.

A campainha tocou vinte minutos depois, e lá estava ela, de calças compridas azul-marinho, suéter azul-claro e um grande laço azul nos cabelos. Entregou a ele um saco de papel pardo com uma cerveja, uma salada e o sanduíche.

— Você é um anjo. — De tão grato pelo jantar que ela lhe trazia, ele sequer sentia curiosidade sobre o que ela queria lhe dizer. — Quer dividir a cerveja?

— Não, obrigada.

Ela se sentou numa cadeira da cozinha. Pareciam velhos amigos, mas ele sabia que ela assistira a todo o julgamento e indiretamente eles tinham combatido juntos.

— Como acha que está indo?

— Não tenho certeza. O júri é difícil. Às vezes acho que os

homens gostam mais dele que as mulheres, e às vezes... Não tenho certeza. Pelo menos você devolveu uma certa credibilidade a Marielle Patterson. Que canalha esse Patterson mostrou ser!

Ele assentiu, consciente de que ela era repórter e aquilo podia ser um truque.

— Você fez um grande trabalho em favor de Charles Delauney.

— Obrigado. Ele hoje se saiu bem ao depor. Pelo menos me pareceu.

— A mim também — disse ela baixinho. Ela e Charles tinham trocado um olhar quando ele deixou o banco das testemunhas e ele sorrira quando ela lhe fizera o sinal de "positivo". Ele ficara comovido pelo interesse e a fé que ela tinha nele, e um pouco espantado com sua dedicação, mas gostava dela. Não tanto quanto ela gostava dele, mas aos olhos de Bea aquilo era um começo... A não ser que... Mas isso ia depender de Tom Armour e do júri.

— Então, que é que há? O que é que traz você aqui a esta hora com um sanduíche de rosbife? Imagino que não tenha vindo para me dizer que admira meu estilo no tribunal.

— Não. — Ela sorriu. — Mas você é muito bom. Melhor do que a maioria que já vi. — Mas seus olhos ficaram sérios. Ela tinha algo importante a contar-lhe. E ambos sabiam que o tempo estava ficando curto para Charles Delauney. Ambos os advogados fariam sua alegação final no dia seguinte, e depois disso tudo ia depender do júri. — Fiz uma coisa muito estranha — admitiu, enquanto aceitava uma mordida. — Telefonei para alguém sobre quem escrevi um artigo há muito tempo... Bem, de qualquer maneira... no ano passado. Você provavelmente sabe quem é Tony Caproni.

— O chefe da gangue de Queens? — Tom Armour pareceu espantar-se. — Você anda com um belo grupo de amigos, Srta. Ritter.

— Escrevi um artigo elogioso sobre ele, e ele gostou. Disse-me para telefonar se algum dia precisasse de um favor, e eu telefonei.

— Você procurou Caproni? Por quê?

Mais uma vez ele ficou impressionado com a coragem dela.

Tony Caproni era um dos homens mais perigosos de Nova York, mas também um dos mais poderosos em seu próprio mundo.

— Queria saber se ele tinha ouvido alguma coisa, se conhecia alguém que conhecesse alguém que... Talvez alguém no submundo soubesse quem realmente seqüestrou o menino, ou... Não sei. Só achei que valia a pena.

— E aí? Imagino que ele não tenha podido ajudar. O FBI tentou a mesma tática. Tentou todos os informantes, todos os contatos do submundo, e nada conseguiu.

— Tony também não, na primeira vez que telefonou. — Ela agarrou o braço de Tom. — Mas hoje ele me telefonou. Tudo que me deu foi o nome e o telefone de um cara, e me mandou ligar para ele.

Tom parou de comer para encará-la.

— E ele sabia de alguma coisa?

— Alguém... Ele não sabe quem... pagou-lhe cinquenta mil dólares para plantar o brinquedo e o pijama. Ele não quer depor, mas deporá se lhe prometermos anistia. Ele está assustado, Tom. Está morto de medo, mas sente pena de Charles e diz que vai ajudar. Disse também que acha que o menino está vivo, e quer falar antes que alguma coisa aconteça.

— Santo Deus... Vamos, me dê o número do telefone dele.

Ela tirou o número da bolsa e ele pegou o telefone, depois olhou para ela.

— Não é um truque, é? Se você ousar publicar isso eu a mato.

— Juro que é verdade.

Ele acreditou nela, sem saber por quê.

15

Exatamente às 10:15 da manhã o juiz Abraham Morrison bateu com seu martelo e pediu ordem no tribunal. Tom Armour estava particularmente bem, de olhos brilhantes, camisa branca engomada, terno azul-escuro e gravata nova, e levantara-se quinze minutos antes para engraxar os sapatos. Gostava de ter a melhor aparência possível no final de um julgamento, quando isso realmente era importante. E Charles parecia muito sério de terno cinzento e com uma gravata do pai.

— Senhoras e senhores, hoje ouviremos as alegações finais — o juiz explicou ao júri.

Durante um mês os jurados ficaram hospedados no Chelsea Hotel, e alguns deles começavam a parecer exaustos.

Enquanto o juiz falava, Tom Armour levantou-se e pediu para aproximar-se da mesa dele, o que fez, em companhia de Bill Palmer.

— Que foi? — perguntou o juiz em voz baixa, franzindo a testa.

— Tenho novas evidências, meritíssimo, e um problema. Podemos conversar em seus aposentos?

O juiz não pareceu feliz com isso. Estavam quase prontos para encerrar, e agora falava-se em novas evidências. Que diabos aquilo queria dizer?

— Está bem, está bem.

Os três se retiraram, e ficaram até as 11:30, os advogados discutindo entre si e com o juiz. Este estava disposto a deixar o homem depor, mas não a conceder-lhe anistia. Se o que ele dizia era verdade, plantar o pijama na casa de Charles era um crime federal e ele provavelmente estava escondendo outras coisas que sabia a respeito do seqüestro.

— Acho que deve prendê-lo — disse Palmer.

— Não posso trair a minha fonte — retrucou Armour.

— E se ele estiver mentindo?

— E se não estiver? Se ele plantou mesmo o pijama e o urso, então Delauney é inocente.

— Ora, por favor! Quem é esse sujeito, afinal? — quase gritou Palmer.

— Não posso dizer até chegarmos a um acordo.

O juiz parecia infeliz enquanto os ouvia, e mais ainda quando finalmente chegaram a um acordo.

— Dou-lhe 48 horas para verificar se tudo isso é falso ou não. Use o FBI, os fuzileiros navais, o exército. Não me importa o que você fizer, mas tente conseguir mais informações. E não vou prometer coisa alguma ao tal sujeito. Mas esteja aqui dentro de 48 horas, senão vou prendê-lo por desrespeito e jogar sua fonte na cadeia. Entendeu bem?

— Sim, senhor. Obrigado.

Tom Armour estava felicíssimo. Tinha dois dias para fazer um milagre, mas talvez o amigo de Bea o ajudasse.

— Concorda com um recesso de dois dias, Sr. Palmer? — quis saber o juiz.

— E tenho escolha?

Palmer parecia contrafeito, mas resignado. Ele estivera preparado para ganhar o caso com sua alegação final.

— Na verdade, não — fez o juiz, sorrindo.

Tom riu.

— Então concordo, não é? Espero que seja coisa boa. Pessoalmente, acho que é falso. O culpado é mesmo o Delauney, aquele nojento comunista.

— Não fale assim do meu cliente — admoestou Tom Armour.

— Então não aceite gente assim como cliente.

Os três homens voltaram para o recinto do julgamento, e o juiz explicou a todos que havia possíveis evidências novas e o julgamento estaria em recesso durante dois dias, para investigações, voltando na sexta-feira. Agradeceu a todos por terem ido até lá, enquanto Tom cochichava com Charles, explicando o que ocorrera. Assim que ele tornou a levantar-se, fez sinal a John Taylor.

— Podemos conversar um minuto? Preciso de ajuda.

— Claro.

Oficialmente, John estava ali para ajudar a promotoria, mas na realidade estava ali para ajudar a todos, encontrando Teddy.

— Podemos ir a algum lugar calmo por alguns minutos?

Tom Armour deixou Charles, que seria levado de volta à sua cela, e acompanhou Taylor até uma sala deserta.

— Que é que você conseguiu?

— Não tenho certeza. Mas acho que é coisa boa. — Explicou a fonte e contou o que o homem dissera. — Ele está apavorado. Aceitou o dinheiro de quem o deixou para ele, e agora é cúmplice, ou no mínimo está atrapalhando a justiça. Tem várias passagens pela polícia e está sob condicional, de modo que tem pavor de se apresentar.

— Pelo menos não é burro. Quem é, afinal? Talvez eu conheça.

— Provavelmente. Mas tem que me garantir anistia para ele, se eu lhe contar.

— Não posso lhe garantir droga nenhuma, Armour. Mas posso lhe garantir que vou lhe dar um chute no traseiro se você não me contar o que sabe. Não estamos aqui apenas protegendo o seu cliente. Estamos procurando um garoto de quatro anos que pode ou não estar morto, e, se não estiver morto, está correndo um perigo dos diabos.

— Sei disso, droga! Mas você não pode espantar o meu informante... Ele também acha que o menino ainda está vivo. Você tem que me prometer que não vai chegar lá e prendê-lo.

— Não vou prendê-lo. Quero conversar com ele. Se quiser, pode vir comigo. Quem é ele?

Armour ainda tinha medo de criar confusão para o homem.

— O nome dele é Louie Polanski — disse, hesitante, rezando para que Taylor não prendesse o sujeito.

— Louie? Louie Gostosão? Ora, Louie e eu nos conhecemos há anos. Eu o encanei há quinze anos, quando eu mesmo ainda era garoto... Salvei a vida dele. Os companheiros do bando estavam querendo matá-lo, e nós lhe demos uma cela aconchegante e proteção durante cinco anos. Ele me ama. — John Taylor estava rindo.

— Tem certeza? — Tom parecia espantado com aquela história.

— Comigo ele vai conversar. Prometo.

Quando Tom telefonou novamente para Louie, este estava esperando a chamada e concordou em encontrar-se com Tom Armour e John Taylor.

Encontraram-se à uma hora da tarde num restaurante italiano em Greenwich Village, que pertencia a uma quadrilha e durante anos fora uma espelunca. Taylor conhecia bem o lugar, mas não Tom Armour. O homem que encontraram era baixo e obeso, calvo, e suava profusamente. Ficou muito nervoso ao falar do que tinha feito, mas parecia ter um prazer genuíno em encontrar John Taylor.

— Eu não devia ter feito aquilo. Foi loucura. Mas era tanto dinheiro, e parecia tão fácil...

E tinha sido mesmo. Até agora.

Taylor olhou para Tom.

— Quem, diabos, teria pagado tanto dinheiro para comprometer Delauney? Alguém não gosta mesmo do seu cliente.

— Gostaria de saber quem — disse Tom com amargura.

— Estão dizendo que o garoto ainda está vivo, mas não sei onde, ou com quem — sussurrou Louie, olhando por cima do ombro.

— Por que pensam assim? Você pode descobrir? — perguntou Taylor, todo profissional.

— Vou procurar saber. Mas acho que alguém está fazendo grande segredo. Muito dinheiro trocou de mãos, devem ter contratado gente boa, porque ninguém está falando.

A não ser Louie, graças a Deus. Taylor encontrou-se rezando para que os informantes de Louie estivessem certos e Teddy ainda estivesse vivo.

— Tem alguma idéia de onde ele está? Qualquer pista, qualquer sinal? Alguma coisa que possamos usar?

— Talvez ele já esteja fora do país.

Eles tinham pensado nisso. Mas durante vários meses mantiveram estreita vigilância sobre portos e aeroportos, e até mesmo as fronteiras terrestres com o Canadá e o México. Tinham montado uma rede de malha fina, até recentemente. A essa altura imaginavam que Teddy já estava morto ou então que ninguém tentaria retirá-lo do país. Mas isso de repente deixou John pensativo. A vigilância dos portos tinha sido suspensa apenas na semana anterior. Valia a pena dar mais uma olhada. Ele encarou Louie com expressão interessada.

— Você acabou de me dar uma idéia, Louie. Eu amo você.

— Ah, é? Então, que é que vai fazer por mim? Escuta... Eu devolvo o dinheiro... Só gastei dez milhas. Pode ficar com os outros quarenta mil. Dê para o FBI, meu Deus, dê para o juiz. Mas, droga, não quero voltar para a cadeia por causa de um nojento pijama de garoto.

— Vamos fazer o seguinte — disse Taylor, encarando-o com seriedade. — Se descobrirmos alguma coisa, farei um acordo com você por nos ajudar a encontrar o menino. Se não o encontrarmos, você poderia estar metido numa encrenca. Mas vou fazer o possível. Eu lhe telefono.

— Tá... Me avisa...

Louie Gostosão olhou nervosamente para Tom, e John Taylor foi dar um telefonema.

— Obrigado por conversar conosco — disse Tom. — Isso pode salvar a vida do meu cliente.

— É, e o meu traseiro também — respondeu Louie com um

sorriso nervoso. — Mas... hum... Não gosto de quem mexe com crianças. É covardia. Sabe do que eu estou falando. Como o negócio do Lindbergh. Eu estava em cana, por causa de um pequeno assalto a banco. Uns caras como aqueles me dão nojo. Matar um bebê...

— Acha que podem ter matado o menino?

Tom sentia-se mal ao pensar isso, e não só por causa do seu cliente. Durante o julgamento ele passara a admirar Marielle, e não conseguia suportar a idéia de que ela fosse passar por aquilo, especialmente depois dos outros filhos que perdera e o que estava enfrentando com Malcolm.

— É difícil dizer — Louie respondeu em tom sério. — Quando tem muito dinheiro envolvido, qualquer coisa pode acontecer. E o que se diz pelas ruas é que esse golpe é dos grandes.

— Eu queria saber quem fez isso — disse Tom.

Ele tinha certeza de que não era Charles Delauney. Acreditara nele desde antes, mas agora não tinha qualquer dúvida. Mas, sendo um golpe profissional, ele achava difícil que algum dia descobrissem quem era o autor. Ou encontrassem o pobre Teddy. Quando Taylor voltou, parecia contrariado.

— Que foi? — quis saber Tom.

— Não sei. Talvez seja uma pista errada, mas durante os próximos dias vamos passar um pente fino no porto. Nunca se sabe o que se vai encontrar lá. Mas soube que eles têm dez cargueiros e seis navios de passageiros para revistarmos. Isso vai nos manter ocupados por alguns minutos. E, Louie, faça a sua parte também, veja o que pode descobrir.

Pelo menos poderiam conseguir dele uma declaração de ter plantado o urso e o pijama. Mas Taylor sabia que afinal podia não ser fácil protegê-lo.

— Eu o procuro.

— Obrigado pelo almoço. — Louie olhou para os dois homens e se sentiu contente por ter ido. Se encontrassem o garoto, talvez tivesse valido a pena. Um homem tinha que fazer alguma coisa de bom de vez em quando, mesmo que lhe custasse caro.

Quando saíram do restaurante, John Taylor entrou numa cabine telefônica e deu outro telefonema. Ligou para Marielle em casa, não queria que alguém ouvisse.

— Oi. Sou eu. — Sabia que ela reconheceria a sua voz. — Quer me encontrar na mesma igreja aonde fomos antes dentro de digamos, vinte minutos?

— Claro.

Ela parecia intrigada. E quando ele a encontrou, ela estava sozinha. Saíra pela porta dos fundos e descera a rua normalmente, antes que alguém percebesse. Usava um lenço na cabeça, um casaquinho de tricô e óculos escuros.

— Alguma coisa errada? — perguntou.

Parecia preocupada, e ele sorriu para tranqüilizá-la.

— Não, mas vou ficar muito ocupado nos próximos dias. Se não nos virmos, não se preocupe.

— Tem algo a ver com a nova evidência que mencionaram hoje no tribunal?

Ela estava espantada. Acostumara-se a vê-lo literalmente todos os dias desde o seqüestro. Ele era agora o seu único apoio.

— Sim, tem.

— É... Tem a ver com Teddy? — Será que o tinham encontrado... ou pior, encontrado o seu cadáver? Ela não ousava perguntar.

— Acho que não tem a ver com coisa alguma, mas estamos verificando. Não se preocupe, eu informo se surgir alguma coisa. — Não queria dar-lhe falsas esperanças, não era justo. — Mas quero lhe fazer uma pergunta antes. Uma coisa que a minha equipe descobriu por acaso esta manhã.

Era o que o levara a pensar no porto, junto com algo que Louie Gostosão dissera. As duas coisas juntas tinham tocado um sino em sua cabeça. Antes disso, ele tinha imaginado tratar-se de um engano, ou de algo que ela não lhe contara.

— Você e o seu marido vão a algum lugar nas duas próximas semanas?

— Malcolm? Ele mal fala comigo há semanas, e ontem à noite disse-me que vai se divorciar de mim.

Mas ela não parecia perturbada. Estava suportando tudo muito bem, levando-se em conta o que vinha passando.

— Bom sujeito. Então não está planejando viajar com ele?

Taylor tinha certeza de que a resposta era negativa, mas tinha que verificar.

— Não. Por quê? — Ela parecia perplexa.

— Não acha que ele estaria planejando uma segunda lua-de-mel?

— Não comigo. Ele me disse que o seu advogado ia me procurar.

— Quando foi isso?

— Ontem à noite, depois da igreja. — E então ela lembrou-se de súbito de algo que ele dissera no quarto de Teddy. — Ele disse que ia viajar. É o que você está querendo saber?

— Talvez.

Mas não disse a ela que havia uma reserva para o Sr. e a Sra. Patterson no navio *Europa*. Só podia imaginar que Malcolm ia levar Brigitte como sua esposa. Isso era uma prática comum, e a bordo as pessoas costumavam ser discretas. Ele preparara uma bela viagem para si, enquanto Marielle ficava esperando o advogado procurá-la. Que canalha!

— De qualquer maneira, fiquei curioso. Achei que era um engano — encerrou.

— Pensou que eu estava planejando fugir da cidade? — perguntou ela sorrindo, mas mesmo sorrindo seus olhos eram tristes. Ela passara por muita coisa naqueles quatro meses.

Ele tinha vontade de tomá-la nos braços, mas não era hora nem lugar, e ele estava ocupado.

— Não faça planos para deixar a cidade sem o FBI nos seus calcanhares, Sra. Patterson.

— Bem, isso parece muito bom. — Ela sorria enquanto saíam da igreja. — Quando é que vou vê-lo de novo?

— Assim que eu conseguir uma folga. Passo na sua casa, ou telefono. Ou a vejo no tribunal na sexta-feira. — Sorriu e colocou o braço nos ombros dela. — Cuide-se.

Sabia que quando não estivesse ocupado estaria preocupado com ela todos os momentos. Seguiu-a por quase todo o caminho de volta à casa dela, e depois ficou observando enquanto ela subia correndo a rua da casa dos Patterson. Então pegou um táxi para o escritório.

E nos dois dias seguintes Marielle não teve notícia alguma. Malcolm foi a Washington visitar o embaixador alemão, e Brigitte foi com ele. Tom Armour estava ocupado redigindo seu discurso e mantendo Charles calmo. Este sentia-se uma pilha de nervos, por causa do trecho da história de Louie que Tom lhe contara. Se soubesse de tudo, certamente ficaria louco. Mas sabia que Louie tinha plantado o urso e o pijama. Não sabia era que Louie talvez não estivesse disposto a depor, se o FBI não lhe prometesse anistia e proteção.

— Mas isso prova que sou inocente — ele disse a Tom, quase gritando.

— Eu sei. Mas o cara tem que querer se apresentar.

— Qual é o nome dele?

Isso não fazia diferença. Mas Tom Armour sorriu.

— Louie Gostosão — respondeu.

— Ótimo! Exatamente o tipo de gente que preciso para me ajudar.

— Escute, meu amigo: se ele plantou mesmo o pijama e está disposto a dizer isso no tribunal, ele é exatamente a pessoa de que você precisa para ajudá lo.

— Como, diabos, você o encontrou?

A esperança começava a despontar, mas ele ainda não estava livre. Muita coisa ia ter que acontecer para que ele pudesse ser absolvido, e se Louie Charmosão, ou fosse qual fosse o seu nome, desaparecesse, Charles podia considerar-se morto, e sabia disso.

— Na verdade, foi uma pista dada no meio da noite por uma pessoa que é sua amiga, ou pelo menos admiradora.

— Quem é? — quis saber Charles, intrigado.

— Beatrice Ritter — Tom informou em tom neutro.

— Grande garota, não acha? Cheia de coragem. — Charles então pareceu pensativo. — Ela às vezes me lembra Marielle quando era jovem. Era um azougue, cheia de vida, alegria e bom humor. Acho que a vida tirou isso dela no tapa. — Pareceu triste. — Ou talvez eu tenha feito isso.

Ela agora era tão séria, tão bonita e bondosa, e tão quieta. No entanto, tinha um lado que queria rir e divertir-se, e ser feliz de novo. Tom Armour via isso quando conversava com ela.

— Acha que ela vai se recuperar de tudo isso? — Charles perguntou, como se Tom a conhecesse; ele aprendera a reconhecer em seu advogado um bom instinto para julgar as pessoas.

— Acho que vai. Não sei se vai voltar a ser um dia a jovem despreocupada que você descreveu, mas poucas pessoas são, aos trinta anos. Ela vai se recuperar, mas o sofrimento ainda estará lá. Ela vai superar, porque é forte.

Ele suspirou. Ela merecia muito mais do que tivera.

— Como é que você consegue ser feliz o tempo todo? — Charles brincou.

Tinham ficado amigos nos últimos meses. Charles respeitava Tom, e Tom gostava dele.

— Acho que sou estúpido.

Mas ele também tivera sua cota de tragédia. Contara a Charles no início, quando Charles lhe contara de André. Tom perdera a esposa e a filhinha de colo dez anos antes, num acidente de automóvel, logo depois de terminar a faculdade de direito. Estranhamente, no mesmo ano em que Charles perdera André. Também ele não tornara a casar-se. Mas era apaixonado pelo trabalho e imaginava que um dia, quando tivesse tempo... Quando não estivesse defendendo lunáticos como Charles Delauney... Quando se sentisse com coragem suficiente para amar de novo... Mas para Tom Armour esse momento ainda não chegara.

Tom teve muito trabalho para distrair Charles durante dois dias, e Charles perguntava sem cessar a Tom se havia notícia de John Taylor. Mas não havia. O próprio Tom estava ansioso por isso, e só ousara telefonar uma vez, tendo a sorte de encontrá-lo em sua sala. Taylor parecia exausto.

— Poxa, cara, sabe lá o que é passar um pente fino em 16

navios? Retalhamos a droga do porto inteiro. E você ainda pede para eu me apressar?

John Taylor tinha pedido a cooperação das autoridades portuárias de Nova Jersey, que tiveram menos trabalho. No momento o porto deles tinha apenas navios-tanques. Mas Manhattan era um ninho de cobras, e todos os navios estrangeiros ficaram furiosos com a revista, até saberem do que se tratava, e então ficavam um pouco mais dispostos a cooperar, mas não muito. O seqüestro de Teddy era notícia antiga e, apesar do julgamento, as pessoas já começavam a esquecer e a deixar de se importar. E a inconveniência de uma revista completa, com tudo o que ela requeria, era monumental. Tinham revistado até o *Europa*, no qual Malcolm ia viajar, mas o navio estava limpo. E os alemães tinham ficado muito contrariados ao terem seu navio revistado.

— Eu disse que lhe telefonaria se descobríssemos alguma coisa. Não vou ao escritório desde ontem à noite, e só vim em casa para tomar uma chuveirada porque eu próprio já não conseguia me agüentar. Tem alguma queixa, Sr. Armour?

Taylor falava com rispidez, mas Tom sabia que não era por mal; ele estava apenas cansado.

— Nenhuma queixa, só um cliente nervoso.

— Diga a ele para ficar de cabeça fria. Estamos fazendo o possível. E... — Hesitou, mas decidiu ir em frente. Quer me fazer um favor?

— Claro. Manda. Que é? Ligar para Louie Gostosão?

Ele sorriu e Taylor riu.

— Não. Para Marielle Patterson. Ela deve estar nervosa, perguntando-se o que está acontecendo. Não contei a ela sobre Louie e os cinqüenta mil para plantar o pijama. Disse apenas que tínhamos uma pista nova. Não queria que ela se perturbasse.

— Claro. Que é que devo lhe dizer?

— Não sei...

Taylor hesitou, e Tom perguntou-se qual seria o interesse dele, mas disse a si mesmo para deixar de suspeitar de tudo, pois estava se tornando um grande malicioso. Taylor, porém, prosseguiu:

— Só para ver se ela está bem. Patterson está tornando as coisas muito ruins para ela. Vai divorciar-se dela, sabia?

— Grande sujeito — disse Tom, desgostoso, mas não surpreso.

— Eu disse a mesma coisa. Ele não sabe a sorte que tem. Mas acho que vai receber o que merece da mocinha alemã. Debaixo de todo aquele cabelo louro ela parece ser um osso duro de roer.

— Posso citar estas palavras, agente especial Taylor? — Tom riu, e Taylor respondeu com uma risadinha cansada.

— Quando quiser, senhor advogado.

— Você tem que admitir que a alemãzinha estava bonitinha, quando foi depor.

Ambos riram, e Taylor voltou ao trabalho de reorganizar seus agentes. Já tinham revistado doze navios e ainda faltavam quatro para antes da manhã seguinte.

Tom ligou para Marielle, como prometera a Taylor.

— Está acontecendo alguma coisa especial, Sr. Armour? — Marielle perguntou, parecendo realmente preocupada. — Fico achando que eles têm uma informação sobre... sobre... — Tinha medo de dizer as palavras. — Fico com medo de que eles encontrem o corpo de Teddy. Acho que devíamos saber se... Não sei o que é pior, não saber ou saber finalmente que está tudo acabado.

Tom achava horríveis as duas alternativas. Ainda se lembrava de quando soube da morte da mulher e do neném. Tinha sido insuportável. Mas essa outra tragédia arrastava-se por tanto tempo que talvez fosse um alívio saber finalmente que o menino estava morto. Melhor do que vê-lo desaparecido e nunca ficar sabendo. Eles tinham levado dois meses para encontrar o bebê de Lindbergh.

— Espero que em breve tenhamos boas notícias para a senhora.

— Sabe o que eles estão fazendo?

Tom não queria contar-lhe que estava virando o porto de cabeça para baixo, procurando por Teddy.

— Acho que estão procurando algumas evidências finais antes de encerrarmos. O julgamento termina amanhã.

— Como é que Charles está reagindo a tudo?

— Na verdade... — Tom recostou-se na cadeira e sorriu. Marielle tinha uma bela voz, e ele gostava de conversar com ela. Gostava de tudo que vira dela durante o julgamento, mas não se permitira pensar nela antes, a não ser em relação ao seu cliente. — Na verdade, ele está me deixando louco.

— É bem típico de Charles — ela brincou. Depois ficou séria outra vez. — Ele está muito preocupado?

— Tanto quanto deveria. Mas essa nova evidência pode ajudá-lo. Pelo menos, esperamos que sim. O FBI está investigando para nós. Vamos mantê-la informada de qualquer coisa que descobrirmos.

— Obrigada.

Ela não deveria estar do lado deles, mas parecia que já não havia lados. Havia apenas todos procurando pela verdade... e por Teddy.

Com Malcolm fora e John Taylor ocupado com sua investigação, os dois dias seguintes pareceram intermináveis a Marielle. De repente ela não tinha com quem conversar, e a casa sem Malcolm parecia extraordinariamente silenciosa. Aquilo levou-a a começar a pensar no que faria depois que se mudasse. Não tinha para onde ir, nada para fazer, nenhuma família a que se dedicar. Aquilo de certo modo a preocupava, mas ela não estava tão assustada quanto teria ficado anos antes. Ele já não a amedrontava. E ela já não se importava com ele. Tudo que ele fizera fora magoá-la.

Bea Ritter telefonou-lhe também, no segundo dia do recesso, mas tampouco ela esclareceu o motivo da investigação. Fingiu não saber e não admitiu ter levado a pista a Tom Armour. Apenas ligou para saber notícias de alguma nova pista sobre Teddy.

— Nada aconteceu. Esteve com Charles?

— Há alguns dias. Ele está muito nervoso, tão perto da sentença do júri. — E ela rezava para que o julgamento não chegasse até isso.

Mas à meia-noite nada tinha mudado. Faltavam dois navios para serem revistados, e um deles se recusava a permitir. Era alemão, e o comandante insistia que não era obrigado a submeter-se a uma revista. Foram necessárias mais oito horas para conseguirem um mandado de busca. E às dez da manhã seguinte, enquanto o juiz Morrison pedia ordem no tribunal, John Taylor abordava o último navio, acompanhado da guarda costeira, das autoridades portuárias e do FBI, com a certeza de que nada encontrariam. Mas mesmo assim tinha que fazer isso, por Marielle. Ligou do cais para Tom Armour pouco antes que o advogado saísse para o tribunal.

— E então?

Taylor só tinha más notícias:

— Nada. Estamos de mãos vazias. Nada de Teddy, nenhuma pista, ninguém quer falar, ninguém sabe de coisa alguma. Procuramos todos os nossos informantes, e nada. E Louie Gostosão não atende ao telefone. Acho que está com medo. Ele pode ter fugido.

— Que droga! Que é que eu faço agora?

— Encerre o caso, como ia fazer há dois dias.

— Mas não foi ele, cara. Você ouviu o sujeito dizer. Alguém lhe pagou cinqüenta milhas para plantar o pijama do garoto na casa dele.

— É, eu sei. Mas quem vai testemunhar isso? Você, ou eu? Droga, não temos provas.

— Você não pode fazer isso comigo!

Tom estava praticamente em lágrimas, mas Taylor estava cansado demais para se importar. Ainda tinha um último navio a revistar, e estava quase exausto demais para fazer isso.

— Que se dane, cara. Não durmo há dois dias e futuquei todos os navios imundos e podres do porto. — E alguns bacanões também, mas a essa altura todos lhe pareciam iguais. — E ainda não encontrei porcaria nenhuma. Acho provável que o seu cliente seja inocente, mas não posso lhe fornecer as provas disso, e não temos o garoto. Que mais posso lhe dizer?

— Vou alegar erro de julgamento.

A voz de Tom estava trêmula, de tão contrariado que ele se sentia. Mas Taylor também estava contrariado. Não importava a pressão que ele exercia, ninguém se dispunha a abrir a boca.

— Baseado em quê? — Taylor perguntou, em tom fatigado.

Seus homens começavam a subir ao navio alemão para revistá-lo, mas já não tinham o menor entusiasmo. Sabia que não iam encontrar o menino. Ou ele estava escondido tão bem que nunca seria encontrado, ou estava morto e enterrado em algum lugar.

— Como, diabos, você vai alegar erro de julgamento? — Taylor repetiu, diante do silêncio de Tom.

— Não sei... Preciso de tempo... Pode me dar uma razão qualquer para eu pedir outro recesso?

— Não tenho. E se Louie não aparecer logo, o juiz vai em cima de você e de mim.

— É. Eu sei disso.

— Depois que revistarmos este navio, eu lhe mando um recado no tribunal por um dos meus homens, mas não tenha muitas esperanças.

As esperanças de Tom já tinham morrido, e foi horrível contar a Charles que Louie Gostosão tinha desaparecido.

— Como é que é? — Charles berrou, quando Tom lhe contou.

— Ele sumiu — Tom sussurrou enquanto entravam no tribunal.

— Canalha! Como aqueles imbecis deixaram isso acontecer?

— Fale baixo. — O juiz estava batendo o martelo. — Ele tinha muito a perder. Podia ter ido para a cadeia pelo que fez. Está sob condicional, e tem uma ficha do tamanho do seu braço. É uma covardia da parte dele, mas você tem que entender.

— Não tenho que entender droga nenhuma. Vão me executar por isso!

Os olhos de Tom eram como rochas, e ele sentia dor no estômago.

— Não vou deixar que isso aconteça. — Tom tentou parecer confiante, mas não era assim que se sentia quando o juiz, com expressão de suspeita, pediu a ele e a Bill Palmer para se aproximarem.

— Bem, e as suas evidências novas? Temos uma testemunha?

— Não, senhor — disse Tom Armour em voz de desânimo. — O FBI passou dois dias investigando essa pista e várias outras, e até agora não chegaram a lugar algum.

O promotor pareceu feliz com a maneira brutalmente franca com que Tom falara.

— E o seu informante? — o juiz perguntou, parecendo aborrecido com Tom.

— Desapareceu, meritíssimo. Por enquanto.

— Não posso acreditar que o senhor desperdiçou dois dias do tribunal e dos contribuintes, Sr. Armour — exclamou o juiz, passando rapidamente do desprazer para a raiva.

— Tínhamos que verificar, senhor. Eu estava até com esperança de mais um recesso. Porém...

— Nem pense nisso, Sr. Armour.

O juiz olhou com raiva para os dois e mandou-os de volta aos seus lugares. Bill Palmer parecia extremamente feliz, e olhou de relance para Malcolm, sentado orgulhosamente na assistência, ao lado de Marielle, que estava silenciosa e imóvel. Eles nunca se falavam no tribunal. O juiz tornou a bater o martelo, e ordenou que Bill Palmer começasse sua fala de encerramento.

Tom Armour não conseguia acreditar que isso estava acontecendo. A salvação quase estivera em suas mãos, mas se perdera. Charles parecia estar prestes a chorar, e Bea Ritter perguntava-se o que tinha acontecido, mas não tinha a quem perguntar.

Todas as afirmações de Bill Palmer em seu discurso final eram previsíveis, e de péssimo teor. Ele lembrou aos jurados todas as coisas feias que Charles fizera, todas as fraquezas, as ameaças, as bebedeiras, os atos de violência; o ataque a Marielle, a destruição de um bar em Paris aos dezenove anos. Segundo Bill Palmer, essas coisas já eram indícios da falta de controle, da auto-indulgência e da tendência à violência que o levariam a seqüestrar e matar o pequeno Teddy. Sua violência na guerra, sua sede de matar que o levara à Guerra Mundial aos quinze anos... Sua simpatia pelo comunismo que o levara à Espanha... E as ameaças que fizera no parque e que tinham sido cumpridas apenas 36 horas depois. E o pijaminha vermelho encontrado em seu porão, uma prova de que ele realmente seqüestrara Teddy. Aquele homem era um seqüestrador e era quase certo ter matado aquele menino indefeso. Ao dizer essas palavras, Bill Palmer olhava para os jurados, depois para a assistência.

Houve um pequeno distúrbio e o som de um corpo caindo no chão. Finalmente, depois de tudo o que ocorrera antes, Marielle Patterson não suportou mais e desmaiou.

16

Ao voltar a si, Marielle ouviu um murmúrio alto, viu luzes embaçadas acima de sua cabeça e sentiu alguma coisa fria e úmida em sua testa. Abriu os olhos e, depois de alguns instantes, compreendeu que tinha sido carregada para os aposentos do juiz. O secretário do magistrado estava a seu lado com um pano úmido, e o médico tinha sido chamado, mas ela garantiu que estava bem. Tentou sentar-se, mas sentia-se fraca; e então viu que os dois advogados estavam ali, e seu marido também. Alguém estava pressionando algo frio na parte interna de seus pulsos, e outra pessoa entregou-lhe um copo com água. Era Bea Ritter. Ela tinha conseguido atravessar o grupo de fotógrafos e literalmente subir por cima deles para chegar a Marielle, e foi ela, ajoelhada junto a Marielle no chão, quem pediu socorro, e não Malcolm. Ele apenas parecia contrariado e embaraçado, e nem um pouco solidário.

— Sra. Patterson? — disse o juiz em voz baixa. — Gostaria que alguém a levasse para casa?

Marielle sentia a cabeça latejar raivosamente. Na verdade, gostaria de ir para casa, mas achava covardia não ficar até o final. Sentia que devia isso a Charles, ou a Malcolm, ou a qualquer outra pessoa, ela não sabia bem quem. Mas achava que devia permanecer. Talvez apenas para provar ao mundo que não era uma fracota. Mas agora todos a contemplavam com tanta pena que ela odiou estar ali.

— Eu estou bem. Se o senhor não se incomodar... talvez eu possa ficar aqui por alguns minutos. — Pelo menos o tempo suficiente para recuperar-se.

— O senhor tinha terminado seu discurso, Sr. Palmer? — perguntou o juiz.

Bill Palmer assentiu. Ele não estava esperando aquele drama adicional para ilustrar as suas informações, mas aquilo na realidade não o prejudicara. Ele tinha até gostado.

— Sim, Meritíssimo. Naquele instante.

— Então por que não fazemos um recesso para o almoço? O Sr. Armour pode encerrar à tarde. Concorda, senhor advogado?

Já eram 11:30, e ele não iria querer interromper seu discurso, de modo que achou ótimo e concordou, com um olhar preocupado para Marielle. Ela estava branca como um lençol, e parecia mesmo mal. Mas o juiz também percebera isso.

— Acho que a Sra. Patterson devia ir para casa descansar um pouco, durante o recesso — sugeriu, dirigindo-se a todos em geral.

— Obrigada, Meritíssimo — ela sussurrou.

O coração de Tom confrangeu-se por ela, e Bea segurou-lhe a mão em solidariedade.

Malcolm fez uma cena ao ajudá-la até o carro, mas quando chegaram em casa ele deixou-a por sua própria conta. Ela deitou-se em seu quarto, no escuro, com um pano frio na testa, e tentou beber um pouco de chá. Mas era tarde demais. Já sentia uma enxaqueca dilacerante. Mas sabia que, por pior que se sentisse, ou cega de dor, tinha que estar de volta ao tribunal à tarde. De repente, mal conseguia forçar-se a ir. Era como se estivesse esperando algo que apenas nessa manhã ela finalmente compreendera que não iria acontecer. De um modo estranho, ela pensara que era tudo um jogo horrível... E se eles ganhassem... No final ela teria seu filho de volta. Alguém iria admitir o que tinha feito a ele, ou dizer que se arrependia. Haveria um final razoável para tudo, um prêmio para todo aquele sofrimento, um desfecho feliz — só que agora ela percebia que não haveria esse final. Não haveria coisa alguma. Apenas palavras, pessoas, atores... e mentirosos... E no final alguém diria "inocente" ou "culpado", e iriam executar Charles ou libertá-lo, mas ninguém jamais traria Teddy de volta. Nunca mais. Aquilo nunca fizera parte do jogo. Deitada ali, ela se sentia num turbilhão

— Você vem? — perguntou Malcolm, entrando no quarto às escuras.

Ela se sentia fraca demais para mover-se. E não conseguia sequer imaginar ir até o tribunal.

— Acho que não consigo — disse, em voz fraca. Já não conseguia sequer abrir os olhos, ou sentar-se.

— Isto é besteira — disse ele rispidamente. — Você tem que ir. Quer que pensem que está com medo?

Ele disse essas palavras como se isso fosse um pecado capital. O medo era então uma coisa tão horrível? O segundo pecado capital. Medo. O primeiro era fraqueza. E o amor? Também era pecado? Ela pecara porque amara Charles... e André... e a menininha... ou até mesmo Teddy? Onde estava a palavra "amor" no vocabulário de Malcolm? Será que sequer existia? Só existiam a responsabilidade, a obrigação e o dever? Ela sentia a cabeça girar. Ou o amor era algo que ele guardava só para Brigitte?

— Se não for, Marielle, vão pensar que está mancomunada com Delauney e não suporta vê-lo condenado. É o que você quer? É o que deseja ver nos jornais? Pois eu não. Levante-se daí e enfrente!

Ele gritava com ela na escuridão, e ela sentia-se estremecer inteira. Mas de algum lugar dentro de si ela extraiu uma força que não imaginava possuir, e sentou-se devagar; fez uma careta de dor ao retirar o pano frio da testa e olhar para o marido.

— Passei a vida enfrentando coisas, Malcolm, coisas que você não enfrentaria nem o começo, mesmo agora. Portanto, não me diga o que devo enfrentar.

Cuspiu as palavras de um modo que não ousara empregar com ele desde que o conhecera. Mas ele vinha sendo cruel com ela desde o desaparecimento de Teddy, e ela finalmente explodira. Não era sua culpa, ou dele, e provavelmente nem de Charles. Com certeza fora o ato de um desconhecido totalmente insano. Quem quer que tenha feito aquilo, tinha feito, e estava acabado. Por que ele continuava a culpá-la?

— Você está com uma aparência horrível — ele comentou, observando-a pentear os cabelos e prendê-los em coque.

Ela foi lavar o rosto e passar batom; ao colocar óculos escuros para segui-lo até o carro, sua aparência era bastante severa. Ela pensava em quanto tempo fazia que não via John Taylor.

No carro, sentada ao lado de Malcolm, com os guardas, ela ficou em silêncio. Como sempre, abriram caminho pela multidão até o recinto do julgamento, evitando as mãos das pessoas que queriam tocar neles e fazer-lhes perguntas, tentando evitar os repórteres e esconder o rosto dos fotógrafos. Com a enxaqueca, aquilo foi particularmente terrível. Mas finalmente chegaram aos seus lugares, e ela retirou os óculos escuros.

Pela primeira vez no julgamento, o juiz estava dez minutos atrasado, e Tom estava debruçado sobre suas anotações, enquanto Charles estava de olhos fechados e com ar deprimido. Ele não tinha mais esperança, apesar da capacidade de Tom. Tinha certeza de que, sem o testemunho do informante sobre o pijama e o ursinho, seria considerado culpado.

O juiz acabara de pedir que a defesa começasse sua oração de encerramento, e o advogado acabava de pôr-se de pé, quando John Taylor entrou no recinto. Parou por um instante e olhou para o juiz, que o conhecia bem, e tanto a acusação quanto a defesa olharam para ele com grande expectativa. E todos ali se perguntaram por que aquele agente do FBI geralmente tão bem arrumado estava tão desgrenhado e sujo. Ele estava usando calças de trabalho e um suéter grosso, e estava inteiramente coberto de óleo e sujeira, uma figura absolutamente estranha naquele lugar. Mas, enquanto todos observaram, ele foi diretamente a Marielle, e, com um olhar de desculpas ao juiz, sussurrou-lhe que fosse com ele. Ela seguiu-o em silêncio para fora do recinto, sem mesmo dizer uma só palavra a Malcolm. Todos observaram-nos sair, com as cabeças voltadas e muitos cochichos, e o juiz finalmente bateu o martelo para chamar atenção de todos.

— Gostaria de lembrar, senhoras e senhores, que o Sr. Armour está começando seu discurso.

Tom então dedicou-se a isso, tentando concentrar-se e não pensar no motivo para John Taylor levar Marielle. Tinha uma horrível sensação de que haviam encontrado o corpo de Teddy e John queria que ela soubesse primeiro. Mas nesse caso teria levado Malcolm também, ou era menos cruel não o fazer? Tom forçou-se a concentrar-se no homem com uma perna só... e na ex-freira... e no jovem músico negro... e dizer a eles que Charles era um bom homem, que tinha sido acusado injustamente, que a promotoria não tinha provado sem qualquer dúvida que ele era culpado. Disse que, se examinassem sua consciência, não poderiam mandar esse homem para a cadeira elétrica por coisas que ele tinha dito num momento de embriaguez e raiva, mas que jamais pretendera fazer. E assim discursou, continuando a se perguntar por que Marielle fora chamada. Era a única coisa em que ele e qualquer outra pessoa ali podiam pensar. Só Malcolm parecia calmo.

Quando Marielle entrou no carro com John, olhou para ele com terror.

— Que é que está acontecendo? — perguntou ansiosamente. — O que é?

— Quero que confie em mim. Tenho que levá-la a um certo lugar. Você está bem?

Observou-a, preocupado. Percebia que ela não estava bem, embora ninguém lhe tivesse contado do desmaio.

— Estou bem. Só estou com muita dor de cabeça. — Ela fez uma careta de dor, mas entrou no carro sem hesitar.

— Sinto fazer isso com você. Não vai ser tão ruim quanto você pensa, e vou facilitar o mais que puder... Mas preciso levá-la comigo.

Ligou o carro e saíram em direção ao West Side, e ela pareceu assustada.

— Você está me levando presa?

Isso seria possível? Ele estaria louco? Pensava que ela estava em conluio com Charles? Malcolm teria dito isso a ele, como uma vingança final? Ela estava realmente assustada.

— Claro que não. — Ele lhe deu um tapinha na mão, depois ergueu a sobrancelha, tentando brincar. — Por que? Deveria levar?

— Não sei — disse ela nervosamente. — Não sei aonde estamos indo. Malcolm não devia ir também?

Como Tom, ela de repente sentiu medo que fossem lhe pedir para identificar o corpo de Teddy, e sabia que não conseguiria suportar isso. Talvez John pensasse estar sendo bondoso levando-a sozinha, mas ele sacudiu a cabeça à pergunta dela.

— Não devia, não. Não precisa se preocupar, Marielle. Confie em mim. Você estará bem. Não vai ser tão difícil quanto você imagina.

Olhou carinhosamente para ela, com vontade de beijá-la. Mas naquele momento tinham coisas sérias a fazer.

— Pode me dizer de que se trata?

Ela estava quase chorando. Tudo que ele lhe dissera, no tribunal, foi "Sra. Patterson, tenho que lhe pedir que venha comigo". E Malcolm parecera tão espantado quanto ela.

— Não posso lhe dizer, Marielle, sinto muito. Neste momento estou agindo oficialmente. — Mas tornou a dar-lhe um tapinha na mão, deixando uma mancha de terra nos dedos dela.

Ela assentiu, tentando ter coragem, mas a enxaqueca estava tão forte que mal conseguia suportar. Ele tagarelava, mas era evidente que estava preocupado, e ela se perguntava por que ele estava tão imundo. E tão preocupado que nem percebera o silêncio dela.

Minutos depois chegaram ao porto e ele conduziu o carro diretamente para o cais, onde meia dúzia de veículos do FBI estavam à espera. E todos a estudaram atentamente quando ela saiu do carro ajudada por ele.

— Odeio tocar em você, sujo assim — disse ele, sorrindo, com uma bondade no olhar que pareceu confortá-la.

Ele então levou-a a bordo da embarcação, um pequeno navio alemão não muito atraente e não muito limpo, com um horrível cheiro de repolho que não ajudou a sua enxaqueca. Era um carguero que também aceitava passageiros, e o capitão estava esperando por ela, muito sério, no pequeno salão de jantar. Taylor apresentou-a. Meia dúzia de agentes do FBI estavam presentes, e ela não sabia se a estavam vigiando, o capitão ou John Taylor. Mas o capitão adiantou-se.

— Sra. Patterson, sinto muitíssimo. Vai ser uma tristeza enorme para o meu país — declarou solenemente, com uma desajeitada tentativa de fazer uma reverência e beijar-lhe a mão.

Mas a essas palavras Marielle sentiu o aposento girar. Pelo que ele dizia, ela entendeu que certamente tinham encontrado o cadáver de Teddy. Em desespero, voltou-se para John Taylor, quase cravando a unhas neles, implorando-lhe com os olhos que a ajudasse. Ele puxou uma cadeira e ajudou-a a sentar-se, e indicou a um dos homens que trouxesse um copo d'água. Quando a água chegou, ele segurou o copo junto aos lábios dela, como uma mãe com o filho doente, implorando-lhe para ser forte e deixar que ele a ajudasse. Mas ela conseguia apenas sacudir a cabeça e fechar os olhos, novamente querendo morrer. Sabia que não conseguiria passar por aquilo.

— Está tudo bem, Marielle... Você vai ficar bem... — disse ele.

De olhos fechados ela ouvia a voz dele, e abriu-os. Ele continuou:

— Só mais um minutos. Quero que você conheça algumas pessoas, só isso. Quero que olhe para elas e me diga se as conhece.

— Estão mortas? — perguntou ela, gemendo como uma criança.

Ele acariciou-lhe os cabelos com suavidade, e tocou-lhe no ombro.

— Não, estão vivas. Está tudo bem. Só terá que olhar para elas e me dizer se as conhece.

— Está bem.

Ela sentia dificuldades de respirar, por causa do medo, e sentia-se grata pela cadeira, pois sabia que não conseguiria ficar de pé. Todos a observavam. Logo em seguida um homem foi levado até ali, acompanhado por dois agentes do FBI. Era alto, louro e muito magro, e tinha um rosto duro e zangado, que ele tentou esconder de Marielle, mas os homens do FBI empurraram-no até ele ficar de frente para ela. Ficou parado a quase dois metros dela, e ela encolheu-se de encontro a John, mas os agentes seguravam-no com força e ele não tentou desvencilhar-se.

— Conhece este homem, Marielle? Já o viu em algum lugar? Olhe com atenção.

Ela balançou a cabeça e disse que não; não tinha idéia da razão da sua presença ali, e agora tinha medo de perguntar. Sabia que era alguma coisa terrível em relação ao seu filho, mas se o tinham matado ela não queria saber.

Levaram o primeiro homem e cinco minutos depois trouxeram outro. Esse era moreno e trigueiro, com uma feia cicatriz que lhe cortava o rosto e descia até o queixo, e olhou para Marielle como se quisesse matá-la. Disse algo a ela em alemão, num tom zangado e gutural, e ela tornou a encolher-se contra John Taylor.

— Ninguém vai machucá-la, Marielle. Eu não vou deixar — ele apressou-se a acalmá-la.

Ela assentiu, como uma criança, ainda desesperadamente temerosa de saber o que eles tinham feito. Então trouxeram uma mulher. Era loura e corpulenta, com cerca de trinta anos. Falava freneticamente em alemão com o capitão do navio, e ele finalmente gritou para que ela silenciasse, e ela então voltou para Marielle um olhar implorante, como se esperasse que Marielle a ajudasse.

— Que é que ela está dizendo? — Marielle perguntou.

— Está dizendo que não fez mal a ninguém — o capitão explicou.

A mulher então tornou a falar muita coisa, e o capitão tornou a mandar que calasse a boca.

— Quem são essas pessoas? — ela finalmente perguntou a John.

— É o que eu queria saber de você. Não as conhece, Marielle? Nenhuma delas? Tem certeza?

— Nenhuma delas. Nunca as vi antes.

— Nunca trabalharam para você, mesmo por pouco tempo? Ou para Malcolm?

— Não sei. Nunca as vi — ela repetiu.

Tinha certeza disso. John assentiu para seus homens e indicou que os três alemães fossem removidos. Depois que eles saíram, ele voltou a assentir para os policiais e então inclinou-se para falar com Marielle.

— Quero que seja muito forte... Quero que seja forte, Marielle... Segure a minha mão... Vamos trazer uma pessoa, e quero que me diga se a conhece.

Mas no momento em que ele começou a falar ela sentiu medo. Não teria coragem de olhar para seu filho morto. Tinha visto André quando ele se afogara, segurara-o nos braços, apertara-o junto ao coração, e não conseguiria fazer isso outra vez. Sabia que não conseguiria. Começou a chorar e voltou-se, lutando para desvencilhar-se de John, que a segurava.

— Não posso — gritou, e escondeu o rosto contra ele. — Não consigo... por favor... Não me obrigue...

— Pode não ser ele... Tem que nos ajudar... Por favor... Por favor, Marielle...

Ele próprio estava quase chorando, odiava magoá-la. Mas o menino que tinham encontrado parecia ser surdo-mudo, parecia não entendê-los. Não sabiam se estava drogado, ou assustado demais para falar, ou simplesmente não falava inglês, e o capitão não se lembrava de tê-lo visto antes, embora o grupo estivesse a bordo há muitos dias. A criança parecia diferente do filho de Patterson, mas havia algo em seus olhos que chamara a atenção de John. A cor dos cabelos era diferente, e ele era muito mais magro do que as fotos que John vira, e mais velho, mas mesmo assim... Sabia que tinha que perguntar a ela. Não podia deixar o navio zarpar sem lhe pedir para ver a criança. E seu sexto sentido lhe dizia que havia algo errado com aquelas pessoas. Mas ela estava agarrada a ele, recusando-se a olhar. E então seus olhos encontraram os de John.

— Tem que fazer isso, Marielle... Por Teddy...

Segurou-lhe a mão, e ela girou lentamente a cabeça para

encarar o menino que tinham levado até lá. Todos pararam por um instante sem fim. Ela levantou-se e ficou olhando o menino, como se fosse incapaz de acreditar no que estava vendo. Os cabelos dele tinham sido cortados, eram curtos e castanhos, mas levemente louros nas raízes, e um exame cuidadoso mostraria que tinham sido tingidos.

Enquanto ela o contemplava, ele ergueu os olhos, incapaz de acreditar que ela finalmente viera salvá-lo. Ela soltou um grito de partir o coração e em dois passos estava junto a ele, segurando-o com força contra si. E lentamente, como um som esquecido, o menino começou a chorar. A princípio gemia, depois passou a soltar gritos longos, agarrando-se à mãe que pensara ter perdido para sempre. O capitão começou a chorar, e havia lágrimas também deslizando pelo rosto de John Taylor.

Durante longo tempo ela não olhou para pessoa alguma. Tudo que via, tudo que sabia, tudo que sentia, era a criança em seus braços, a criança que ela pensara ter perdido para sempre.

— Meu querido... Ah, meu amor... — balbuciava.

Segurava o menino como se nunca mais fosse soltá-lo, e finalmente o capitão ajudou-os a deixar o navio. Os três alemães, algemados e com correntes nas pernas, foram levados pelos agentes do FBI. O capitão tornou a pedir profusas desculpas, e John informou-o de que o navio teria que ficar preso no porto para futuras investigações. Duas dúzias de homens ficaram tomando conta do navio, e John ajudou Marielle e Teddy a entrar no carro. Ele tinha que voltar ao tribunal para contar ao juiz o que acontecera. Mas pediu também um reforço policial. Sabia que ia precisar de um exército para protegê-los no tribunal.

Passou alguns minutos observando o menino sentado no colo da mãe. Teddy não sorrira, mas agarrava-se a ela como se tivesse medo de perdê-la. E John tocou de leve os dedinhos que seguravam os dela.

— Olá, garoto... Estamos procurando você há muito tempo...

Teddy encarou-o, sem saber se podia ou não confiar nele.

— Disseram que você tinha morrido — disse baixinho, olhando novamente para a mãe. — Então me colocaram numa caixa... cheia de buracos... E me deram bolachas para comer.

— Gente boa, esses alemães — disse John em tom tenso. — Sempre gostei deles.

Ia haver muito falatório. Desde o momento em que foram presos, os bandidos insistiram que tinham sido contratados pelo pai do garoto para levá-lo para a Alemanha, onde ele estaria "seguro", mas não podiam revelar o nome do pai do menino. Disseram apenas que os pais eram alemães. Mas um deles tinha um cartão com o nome de Malcolm e um telefone que John Taylor reconheceu: o do apartamento de Brigitte Sanders. Mas o policial não disse essas coisas a Marielle. Ia ser interessante ver o que esses alemães tinham a dizer, depois que começassem a falar.

— Não sei o que dizer — Marielle sussurrou, agarrada a Teddy em seu colo, enquanto John dirigia velozmente para o tribunal. — Nunca pensei que fôssemos encontrá-lo... E tive tanto medo... Pensei que você tivesse me levado lá para...

Ela não conseguia sequer começar a dizer as palavras, e de repente percebeu que sua dor de cabeça sumira. Só conseguia pensar em Teddy, seguro em seus braços, no carro em disparada, ao lado do homem que o encontrara.

— Sei o que você pensou — disse ele baixinho. — Eu não teria feito isso com você. Se fosse o caso, eu teria levado Malcolm. Mas queria que você os visse primeiro. Eles disseram que foram contratados pelos pais da criança.

— Malcolm vai ficar tão feliz! — ela exclamou, sorrindo. Estava feliz por ele. Ele não merecia perder o filho.

Mas John Taylor não respondeu.

Vinte homens do FBI estavam esperando por eles do lado de fora do tribunal, e John fez com que rodeassem Marielle e a criança, quase como uma gaiola viva, e o menino parecia muito assustado. Marielle apenas apertou-o com mais força e prometeu-lhe que tudo ia dar certo. Dentro de um minuto iam ver o pai.

Quando John Taylor entrou no recinto do julgamento, cercado de homens, todos olharam, como se sentissem que algo importante estava prestes a acontecer. O juiz olhou para eles, e Tom Armour interrompeu-se no meio de uma frase. O estranho grupo avançou pelo salão, e só quando chegaram junto ao juiz foi que os agentes se afastaram, por ordem de Taylor, e o que todos viram de repente foi Marielle segurando um garotinho sujo de cabelos castanhos, e o juiz pôs-se de pé com ar atônito.

— Este é...?

Olhou para Marielle, que sorria através das lágrimas, e depois para Taylor, e então, confuso, olhou para a assistência. Uma mulher gritou ao compreender, e os espectadores, juntamente com os jornalistas, tentaram avançar, mas a polícia os segurou. Os policiais tinham sido avisados quando Marielle e Teddy entraram.

— Meu Deus... é o garoto! — gritou alguém. — Ele está vivo! É Teddy!

O juiz tornou a sentar-se e pôs-se a bater freneticamente o martelo, ordenando que a polícia esvaziasse o recinto. Mas foi a reação de Malcolm que fascinou John. Quando ele viu o menino, não fez o que Marielle tinha feito. Ficou de pé, depois sentou-se, depois olhou em volta, como se procurasse alguém, e só então levantou-se e saltou para a frente. Mas foi quase como um movimento planejado. Sua primeira reação não tinha sido correr para abraçar o filho. E ele não exibia a emoção que Taylor vira em Marielle, aquele medo terrível de que o filho estivesse morto, e o grito dilacerante quando percebeu que era o seu menino. Foi Charles quem ficou olhando para o menino e chorando, e sorriu para Marielle por cima da cabeça do menino, enquanto os dois choravam. Lembrava-se de outra ocasião, outro dia, e estava contente porque essa vez tinha sido diferente.

— Graças a Deus ele está vivo — cochichou a Tom Armour.

O advogado assentiu, tentando controlar a própria emoção enquanto sorria para seu cliente através das lágrimas. Também ele sabia o que significava perder um filho, e também ele estava feliz por isso não ter acontecido ali. Charles não estava sequer pensando em si próprio, estava apenas feliz por Marielle.

Malcolm parecia extremamente calmo ao se aproximar de Marielle, John e Teddy.

— Graças a Deus você encontrou o menino — entoou, quase solenemente.

Mas seus olhos estavam secos, e Taylor via que ele estava zangado. Tentou tirar o garoto de Marielle, mas o menino não quis se separar da mãe.

— Disseram que a mamãe tinha morrido — disse, ainda com ar temeroso.

— Devem ser pessoas horríveis — disse Malcolm com expressão estranha.

Nesse momento John pediu a Malcolm que fosse com ele aos aposentos do juiz.

O salão já se encontrava vazio, e só os dois advogados, o réu, Marielle, o menino, o júri e os inúmeros agentes do FBI permaneciam no recinto. O juiz tinha ido para seus aposentos com Malcolm e John Taylor. Marielle não tinha a menor idéia do que estava ocorrendo com eles, mas ficou sentada, conversando com Charles e Tom, com uma sensação de paz e bem-estar que ela jamais sentira em sua vida. Dois agentes do FBI tinham ido comprar um sorvete para Teddy, que o saboreava alegremente, agarrado à mãe. Ali sentada, abraçando o filho, ela se sentia como se ele nunca tivesse se afastado. Os últimos meses desapareciam na neblina do pesadelo de onde tinham surgido, para nunca mais retornar. Teddy estava de volta são e salvo. Depois de quatro meses, e pela graça de Deus, e John Taylor, e talvez até Louie Gostosão, Teddy estava de novo com sua mãe.

Passou-se muito tempo até que Malcolm, o juiz e John voltassem; quando o fizeram, Malcolm parecia contrafeito. John recebera dois telefonemas interessantes do seu escritório. Ainda havia muita coisa que eles ignoravam, mas sabiam que os seqüestradores, ou pelo menos as três pessoas que mantinham o garoto no navio, tinham sido contratados por Malcolm. Já não havia a menor dúvida disso. Estavam até mesmo de posse de documentos que provavam isso, e tinham para a criança um passaporte falso, que eles alegaram ter sido fornecido por Malcolm. Nele o nome do menino era Theodore Sanders.

— Isto é absurdo! — Malcolm protestara de imediato, logo depois do telefonema. — Estão tentando me envolver, e eu não tive coisa alguma a ver com isso.

Ele parecia ofendido, e lembrou a Taylor de seus conhecimentos.

— Usaram o seu nome, Sr. Patterson — disse John em voz baixa. — E o de mais ninguém. O senhor terá oportunidade de identificá-los e de se defender. Vamos ter que falar sobre isso. Mas será no meu escritório. Muito dinheiro trocou de mãos, muita gente aqui cometeu crimes pagos pelo senhor. E o senhor vai enfrentar no mínimo acusações de conspiração e extorsão. Para não mencionar a represália legal que o Sr. Delauney pode exigir.

Taylor não parecia achar graça, nem Malcolm. O juiz estava chocado. Era impossível acreditar que aquele homem tinha seqüestrado o próprio filho, ou contratado criminosos para fazer isso. Mas por quê? Isso cabia ao FBI descobrir. Ele tinha que mandar os jurados para casa e soltar um homem inocente. Pelo menos era o que parecia. Não parecia que Delauney fosse o seqüestrador, e a criança estava de volta sã e salva. Era certamente um passo na direção certa.

— Senhoras e senhores — começou solenemente, dirigindo-se aos confusos jurados. — Parece que estamos cometendo uma injustiça. Ou estaríamos, se tivéssemos ido adiante. A esta altura parece que Charles Delauney é inocente do crime do qual foi acusado. Vou liberá-lo antes mesmo de futuras investigações, e vou mandar os senhores para suas casas. Vamos pedir ao Sr. Delauney que não saia da cidade, e os senhores serão notificados se o caso for realmente encerrado, como creio que acontecerá. Agradecemos por tudo que fizeram, por sua boa fé e pelo seu tempo.

Ele assentiu, e os jurados ficaram de pé, parecendo que iam sair correndo do aposento. Mas todos sorriram para Marielle, e alguns desejaram boa sorte a Charles. Uma das mulheres parou para beijar Teddy.

— Vou liberá-lo, Sr. Delauney, sem fiança, com a combinação de que o senhor não vai sair da cidade de Nova York até o caso estar resolvido. Estou sendo claro?

— Sim, senhor. — A expressão de Charles era de quem tinha tido o peso do mundo retirado de cima de seus ombros.

— E vou esperar notícias suas, Sr. Taylor — disse o juiz a John.

Os agentes levaram Malcolm algemado. Ele não disse uma só palavra a Marielle, e mal tinha falado com Teddy. John ficou, para levar Marielle e Teddy para casa. Tom sorriu para seu cliente.

— É um homem livre. Quer uma carona para casa?

— Eu adoraria — disse Charles ao advogado. A Marielle ele disse: — Que bom que ele está de volta... Eu não conseguiria suportar que você o perdesse também. Você não merece isso. — Beijou-a de leve no rosto, e os dois ficaram longo tempo olhando um para o outro. — Sempre a amarei — disse.

Teddy encarou-o, e Marielle assentiu. Ela também iria sempre amá-lo, mas nada lhe restava para dar a ele. Tinha dado tudo muito tempo antes, e agora tudo que tinha era para Teddy.

— Venha, vou levá-la para casa — disse John baixinho, envolvendo os ombros dela com o braço.

Saíram devagar do recinto do julgamento, observados por Charles. Tom levou-o para casa poucos minutos depois, e Bea Ritter estava esperando por eles lá fora, na escadaria do tribunal. Quando vira Marielle entrar, flanqueada pelos homens do FBI, ela percebera que algo incrível tinha acontecido. Ficou sentada nos degraus, chorando enquanto esperava.

— Devo muito a você — disse-lhe Charles, quase com timidez. — Você e Tom foram os únicos que acreditaram em mim. E durante certo tempo foi muito duro.

Ela concordou, feliz, e ele deu-lhe um abraço carinhoso e depois partiu com Tom, que o deixou na porta da mansão dos Delauney. O velho mordomo, que trabalhava lá há quarenta anos quase desmaiou quando o viu. Naquela noite os jornais traziam a história da descoberta de Teddy num navio alemão por agentes do FBI armados de metralhadoras.

E no dia seguinte Charles Delauney era um homem livre. Às oito horas da manhã o juiz Morrison encerrou oficialmente o caso de Os Estados Unidos contra Charles Delauney. Com as evidências descobertas na véspera, Tom Armour tinha procurado o juiz em sua casa para pedir-lhe que assinasse a ordem. A essa altura, John Taylor já tinha provas suficientes para enterrar Malcolm. Era uma história complicada, e seus amigos achariam difícil acreditar nela, mas ele contratara a nata do submundo para seqüestrar o próprio filho, pagando uma fortuna para isso. Mais de um milhão de dólares tinham mudado de mãos para manter o garoto escondido até que a pressão diminuísse e ele pudesse ser retirado do país. E finalmente uma equipe alemã tinha sido trazida, escolhida e cuidadosamente treinada para levá-lo consigo para o país onde Malcolm planejava morar com Brigitte.

Ele vinha planejando aquilo tudo há muito tempo, quase desde que o menino nascera. A essa altura ele já sabia que tinha errado ao casar-se com Marielle e não com Brigitte. Marielle era distinta, digna, decente e boa, e de vários ângulos era a esposa perfeita. Mas era por Brigitte que ele ansiava, era Brigitte quem o excitava, era com Brigitte que ele queria viver — mas ela não podia ter filhos.

A idéia viera aos poucos; até então eles só tinham falado sobre divórcio. Marielle era delicada demais para ele, assustada demais, marcada demais pelo passado. Quando se casaram, ele gostava do fato de ela não ter outros vínculos, mas com o tempo começou a sentir como uma carga a dependência dela. E, em contraste, Brigitte era tudo que Marielle não era: mais esperta, mais dura, mais exigente e totalmente independente. Ela fazia a Malcolm exigências que o apavoravam, particularmente quando ameaçava abandoná-lo. Mas ele adiava a decisão sobre o divórcio, porque não queria deixar Teddy. Tinha pensado em pedir na justiça a custódia do garoto, mas aquilo era complicado e incerto. E finalmente Brigitte sugerira que eles apenas se mudassem para a Alemanha levando o garoto consigo. Foi então que Malcolm levara o plano alguns passos adiante. Se o menino estivesse presumivelmente morto, todos, inclusive a mãe, algum dia teriam que parar de procurá-lo.

E se tempos depois ele se casasse com sua secretária e adotasse o filho que ela tinha na Alemanha, quem saberia? Quem questionaria? Pareceria perfeitamente natural que ele quisesse abrandar a dor de sua perda. E quem suspeitaria que se tratava de Teddy? Depois de um ou dois anos mantendo-o bem escondido na Alemanha, ele pareceria um alemãozinho. Era um plano engenhoso e certamente afastaria Marielle para sempre. Mas muita gente tinha sido usada: Charles, Marielle, a criança, as pessoas que seqüestraram o menino, as que o esconderam. Muitas pessoas tinham sofrido, ou iam sofrer agora, por causa de Malcolm. O juiz sentiu náuseas quando ouviu a história. E John Taylor teve vontade de matar Malcolm.

O plano tinha sido primorosamente concebido. E Malcolm já começara a transferir para a Europa grande parte de sua fortuna. Ninguém parecia ter desconfiado, porque ele tinha muitos investimentos lá, mas ele planejava mudar-se para a Alemanha ainda naquele ano, com Brigitte.

Brigitte também tinha sido bem paga por sua cumplicidade: meio milhões de dólares depositados para ela em Berlim. E os outros capangas também tinham sido bem pagos. O plano custara uma fortuna, mas para Malcolm era uma fortuna bem empregada. Ele queria livrar-se de Marielle, ter o menino só para si e educá-lo na Alemanha. Disse que estava farto da América. Era Hitler quem ia dominar o mundo. Hitler, o único homem que sabia como governar um país. Todos os seus esforços e interesses, toda a sua paixão, e até mesmo o seu dinheiro, eram dedicados a Adolf Hitler. E a seus olhos o maior presente que ele poderia dar ao filho era criá-lo como alemão.

Era uma história incrivelmente cruel, e John Taylor, como as outras pessoas envolvidas, mal conseguiam acreditar. Era estranho que ninguém tivesse aberto o bico a não ser Louie Gostosão, mas quando o castelo de cartas começou a desmoronar as pessoas que Malcolm tinha contratado começaram a falar para salvar sua pele. Não estavam dispostas a enrascar-se por causa de Malcolm. E em questão de dias John Taylor tinha mais depoimentos do que precisava. Não podiam acusar Malcolm de seqüestro porque Teddy era seu filho, mas acusaram aqueles que ele contratara. E Malcolm foi acusado de conspiração, formação de quadrilha e obstrução da justiça — foi tudo que puderam fazer contra ele.

O mais estranho era que Charles Delauney tinha sido um improviso, uma coisa que surgira na hora certa para Malcolm. Era o bode expiatório perfeito, depois que Patrick informara a Malcolm que Marielle e Charles tinham se encontrado na catedral. O momento não podia ser mais apropriado. E mais cinqüenta mil dólares tinham sido gastos para plantar o pijama e o urso na casa de Delauney, selando o destino de Charles e confirmando a sua culpa. Malcolm tinha acesso fácil ao pijama, pois tinha o menino bem escondido em Nova Jersey. Mantivera-o lá durante quatro meses, esperando cessar a vigilância no porto. E em maio ele e Brigitte partiriam no *Europa*, culpando Marielle por ter arriscado a vida do menino e contribuído para que ele fosse seqüestrado. Malcolm ia posar para o mundo como vítima, e continuar a encontrar consolo nos braços da devotada Srta. Sanders. Era um plano perfeito, e teria dado certo se John Taylor não tivesse estragado tudo ao encontrar Teddy no último instante naquele pequeno cargueiro alemão. Dois dias depois teria sido tarde, o cargueiro já teria partido. Essa idéia dava arrepios em todos. Porém, por um motivo qualquer, para Malcolm tratava-se de um plano respeitável, já que o menino era seu filho, e tudo que ele realmente queria era tirar Marielle de cena e permitir que o menino se tornasse alemão. Para Malcolm, aquilo significava passar o resto da vida na Alemanha, mas ele adorava o país, gostava mais dele do que do seu.

Mas no momento ele não ia a parte alguma. Estava solto sob fiança, esperando o julgamento no final de julho, e ele e Brigitte estavam escondidos no interior do estado.

Ela também fora acusada de conspiração, e falava-se em deportação.

E tudo que Marielle queria era sair da cidade e passar algum tempo em sossego com Teddy. Não queria ver Malcolm ou Brigitte e estava com horror do julgamento próximo, mas sabia que teria que comparecer, como testemunha da acusação. Pensava, nesse meio tempo, em ir passar três meses em Vermont, mas havia várias coisas a serem feitas antes, como procurar um advogado para divorciar-se de Malcolm.

Explicara parte disso a John, quando ele veio conversar com ela antes que ela tivesse tomado a decisão de levar Teddy de férias. John andava muito ocupado, mas ainda assim tentava visitá-la quase todos os dias. Seus agentes já tinham deixado a casa, a polícia também, e a maioria dos criados também partira. Ela e Teddy estavam procurando um apartamento.

— Pensei que íamos conversar antes que você tomasse qualquer decisão séria — queixou-se ele.

Desde o julgamento, ele aparecia constantemente nos jornais, como o herói que encontrara o menino dos Patterson. Além disso, estava ocupadíssimo com o caso contra Malcolm e Brigitte, mais os capangas. Havia um total de 22 pessoas envolvidas, todas acusadas de diversos crimes.

— E que negócio é esse de Vermont? — ele quis saber. Parecia preocupado e magoado. Odiava a idéia dessa viagem dela, mesmo que por poucos meses. Queria mantê-la perto de si.

— O ar do campo nos fará bem — ela respondeu.

Principalmente antes de outro mês de julgamento, pensou. Mas dessa vez estaria preparada, e John estaria com ela. Mas olhou-o com cautela ao falar. Tinha muita coisa a dizer a ele, mas ainda não era a hora.

— Está realmente de mudança? — perguntou ele, olhando-a esperançosamente.

De certo modo, as coisas tinham saído melhor do que ele planejara. Ela tinha o filho de volta e estava livre de Malcolm. A questão era: e ele, o que ia fazer? Agora seus olhos encontraram os dela e ele lhe perguntou se ela ia mesmo mudar-se da mansão de Patterson. E ela assentiu lentamente. Não teria pena de deixar aquela casa. As únicas lembranças felizes que tinha de lá eram de Teddy, e ele iria com ela.

— A casa é de Malcolm — disse. — Seus olhos se encontraram, e havia mil perguntas que ele queria lhe fazer. — Precisamos apenas de um apartamento pequeno — continuou ela, baixinho.

— E que mais? Que quer de mim agora? — Ele sabia que tinha que lhe perguntar isso. Sabia o que queria, mas tinha medo de não poder alcançar seu desejo. Ele a queria. Para sempre.

— A sua amizade. — O seu amor... a sua vida. Mas ela sabia que não tinha o direito de dizer isso.

— Só?

Os olhos dele estavam tristes. Durante semanas ele vinha adiando aquela conversa por medo do que ela diria se ele lhe dissesse quanto a amava. Tinham prometido um ao outro que esperariam até depois do julgamento antes de se permitirem pensar no que queriam um do outro. E agora chegara a hora, e ela tinha tomado a sua decisão: não queria ser responsável pela destruição do casamento dele.

— Que é que você quer de mim, Marielle? — ele repetiu. — Que é que vai deixar que eu lhe dê?

— Tempo. Tempo para me curar e aproveitar o meu filho. Mas devo a você mais que isso, John... Devo tudo... — Ela sorriu. Ainda lhe devia mais, e ambos sabiam, ou pelo menos ela sabia. — Devo-lhe não tirar coisa alguma de você, nem destruir o que você já tem... roubá-lo de sua casa, sua mulher, seus filhos. Que é que teria realmente, se os deixasse?

Os olhos dela eram enormes, profundos e tristes, enquanto ela fazia essa pergunta. E ele sabia que ela era mais sábia que ele.

— Eu teria você e Teddy — disse ele baixinho.

— E culpa, e remorso... e talvez um dia me odiasse por isso.

— Eu nunca poderia odiá-la.

Malcolm chegara a odiá-la, e Charles também, por algum tempo. Ela sabia o que era isso. E valorizava John Taylor demais para perdê-lo. Amava-o mais do que ele imaginava, mais do que chegaria a lhe revelar algum dia.

— Você não vai me deixar fugir com você, não é? — ele perguntou, olhando-a com tristeza, tocando-lhe a mão, querendo beijá-la.

Era parte da razão por que ela queria ir embora, afastar-se dele e do amor que sentia por ele, mas não lhe disse isso. Sabia que o amava demais para ficar perto dele sem se envolver, e tinha por ele carinho demais para interferir em seu casamento.

Enquanto ele a tomava nos braços, ela sussurrou suavemente:

— Você precisa deles. E eles de você.

Ela também precisava, e não tinha ninguém além de Teddy.

— Preciso de você também — ele disse com convicção. Nunca conhecera alguém como ela, e por um instante de loucura disse a si mesmo que poderia obrigá-la a fugir consigo. Podia forçá-la, se fosse possível, mas ao olhar para ela viu que não conseguiria fazer isso.

Ela tinha o direito de fazer o que quisesse. Um tempo de solidão, paz e convalescença. E talvez tivesse razão sobre Debbie.

— Não quero perder você, Marielle. — Nem o que tinham tido juntos, a promessa de tantas coisas por vir, e agora aquela promessa estava totalmente morta.

— Você não vai me perder. Estarei sempre aqui. — Os olhos dela torturavam os dele com sua ternura e sua sabedoria.

— E quando você não estiver mais aí? Quando pertencer a outra pessoa? — ele perguntou com tristeza, pois sabia, melhor que ela, que esse dia chegaria. Porque ela merecia isso, mais do que qualquer outra pessoa, e muito mais que ele próprio.

— Ainda seremos amigos. Eu lhe disse... você nunca vai me perder. — Tornou a sorrir. — A não ser que queira.

Beijou-o de leve nos lábios e ele apertou-a contra si; conversaram durante muito tempo e finalmente, odiando partir, ele a deixou e foi para casa, perguntando-se se ela era muito sábia ou muito tola. Levaria anos para saberem. No entanto, ele sempre soubera que seus mundos eram demasiado diferentes. Isso era algo que ela jamais reconhecera, mas ele sabia que tinha que fazê-lo.

Sentiu-se solitário sem ela durante alguns dias, e às vezes consolava-se descontando nos suspeitos durante os interrogatórios.

Mas ela também se sentia solitária sem ele. Não que ela não pudesse telefonar-lhe; sabia que podia. Mas, por ele mesmo, ela estava tentando não telefonar. E ocupava-se preparando a mudança para Vermont com Teddy. Finalmente tinham alugado uma casa, sem vê-la, com vacas, galinhas e um cão. E Teddy finalmente parecia recuperado. Ganhara peso e parecia saudável, limpo e feliz; a maior parte da tintura marrom já saíra de seus cabelos, a não ser em certos trechos, mas ele ainda ficava um pouco ansioso à noite, e tinha terríveis pesadelos. Estava dormindo na cama de Marielle, e ela própria cuidava dele. Haverford era o único criado que permanecera, mas ia partir dentro de alguns dias, e estava gostando de ajudá-la com Teddy.

Aliás, ele estava ajudando Teddy com uma taça de sorvete quando Charles veio dizer adeus a ela e Teddy. Ia voltar para a Europa na manhã seguinte.

— Para a Espanha de novo? — ela perguntou, enquanto ele a seguia até a cozinha.

— Agora não. — Ele estava pensando em alistar-se na Inglaterra, mas depois de tudo que acontecera sabia que não estava preparado e queria voltar para Paris antes de ir para a guerra outra vez. — Vamos para o sul da França primeiro, passar o verão.

Ele enrubesceu, como se aquele privilégio o constrangesse, mas ambos sabiam que ele merecia isso. Mas algo que ele dissera divertiu Marielle, e ela não resistiu à tentação de brincar, enquanto Teddy lhe oferecia a enorme taça de sorvete de chocolate. Ele e o menino eram quase amigos, embora Teddy ainda se confundisse a respeito de como Charles conhecera sua mãe.

— Nós? — ela repetiu. — Vai levar um amigo?

Mas ela já suspeitava. Tinha visto os dois caminhando juntos mais de uma vez, e ficara feliz com isso. Talvez mais que qualquer outra pessoa, ambos mereciam.

— Está bem, está bem — disse ele, rindo. Sabia que ela já tinha adivinhado. Tinha consciência de como ela era sábia e o mais estranho era que ainda a amava.

— Alguém que eu conheça?

Depois de uma separação de tantos anos, era estranho ficarem tão amigos, mas ela sabia que nunca mais se separariam realmente. De repente tudo tinha ficado diferente.

— Vou levar Bea comigo para Paris.

— Devia mesmo. Você lhe deve pelo menos isso — Marielle brincou, e ele riu.

— Ela foi maravilhosa comigo durante o julgamento. — E ainda melhor depois.

Ele permaneceu por mais algum tempo, e Marielle beijou-o quando ele se despediu. Ele não tinha lhe feito mal, portanto, ela o queria bem. Estava livre dele agora. Mas ainda o amava.

Mas não amava Malcolm. Temia o que ia acontecer depois do julgamento. Sabia que, por causa dos conhecimentos dele, se ele ficasse preso não seria por muito tempo, e ela queria estar o mais longe possível dele. Não o queria perto de Teddy. Mas John Taylor oferecera proteção ilimitada. Ela sabia, porém, que não poderia fugir eternamente; em algum momento teria que enfrentá-lo. Mas o FBI tinha jurado que Malcolm jamais pegaria Teddy outra vez. Ele a tinha intimidado por tanto tempo, tinha sido tão cruel e tão frio nas coisas terríveis que fizera, que até mesmo o direito de visitar o filho lhe seria negado.

Ela às vezes se perguntava se poderia jamais voltar a amar e confiar em alguém a não ser Teddy. Ele era tudo que importava. Era a alegria e a razão da sua vida.

Na véspera de sua partida para Vermont, ela acabou de embalar suas coisas. Mal podia esperar para deixar a casa de Malcolm. Estavam levando todas as suas coisas. Ela avisara Malcolm que a casa estaria vaga quando ele voltasse com Brigitte. E Marielle estava disposta a ficar num hotel com Teddy. Para ela aquela casa agora era assombrada, e ela não queria ficar lá.

Tinha sido difícil explicar as coisas a Teddy. Ele ainda não sabia que quem o seqüestrara tinha sido seu pai. Instintivamente, sentia que havia alguma coisa errada, e ouvira cochichos, mas ainda era muito novo e não entendia as coisas. Marielle dissera-lhe que Malcolm ia ficar fora por muito, muito tempo, e era pouco provável que o encontrassem. Teddy ficou surpreso, mas não triste, e parecia feliz com a mãe.

Na última noite na casa, a campainha da porta tocou e Haverford veio dizer-lhe que era Tom Armour. Ela ficou surpresa com aquela visita. Charles a essa altura já tinha viajado, e ela não via Tom desde o julgamento, mas ele soubera por John Taylor que ela ia partir.

Desceu lentamente a escada até o andar térreo, para ir ao encontro dele. E ele parecia muito bonitão e jovem, um pouco constrangido. Marielle mostrou-se amistosa e terna, cumprimentando-o e agindo como se aquela visita fosse esperada.

— Soube hoje no tribunal que você vai embora — ele começou, sem jeito, apertando a mão dela.

Haverford desapareceu para fazer café.

Há algum tempo Tom tencionava visitá-la, mas estava adiando para ganhar coragem. Queria despedir-se. Queria dizer-lhe uma coisa desde o final do julgamento, e, com tudo que acontecera, não tivera a oportunidade.

— Você vai para Vermont?

Fora tudo que Taylor lhe contara, mas seus olhos tinham revelado o resto da história e por um instante Tom se perguntara o que teria acontecido.

Ela assentiu com um sorriso, e sentaram-se na biblioteca, onde tanta coisa acontecera nos últimos meses. Ela se perguntava por que ele teria ido lá. Mas estava feliz por vê-lo. Ele fizera um bom trabalho para Charles, e ela sempre simpatizara com ele. Ele tinha sido decente com ela quando a interrogou no julgamento, e ela sempre sentira a sua força e a sua bondade inatas.

— Teddy e eu precisamos nos afastar — ela explicou, enquanto Haverford aparecia com o café e logo tornava a desaparecer.

— Como é que ele está agora? — Tom perguntou, olhando em volta de si.

Era uma casa magnífica, e ele não conseguia deixar de imaginar se ela não sentia pena de partir. Mas ela sorriu observando o rosto dele. Sabia o que ele estava pensando, e não tinha quaisquer dúvidas. Mal podia esperar para sair dali.

— Está ótimo. Ainda tem pesadelos às vezes, e não gosta de falar sobre o que aconteceu.

— É compreensível.

Ambos sabiam que aquilo ia marcar Teddy para sempre. E ele ainda não tinha idéia de que o seqüestro tinha sido criação de seu pai. Marielle tinha esperança de não precisar contar-lhe antes de muitos anos, o que Tom achava incrivelmente decente da parte dela — mas, pelo que vira dela durante o julgamento, isso não o surpreendia.

Ela agora parecia estar em paz, calma e tranqüila, e seus olhos eram sérios, mas, de um modo suave, ela parecia feliz.

— E você? — ele perguntou com ternura, olhando pra ela. — Está bem? Não teve mais enxaquecas?

Ela sorriu em resposta. Não tivera enxaqueca desde o julgamento. Pela primeira vez em muitos anos sentia-se em perfeita saúde. Era como se tivesse sobrevivido a um teste terrível, e ao sobreviver os fantasmas finalmente tinham descansado e ela se tornara muito mais forte.

— Estou bem.

Ela queria agradecer-lhe a bondade durante o julgamento, mas não sabia como fazê-lo, e tentou não perceber a bela figura que ele fazia de calças brancas, *blazer*, gravata vermelha. Ele era um homem muito atraente, e ela enrubesceu, enquanto se voltava e ajeitava a posição de um livro sobre a mesa.

— Marielle... — Ele sabia que teria que partir dele. Mas não queria que ela saísse da cidade antes de conversarem. — Eu... gostaria de visitá-la em Vermont...

Ela o encarou de olhos arregalados, surpresa pelo que ele dissera, e de repente se perguntou se ele estaria trabalhando para Malcolm. Mas ele viu a expressão dos olhos dela e, tocando-lhe de leve a mão para tranqüilizá-la, prosseguiu:

— Não sei se estou me fazendo entender. Acho que estou fazendo uma confusão danada. — Parecia embaraçado como um adolescente, ambos se sentiam como crianças. — Já faz muito tempo que fiz esse tipo de coisa.

Fazia muito tempo que ele conhecera alguém pelo menos remotamente parecido com ela. Ela lhe lembrava muito a ex-esposa. No entanto, era também muito diferente dela. Marielle tinha mais integridade do que qualquer mulher que ele já conhecera, mais força, mais tolerância, possivelmente mais bondade. E não tinha tido muita sorte nos últimos dez anos. Quando ela voltasse de Vermont, ele esperava poder mudar isso.

— Você terá telefone em Vermont?

Ele ainda estava tropeçando, tentando falar sobre o futuro, e de repente Marielle riu. Achava que compreendia, mas era difícil acreditar. Ele sempre fora tão eficiente, tão calmo, e no entanto, sob aquele ar sério havia emoções poderosas.

— Acho que terei uma linha comunitária.

— Ótimo. Então vamos dar algumas emoções aos vizinhos — ele riu. — Vou tentar pensar em notícias bem picantes para contar-lhe quando telefonar.

Mas isso era algo que já houvera demais nos últimos meses. Ela esperava que a vida daí em diante fosse tranqüila, e olhou para ele com interesse enquanto conversavam sobre a nova vida dela no interior. Ela ia ficar lá três meses apenas, até o julgamento de Malcolm. E teria que voltar e procurar um apartamento para ela e Teddy. Haverford ia partir no dia seguinte, quando eles partissem para sua aventura em Vermont. E quando voltassem, a vida ia ser muito diferente, mas ela não achava isso ruim.

— Seria cedo demais se... — ele começou, sentindo-se mais desajeitado que um menino de escola. — ...se quando você voltasse, eu... nós...

Quase soltou um gemido ao olhar para ela; não conseguia acreditar que fosse tão difícil. Pensava nela havia semanas, de um modo como não pensava em pessoa alguma há anos, e nunca imaginou que uma coisa como essa pudesse acontecer, e agora estava achando impossível dizer a ela. Finalmente respirou fundo e pegou-lhe a mão com expressão ansiosa.

— Marielle, você é uma mulher extraordinária. Gostaria muito de conhecê-la melhor.

Pronto, finalmente tinha dito. Sentiu uma onda de alívio. Mesmo se ela lhe dissesse que jamais queria tornar a vê-lo, pelo menos ficava sabendo de uma pequena parte do que ele sentia por ela.

— Eu a admiro desde o primeiro instante em que a vi.

Ela tornou a enrubescer, sentindo-se estranhamente vulnerável e muito jovem, e ao olhar para ele viu algo em seus olhos que lhe deu a sensação de estar se derretendo.

— É incrível pensar que de tanto sofrimento... de uma coisa tão terrível... tantas coisas boas aconteceram.

Ela falou com muita ternura, estava muito grata pelas bênçãos que recebera. E enquanto olhava para Tom, querendo dizer tantas coisas, houve um ruído na porta da biblioteca e a sua maior bênção apareceu, de pijama azul.

— Que é que está fazendo aqui? — ela perguntou, sorrindo, e Teddy entrou correndo no aposento com olhar travesso.

— Não consegui dormir sem você. — Ele subiu no colo dela e encarou Tom com interesse.

— Conseguiu, sim. Estava roncando quando eu saí de lá.

— Não estava, não — ele protestou. — Estava fingindo — anunciou. Mas bocejou e inclinou-se possessivamente de encontro à mãe.

Marielle apresentou-o a Tom sem explicar ao menino de onde o conhecia.

— Ouvi dizer que você vai para Vermont — disse Tom. Ele adorava crianças, e principalmente aquela, depois que tudo por que tinham passado por causa dela.

— É — disse Teddy com orgulho. — E vamos ter vacas e cavalos e galinhas. Mamãe falou que eu vou montar num pônei.

— Eu costumava passar as férias em Vermont, quando tinha a sua idade.

Tom sorriu para ele, depois por cima da cabeça dele, para a mãe. Tinha dito o suficiente. Por mais que ele tivesse se atrapalhado ao falar, ela entendera perfeitamente as suas intenções, e gostava delas. Um olhar particular passou entre os dois, por cima da cabeça do menino, e os aproximou de repente.

— Você tinha um pônei? — Teddy perguntou.

De repente sentia-se intrigado por Tom. Fazia muito tempo que não via seu pai, e às vezes sentia saudade dele. E a mãe lhe dissera que o pai partira numa viagem muito, muito longa. Provavelmente estava em algum lugar da África, ou num navio, onde era impossível telefonar.

— Tinha, sim. E uma vaca que eu tinha que ordenhar sozinho. Se eu for a Vermont vou lhe mostrar como se faz.

— Você vai também? — Teddy parecia muito interessado e, aliás, sua mãe também.

— Não tinha pensado nisso. — Ele tinha planejado esperar até ela voltar. — Mas na verdade não é má idéia.

Tornou a olhar para Marielle, e eles trocaram um sorriso. Ele estava feliz por ter tido coragem de ir até lá visitá-la antes que ela partisse. Caso contrário, passaria meses torturando-se, e talvez agora não precisasse fazer isso.

— Talvez eu pudesse aparecer num fim de semana.

Conhecia um lindo hotel perto de onde eles ficariam, e a idéia de repente lhe parecia maravilhosa, enquanto ele contemplava o menino e sua mãe.

— Ainda sabe montar a cavalo? — Teddy perguntou com seriedade.

— Acho que sim. — Tom riu.

— Se não souber, eu posso ensinar — ofereceu Teddy generosamente.

Os três riram, e foram até a cozinha procurar biscoitos para Teddy. Haverford tinha ido para seu quarto; tinha que terminar de fazer suas malas. Marielle sabia que ele lamentava deixá-los, mas ele não se dispusera a continuar trabalhando para Malcolm, e Marielle não podia pagar seu salário. Ela aceitara uma pequena pensão de Malcolm, e era tudo que queria. Teddy herdaria o resto de Malcolm, quando fosse mais velho.

Tom serviu-lhe um copo de leite e Marielle encontrou o resto dos biscoitos de chocolate, e os três ficaram conversando, rindo e comendo biscoitos até muito depois da hora de Teddy dormir. Eram quase onze horas quando Tom finalmente se foi. Ele ajudou-a a colocar Teddy na cama e os dois desceram para o andar térreo, para que ela pudesse abrir-lhe a porta de saída. E ele ficou olhando para ela por um longo e ansioso momento.

— Obrigado por me deixar passar algum tempo com vocês esta noite — disse, com vontade de tocar nos cabelos dela, nas face, no pescoço, mas era cedo demais, e ele sabia disso.

— Fiquei feliz com a sua visita.

Ela não tinha esperado vê-lo novamente, e sentia pena por isso. Agora aquela visita abria um novo horizonte. Ainda sentia saudade de John Taylor, mas sabia que tinha tomado a decisão correta, por ele. E passar algum tempo com Tom era como um presente inesperado, e ela se sentia grata.

— Sempre quis lhe dizer como admirei seu trabalho durante o julgamento — disse baixinho.

Mas ele não queria que ela ainda pensasse sobre isso. Queria que ela pensasse em Vermont, e em coisas felizes, verões no campo com Teddy. E sabia que, quando ela voltasse para o julgamento de Malcolm, ele estaria lá para ajudá-la. Não queria que ela passasse por isso sozinha. Não queria que ela tornasse a passar por qualquer coisa difícil; teria apenas felicidade e coisas boas, se dependesse dele.

— Não pense mais nisso — disse ternamente. Não conseguiu deixar de estender a mão e trazê-la para perto de si. — Não pense mais nisso. — O passado estava acabado. O dela e o dele. Havia dor demais no passado, e ele queria fechar aquelas portas atrás dos dois. — Pense só em Teddy e no pônei. — Ambos riram, e então os olhos dele ficaram sérios. Os dois estavam muito perto um do outro. — Vou sentir saudade, quando você estiver em Vermont.

E o mais estranho era que aquilo era verdadeiro. Eles mal se conheciam, mas se conheciam. Ele a conhecia melhor do que a maioria de seus amigos mais próximos, e de certa forma melhor do que as mulheres com quem saía. E amava tudo que sabia sobre ela.

— Também vou sentir saudade. — Ela sorriu, sentindo esperança pela primeira vez em muitos anos, e totalmente à vontade com ele. — Vamos ligar para você em nossa linha comunitária.

— Eu vou ligar antes — ele sussurrou. Já tinha anotado o número. — Dirija com cuidado. — Puxou-a para mais perto de si e ela fechou os olhos quando ele a beijou. — Boa noite, Marielle... Até breve...

Olhou para ela pela última vez e partiu, e ela fechou a porta pensando em como a vida era estranha. Nunca se sabia o que ia acontecer. Ela pensara tantas coisas falsas em sua vida... Que ela e Charles ficariam juntos para sempre, que sua vida seria feliz e excitante, cheia de filhos... E que Malcolm ia amá-la e protegê-la para sempre... Que nada terrível lhes aconteceria porque ele era tão decente e tão bom... E então ela temeu que Teddy nunca mais voltasse. Enganara-se a respeito de tudo, especialmente, graças a Deus, sobre Teddy. Ele estava de volta. Ele era tudo que importava realmente. Era a estrela de esperança para a qual ela sobrevivera. Mas agora havia algo mais. Os outros tinham partido. Os pesadelos tinham acabado. Os sonhos tinham desaparecido na neblina. E ela e Teddy estavam sozinhos, com suas lembranças boas e más, e a vida toda pela frente. As tristezas iriam fortalecê-los, ela sabia. A temporada em Vermont lhes faria bem, e quando voltassem para casa, iniciariam uma nova vida... E Tom Armour estaria esperando por eles, com toda a decência e a bondade que ele tinha para oferecer. E talvez seus sonhos se realizassem, talvez não. Ela esperava que sim, e ele também, enquanto voltava a pé para seu apartamento. Ela esperava que os pesadelos jamais retornassem para qualquer um deles. Esperava muitas coisas, a maioria delas em relação a Teddy.

Quando partiram, de manhã, Haverford ficou acenando para eles enquanto ela se afastava no velho Buick de Malcolm.

Haverford a conhecera por todos os anos em que ela ficara casada com Malcolm, e conhecia Teddy desde que este nascera. E agora os dois partiam para o que quer que a vida lhes reservasse. O velho mordomo trancou a porta em silêncio, pensando no menino, e colocou a chave num envelope para enviá-la aos advogados. A casa estava deserta, a família partira. E enquanto descia os degraus da frente e acenava para um táxi, ele se sentia esperançoso por eles, e isso o alegrava. E nesse exato momento Marielle atravessava uma ponte, e Tom Armour estava a caminho do tribunal, para outro julgamento, pensando nela e em Teddy.

Impresso no Brasil pelo
Sistema Cameron da Divisão Gráfica da
DISTRIBUIDORA RECORD DE SERVIÇOS DE IMPRENSA S.A.
Rua Argentina 171 — 20921-380 Rio de Janeiro, RJ — Tel.: 585-2000